CHARACTER

The Art of Role and Cast Design for Page, Stage, and Screen

by Robert Mckee

目次

［凡例］

▼本文中の映画作品について、初出時はその制作年を（ ）内に算用数字下二桁で示した。

▼〔 〕内は、訳者による補足説明である。

▼映画作品、テレビドラマ、戯曲、長編小説のタイトルは『 』、短編小説は「 」で示した。

▼本文中で扱われている映画作品、テレビドラマ、戯曲、小説において未公開、未放送、未邦訳のものは原題のママ記載し（未）と記した。

▼本文中の引用作品は、基本的には既訳を参考にしたが、該当箇所を新たに訳出し直した作品もある。既訳からの引用については、文末の（ ）内に翻訳者名と出版社名と刊行年を表記した。

ミアへ
わが妻（ワイフ）、わが人生（ライフ）。

キャラクターは人間とはちがう。ミロのヴィーナスや、ホイッスラーの描いた母親〔「灰色と黒のアレンジメントNo.1：母の肖像」〕や、スウィート・ジョージア・ブラウン〔ジャズのスタンダード・ナンバーで歌われているとびきりの美女〕が生身の女性ではないのと同じように、キャラクターは実在の人間ではない。キャラクターは芸術作品である――感情を掻き立て、深い意味を持ち、記憶に刻まれる、人間の本質の隠喩である。それは作者の心の奥深くで生まれ、ストーリーの腕のなかでしっかり守られ、永遠に生きつづけるよう運命づけられている。

イントロダクション

多くの作家にとって、過去とは過ぎ去ったことなので、彼らは最新の時流に合わせて映画の製作や本の出版の機会を得ることによって、未来の動向をつかもうとする。作家が自分の生きる時代と同調すべきなのは当然だが、文化や美意識に流行り廃りはあっても、人間の本質にそのようなものはない。進化論の度重なる研究で明らかになったとおり、人間性というものは長いあいだ進化していない。四万年前に洞窟の壁に手形を押した男女がしていたことは、現在のわれわれがしていること——自撮り（セルフィー）——となんら変わらない。

何千年にもわたって、芸術家や哲学者たちは人間の本質を描き、研究してきたが、十九世紀後半からは、その本質の奥にある人間の心に科学が焦点をあてはじめた。研究者たちは、精神分析から行動主義、進化主義、認知主義へと人間の行動理論を発展させていった。こうした分析は、何十もの特徴や欠点にラベルを貼って分類するもので、その認識がキャラクターや登場人物に関する作家の創造的思考を刺激するのはまちがいない。とはいえ、本書は心理学の特定の学派を支持しているわけではない。多くの分野から考えを集めて、想像力や直感を喚起し、それによって才能ある人々に刺激や助言を与えようとしている。

本書のおもな目的は、架空のキャラクターの本質についての理解を深め、創作の技法を磨くことにある。それによって、主人公から脇役の第一、第二、第三のグループ、そして場面の片隅にいる名もない通行人に至るまで、複雑で類を見ない個性のある登場人物を考案できる。そのためには、作業のやりなおしは避けられない。章ごとに、そして、ことばを繰り返すごとに、いくつかの根本的な原則が新しい文脈のなかで響くだろう。わたしが同じ概念を繰り返し説明するのは、慣れ親しんだものであっても新たな視点で見直すたびに理解が深まるからだ。

以下の各章では、キャラクターの設計に関するほぼすべての考察を、二項対立の原則を土台としておこなう。キャラクターと人間、組織と個人、特徴と真実、外面と内面など、相対するものを手がかりにして考えていく。もちろん、その中間となる部分で、双方の色合いが重なったり混じり合ったりしてぼやけることはありうる。だが、キャラクターの複雑さを明確かつ容易に認識するために、作家には、対比とパラドックスに対する感性、つまり、創造の可能性を隅々まで明らかにできるような、矛盾を見分ける力が必要である。本書ではその技術を教える。

前作までと同様に、映画賞に輝いた作品やシリーズ、長短編小説、演劇やミュージカルから選んで、シリアスなものとコミカルなものの両方の例に言及していく。そういった現代の作品に加え、過去四十世紀に及ぶ創作芸術の世界の名匠——筆頭はシェイクスピア——が生み出したキャラクターも採りあげる。紹介する作品のなかには、読んだことや観たことがないものもあるだろうが、ぜひ学習予定に加えてもらいたい。

あらゆる時代からのキャラクターを例示することには、ふたつの意味がある。（1）具体例をあげる目的は、それによって目の前の課題を明確にすることであり、最も古い例がいちばん際立ったものである場合が少なくない。（2）自分の職業に誇りを持ってもらいたい。執筆することは、真実を語るという古来の気高い伝統を受け継ぐことにほかならない。過去の作品のすばらしい登場人物たちが、あなたがこれから書くものに足場を与えてくれる。

本書は四部構成となっている。**第1部　キャラクターをたたえて**（第1章から第3章）では、キャラクターを創造するための着想の源を探り、すばらしい架空の人物を生み出す才能を磨くための基本的な作業を説明する。

第2部　キャラクターの構築（第4章から第13章）では、これまでにないキャラクターを創造することを求めて、まず外側から書く方法、つぎに内側から書く方法を考察し、さらに多様性と複雑さについて、最後に過激なキャラクターについて考える。サマセット・モームがかつて語ったとおり、「人間の本質からは題材が尽きることがない」。

第3部　キャラクターの世界（第14章から第16章）では、ストーリーのジャンル、キャラクターがとる行動、読者や観客とキャラクターの関係という三つの要素に基づいて、キャラクターの背景を説明する。

第4部　キャラクターの関係（第17章）では、小説、映画、演劇、ドラマシリーズから選んだ五つの作品の登場人物（ドラマティス・ペルソナエ）のさまざまな面を解読し、それらの設計にあたっての原則と技法を説明する。

本書全体を通して、キャラクターの宇宙を銀河系へ、銀河系を太陽系へ、太陽系を惑星へ、惑星を生態系へ、生態系を人間の生命の根源へと分解し、人類の神秘のなかにある創造的な意味を見いだす手助けをしていきたい。

ストーリーにせよ、キャラクターにせよ、どのように創作するかはだれも教えてくれない。創作過程には人それぞれに際立った相違があり、わたしから学んだことだけで執筆することはできない。この本では、ハウツーではなく、本質を紹介する。わたしにできるのは、全体と部分とその相互関係を示し、美学的原則を説明してそれを裏づける実例をあげることだけだ。そのようにして学んだことに、それぞれが自分の知力と嗜好、さらには長期にわたる創作活動を加えていかなくてはならない。わたしが手をとって教えることはできない。その代わりに、才能を開花させるための知識を提供しよう。だから、この本をじっくりと何度も読み返して、学んだことを吸収し、それを自分の作品にどう生かすかを考えてもらいたい。

本書は、キャラクターの複雑さに対する理解を深め、表現の特徴を観察する力を高めることを目標とする。着想が浮かばない暗黒の日々に、あなたが登場人物全体のあり方を考える手助けとなるだろう。

第1部
キャラクターをたたえて

キャラクターは現実の人間とは異なる形でわれわれの人生に影響を及ぼす。幼児期に受けた教育によって、自分のなかでさまざまな力が動きはじめるが、ストーリーに接するようになると、キャラクターもまた重要な導き手となり、手本となる——その影響は親や社会が認めるよりもはるかに大きい。創作された存在がわれわれを啓発し、自分自身やまわりの人間を理解するための貴重な力を授けてくれる。

第1章から第3章では、作家という職業の基礎となる語りの技巧の原則とともに、人間の本質を成り立たせる要素について深く掘りさげていく。第1章ではまず、架空の人間と現実の人間のちがいを見ることから考察をはじめる。

1　キャラクターと人間

人間は未完成で進歩の途上にあるが、キャラクターは完成して演技をはじめている。現実の人間はわれわれに直接的であからさまな影響を与えるが、キャラクターは想像のなかに滑りこんでさりげなく心を動かす。人間には社会生活があるが、キャラクターは作家が考案した配役のなかで生きる。人間は自分自身を体現し、キャラクターは人間の精神を象徴する。

だが、いったんページや舞台やスクリーンの上で演技をはじめると、隠喩にすぎなかったキャラクターは人間味を帯び、唯一無二のものとなる。人間があいまいなものであるのに対し、劇中に巧みに配されたキャラクターはあなたが知るだれよりも鮮明だが複雑で、興味を掻き立てるが近づきやすい。また、ストーリーの枠内におさまっているかぎり、キャラクターは本人のままでありつづけ、ストーリーの到達点を超えて変化することはけっしてない。

現実の世界からこぼれ出た人間は墓へ向かうが、ストーリーからこぼれ出たキャラクターは別のストーリーへ向かう。たとえば、ドラマシリーズ『ブレイキング・バッド』に登場する弁護士ジミー・マッギルは、その前日譚『ベター・コール・ソウル』を生み出した。主人公の相棒ジェシー・ピンクマンも、同様にその続編映画『エルカミーノ：ブレイキング・バッド　THE　MOVIE』（19）を生み出した。

キャラクターと人間のちがいを見つけるのはたやすい。俳優本人と役柄を比べるだけでいい。世界の観客を圧倒する役を演じた名優ですら、ふだんの生活で出会う人々に同じ感銘を与えることはめったにない。なぜだろうか。人間は経験することのごく一部しか表現しないが、キャラクターは経験するすべてを具現するからだ。キャラクターは過去を入れた器として、未来のためのスポンジとしてストーリーにはいり、核心まで永遠に記憶してもらうために、その本質が目いっぱい表れるように書きこまれ、演じられる。だから、すぐれたキャラクターはそのもとになる人間よりも重層的かつ立体的で、興味を引きやすい。

人間は二十四時間、つねに存在する。キャラクターが存在するのは幕があがってからおりるまで、フェードインからフェードアウトまで、最初のページから最後のページまでだ。人間にはこれから生きる人生があり、死がその終わりを決めるが、キャラクターの終わりを決めるのは作家だ。キャラクターの人生のはじまりと終わりは、読者が本を開く瞬間と閉じる瞬間、あるいは観客が劇場にはいる瞬間と出る瞬間と一致する。〔原注1〕

キャラクターがもしわれわれの現実に出入りできるとしたら、ストーリーから抜け出して二度ともどらないだろう。作り物の人生で奮闘するよりも楽しいことが待っているからだ。

キャラクターが伝えるもの

身のまわりにいる人間と比べて、キャラクターは多くのことをわれわれに伝える。こちらが観察しているあいだ、いやがらずにじっとしていてくれるからだ。キャラクターが目の前で語り、演じるのを見ていると、まるで超能力を手にしたかのように、ことばや行動を通じて、より深くに秘められた思いや望み、さらには、もっと深いところを静かに流れる究極のサブテクスト〔言外の意味〕、つまり潜在意識までもがわかってくる。しかし、自分自身に目を向けると、潜在意識は頑なに沈んだままだ。そのため、自分の真の姿はつねに謎めいている。詩人のロバート・バーンズは、この問題を「ああ、神が与えてくれないものか。他人の目から見たように自分自身を見る力を」と表現した。しばしば自分自身に当惑させられるわれわれに対して、作中のキャラクターは一種の集団療法を提供してくれる。

キャラクターは未来へ身を乗り出し、個人的な目標に集中しているので、意識がせばまっている。だが、われわれは本を手にとったりチケットを購入したりしたあと、まずゆったりと腰かけて、キャラクターを取り巻く世界を三百六十度見渡し、それから前かがみになって心の奥底をのぞきこもうとする。このような審美的な態度のおかげで、キャラクターとそれを取り巻く社会を、自分自身とその周囲よりもしっかりと見通すことができる。わたしもアメリカ合衆国や自分自身のことを、『ブレイキング・バッド』やその主人公ウォルター・ホワイトのことに劣らず深く理解できればいいのに、とつねづね思っている。

キャラクターの限界

人間性は容赦なき二項対立によって引き裂かれる——善と悪、愛と憎しみ、利他と利己、賢明と暗愚など、相対するものをあげればきりがない。しかし、ふだん生きる世界で、おのれの内なる矛盾を限界まで追究する者はほとんどいない。壊れた自己のことを、トニ・モリスンの小説『ビラヴド』に登場するセサほど暗い深淵まで突きつめて考えた者がいるだろうか。『ベター・コール・ソウル』の二面性を持つ弁護士ジミー・マッギル（別名ソウル・グッドマン）ほど頻繁に倫理規範を変転させた者がいるだろうか。「新聞王」と呼ばれたウィリアム・ランドルフ・ハーストは、みずからがモデルとなった映画『市民ケーン』（41）の主人公のように破滅的な情熱を持って日々を生きただろうか。

歴史上の著名人——マルクス・アウレリウス、エイブラハム・リンカーン、エレノア・ローズヴェルト——でさえ、ひとりの人間というよりキャラクターとして記憶されている。それは、死後に伝記作家が小説化し、脚本家が戯曲やシナリオに仕立て、俳優が命を吹きこんだからだ。

キャラクターと焦点

人間は仮面をかぶる。キャラクターは人の興味を掻き立てる。われわれが出会う人間は、理解できないほど扱いにくいか、気にもならないほど縁遠いかのどちらかであることが多いが、作家は厄介な人物を個性豊かな変人に作り変えることができる。すぐれた架空の人物を描くには、徹底した集中力と、心理を鋭く見抜く力が求められる。われわれが引き寄せられるのは、ふだんの生活で難物たちに手を焼くときのように頭を使わせるキャラクターだ。おかげで、なんとも皮肉なことだが、そのような労力を必要とするキャラクターほど現実味を帯びて感じられる。より特異で、多面的で、予想がつかず、理解しがたいキャラクターほど、魅力的で本物っぽい。ありきたりで、変化がなく、予想がつき、理解しやすいキャラクターほど、現実味もおもしろみもなく、出来の悪い漫画のようだ。[原注2]

キャラクターと時間

キャラクターの視点から見ると、時の川はおぼろげな過去から流れ出て、まだ見ぬ未来の海へ注ぎこむ。しかし、われわれの視点から見ると、物語の時間ははじめの像から終わりの像までのあいだにおさまっている。作者が時の流れを凍結するので、物語を見つめる読者や観客の心は過去へ、未来へと自由に滑っていく。何日、何か月、何年もの時間を飛び越えて、物語の筋書きを根本までたどったり、過去に埋もれた動機を掘り出したり、将来キャラクターの身に起こることを先まわりして予言したりする。

ストーリーは人生の隠喩であり、存在の本質を表現する。キャラクターは人間性の隠喩であり、変化の本質を表現する。ストーリーは出来事が起こるにつれて進展するが、いったん語られたものは時の彫刻のように永遠の存在となる。一方、さまざまな面を持つ役柄は、葛藤を通して内なる自己も表向きの自己も変え、ついにはキャラクターをストーリーの終着点を越えた未来へ送って、その中身も状況も変えてしまう——変化の弧を描いて。

アイディアには寿命があり、たいていは短命だ。そのためストーリーは錆びつきやすく、時代と密接にかかわる内容のものほど寿命が短い。どれほどすぐれたストーリーであろうと、廃れさせないためには、時代に即した再解釈が絶えず求められる。

長く残るのはキャラクターだ。ホメロスのオデュッセウス〔『オデュッセイア』〕、シェイクスピアのクレオパトラ〔『アントニーとクレオパトラ』〕、ジェイムズ・ジョイスのレオポルド・ブルーム〔『ユリシーズ』〕、アーサー・ミラーのウイリー・ローマン〔『セールスマンの死』〕、マリオ・プーゾのマイケル・コルレオーネ〔『ゴッドファーザー』〕、マーガレット・アトウッドの侍女オブフレッド〔『侍女の物語』〕、チャールズ兄弟のフレイジャー・クレインとナイルズ・クレイン〔『Cheers（未）』〕などは、それぞれのストーリーが記憶から消えたあとも、世界じゅうで人々の想像のなかにずっと生きつづけるだろう。〔原注3〕

キャラクターと美

キャラクターの特徴と深みが継ぎ目なく合わさったとき、その人物は美を放つ。これは、きれいだということではない。きれいさは装飾だが、美は表現だ。この特質は、調和（プラトン）、光輝（トマス・アクィナス）、気品（イライジャ・ジョーダン）、鮮明さと安らぎ（ジョン・ラスキン）、不動の平穏（ヘーゲル）などと呼ばれてきた。どれも、すぐれた芸術作品から立ちのぼる感覚を定義しようとしている。作品自体が荒れ狂っていようと暗澹（あんたん）としていようと関係ない。悪役だろうが、ホラー映画に出てくるほど醜かろうが、そのキャラクターの特徴が調和し、全体として意味をなしていれば、どんなに異様なキャラクターでも一種の美を放つ。さらに、プラトンが説いたとおり、われわれは美に対して愛に近い感覚を持つので、巧みに作られたキャラクターに感じる喜びは判断の範疇を超える――それが親しみの感覚だ。われわれの精神生活は美によって増幅され、低俗さによって鈍らされる。［原注4］

キャラクターと共感

キャラクターに共感するためには、洗練された感性が必要だ。他者と同化すると感覚が刺激され、心が活気づく。キャラクターはわれわれの自省をあと押しし、自分を内側と外側から知るよう促してくる。おのれの奇妙さ、一貫性のなさ、二面性、隠れた美しさを見せることで、自分は何者なのか、なぜ自分は自分であるのかを教えてくれる。［原注5］

作家のヘンリー・ジェイムズによれば、フィクションを書く唯一の目的は人生に拮抗することだ。同じように考えると、キャラクターを生み出す唯一の目的は、人間というものに拮抗し、現実世界で出会うどんな人よりも複雑で示唆に富む魅力的な人物を作ることだ。もしストーリーやキャラクターが現実に拮抗できるものでないなら、だれも書こうとは思わないだろう。［原注6］

われわれが巧みに語られたストーリーに求めるものはなんだろうか。自分ではけっして生きられない世界を体験することだ。巧みに語られたキャラクターに求めるものはなんだろうか。忘れえぬ人物を通して、自分ではけっして送れない人生を体験することだ。

印象に残るキャラクターは、われわれを引き寄せて人間性を共有することで心にとどまる。共感によって結びつくことで、キャラクターは他者の感情を間接的に、だがダイナミックに経験させてくれる。忘れえぬキャラクターはストーリーから離れてそのまま心にとどまり、われわれの意識をシーンの合間やその人物の過去と未来へ向けさせる。

われわれ人間とはちがって、キャラクターは多くの助けを得るものだ。ページの上では、文章による鮮やかな描写や台詞が読者のミラーニューロン〔他者の行動を見たときに活動する神経細胞〕に火をつけ、キャラクターの存在感を強める。舞台やスクリーンの上では、劇作家や脚本家が作ったキャラクターに俳優が命を与える。観客であるわれわれは自分なりの見方で鑑賞し、それによって個々の演技に深みを与え、磨きをかけ、動かぬものにする。その結果、どのキャラクターも観客の心に届く過程で独自の色合いを帯びる。実のところ、巧みに書かれたキャラクターは夢で見るイメージと同じで、現実の人間より生々しい。というのも、どの程度の写実性で描かれようと、キャラクターは核心では人間性の象徴そのものだからだ。

キャラクターと作家

人間が現実世界に生きているのと同様に、キャラクターは架空の世界に生きていると感じられるものだが、物語の登場人物たちはバレエ団のように人工的で、作家の目的に合うように構成された集団だ。〔原注7〕では、その目的は何か。なぜ作家はそのようなことをするのか。なぜ人間の複製を作るのか。なぜ友人や家族と日々を過ごすだけで満足できないのか。

それは、現実ではとうていじゅうぶんではないからだ。心は意味づけを求めるのに、現実には明確なはじまりも中間も終わりもない。ストーリーにはそれらがある。自分の心の奥底にあるものや、他者の内奥に秘められた自己を思いのままに見通したいと願っても、現実世界ではだれもが内にも外にも仮面をかぶっている。キャラクターはちがう。顔をさらけ出して物語に登場し、透明になって去っていく。

出来事は、それだけでは意味を持たない。雷が何もない土地に落ちても無意味だが、旅人に落ちれば大変な事態だ。出来事にキャラクターが加わったとたん、感情のない自然に命が吹きこまれる。

キャラクターを生み出すとき、あなたは当然ながら人間性のさまざまな断片（自分の目に映る自分自身、自分と似て非なる人々について感じていること、周囲の人々のときに異様でときに平凡な、ときに魅力的でときに不愉快な個性など）を集めて架空の人間を創造する。だが、作りあげたキャラクターともとになった現実の人々が異なることはじゅうぶん承知している。人生で出会う人々からアイディアを得ることはあるかもしれないが、母親が子供へ向ける愛情が夫へ向ける愛情とまったくちがうのと同様、作家が自分の物語の庭で育ったキャラクターへ向ける愛情は、もとになった種に向ける愛情とはまったくちがう。

では、キャラクターを生み出すために不可欠なものは何か。ここで、作家が身につけるべき十の能力をあげよう。

1　鑑識眼

他人が書いたもののよしあしを見分けられるようになるのは簡単だが、自分が書いたものを評価するには度胸と判断力が必要で、それらは、陳腐なものを直感的に嫌悪し、生命の宿ったものと宿っていないものを見分ける感覚に基づいている。だから、芸術家は不快さに敏感でなくてはならない。[原注8]

稚拙な文章は、紋切り型の役柄や鼻につく台詞以上に嘆かわしい欠点に満ちている。いいかげんに書かれた作品は、感傷や自己愛、残酷さや身勝手さ、そして何より嘘といった内面の欠陥をかかえていて、それらは作家に由来している。心を強く持てば、誠実に書けるだけでなく、誠実に生きることにもつながる。自分が書いたページにある欠点をなるべく多く見つけ、しかるべき嫌悪感をいだいてそれらをごみ箱行きにすれば、そのぶん実生活でも欠点を減らすことができる。

鋭く本質を突いたフィクションは、われわれの心を惑わす空想とそれによって隠される現実との乖離、幻影と事実との乖離を浮き彫りにする。[原注9]このような作品は、まるで目に見えぬ遠くの英知に照らされたかのように、力強く洞察を与える。だから、一流作家の作品をたくさん読み、すぐれた映画、ドラマ、演劇をたくさん観ることで、鋭く的確な鑑識眼を身につけられる。

2　知識

すぐれたフィクションを生み出すには、自分が書く物語の設定、歴史、登場人物について神同然の知識を持たなくてはならない。そのため、キャラクターを作るには、自分自身やまわりの人たちをつねに観察し、人生についての知識を総動員する必要がある。失われた過去があることに気づいたら、最も鮮明に覚えている思い出をたどればよい。隙間の空白を埋めたければ、心理学、社会学、人類学、政治学などの研究を参考にすることもできる。それでも足りなければ、切符を買ってみずから旅に出かけ、未知の世界を発見したり探索したりすればよい。［原注10］

3　独創性

独創的なものを作るためには、豊かな知見が欠かせない。観察によって得られる着想は表面的であり、そこからさらに深めるには、作家が自分なりの視点を加えて、そこにないもの、奥底に眠っているもの、まだだれも見つけていない隠れた真実を知る必要がある。

独創的だと感じるものの大半は、知らぬ間に影響を受けたものを再利用しているだけだ。「こんなことはいままでだれもやっていない」という考えはたいてい誤っている。それはむしろ、ほかの作家が何をしてきたかを知らないまま自分で試みたしるしである。人とちがうことをしたいと思っても、多くの場合、ちがいは些細なもので、そのうえ物語を悪いほうへ変えてしまう。画期的なことをしようとしてもたいがい失敗するのは、実のところ、すでにだれかが試みていて、陳腐と受け止められるからだ。

オリジナル作品に与えられる賞と脚色作品に与えられる賞が別であるせいで誤解されがちだが、独創性と脚色は相容れないものではない。シェイクスピアの作品は、『テンペスト』を除くすべてが、既存の物語を新たな戯曲に書きなおしたものだ。

真の革新とは何を表現するかであって、どう表現するかではない――新しいことをするのであって、昔からあることを新しい手法でするのではない。表現媒体やジャンルがなんであろうと、ストーリーは期待を掻き立て、不安や危機を増大させたすえ、驚きの結末をもたらさなくてはならない。ここまでは前提だ。モダニズムやポストモダニズムがきわめて独創的だったのは、それまで見逃されていた題材を世に知らしめ、一般常識を覆して、われわれの人生観の変化に再注目したからだ。しかし、そのような日々は過ぎ去った。映画には自由に形を変えられる特殊効果、文学には断片化、演劇には観客参加型と、表現方法があふれ返っているにもかかわらず、この何十年ものあいだ革新は起こっていない。芸術の形式に技法が牙を向ける時代はとうの昔に終わった。今日の前衛的精神は形式ではなく内容に矛先を向け、世間が慣れ親しんだ嘘をストーリーによって暴く。

4　ショーマンシップ

ストーリーを語るときは、軽業師の大胆さと手品師の才能を組み合わせて、巧みに隠し、意外な形でさらけ出す。だから、作家は何よりもまずエンターテイナーである。作家が読者や観客に提供するのは、真実と目新しさ――危険な真実に直面することと、それを体験する未知のキャラクター――というふたつの楽しみだ。

5　読者や観客を意識する

フィクションから得る経験と現実から得る経験は、質は異なっても種類は同じだ。読者や観客がキャラクターに反応するには、日常生活で使うのと同等の知性、論理性、感受性が必要になる。大きなちがいは、芸術体験はそれ自体を越える目的を持たないという点だ。フィクション作品は長時間途切れることのない集中力を要求し、最後に意義深く感動的な満足感を与える。だから、作家はどんなキャラクターを作るときにも、そのキャラクターが読者や観客に対して一瞬ごとに与える影響に気を配るべきだ。

6 形式に精通する

芸術作品を作りたければ、芸術作品を観なくてはいけない。着想の出発点は他者の人生でも自分の人生でもなく、芸術形式そのものだ。ストーリーは人生の隠喩であり、小さな要素から大きな意味を表現する巨大な象徴である。あなたも、はじめて物語という形式に出会った経験があったからこそ、それをキャラクターという内的要素――自分や他者のなかに見いだした人間性、社会や文化のなかで感じた力強い価値――で満たしたいと思ったはずだ。[原注11]

ただし、問題がひとつある――形式は内容を導くものだが、両者はやがてからまり合う。つぎの章で見るように、ストーリーはキャラクターであり、キャラクターはストーリーである。だから、一方を習得するには、まず両者を解きほぐす必要がある。キャラクターをストーリーから抜き出して心理や文化的側面を調べ、ただひとつの意味を与えることは可能だ。たとえば、ウォルター・ホワイトは悪徳起業家の生き方を象徴している。だが、ストーリーのなかへもどしたとたんにキャラクターの意味が大きく変わる場合もある。だから、執筆をはじめるには、まずストーリーが鍵となるだろう。

7 クリシェをきらう

クリシェとは、あるアイディアや技巧が、考案された当初はとてもよかった――というより、極上だった――せいで、何十年にもわたって繰り返し繰り返し再利用されてきたものだ。

最低でも、自分が取り組む芸術形式の歴史は知る必要がある。クリシェを見たとき、そしてさらに重要なことだが、自分がクリシェを書いたときにそうだと気づく目が、芸術には欠かせない。

たとえば、若く容姿にすぐれ、ジェット機で各地を飛びまわってはコカインとセックスを際限なく楽しんでいる人物が、実は鬱状態で惨めな思いをしている、というアイディアには、目新しさがない。そんな調子の戯曲や映画や小説や歌詞は数えきれないほどある。F・スコット・フィッツジェラルドがデイジーとギャツビーの話〔『グレート・ギャツビー』〕を書いて以来、欲望に溺れるむなしさという題材は、高尚な芸術でもポップカルチャーでも使い古されてきた。〔原注12〕

金持ちを題材として選びたいなら、フィッツジェラルドのキャラクター以外にもたくさんの例がある。イヴリン・ウォー、ノエル・カワード、ウディ・アレン、ホイット・スティルマン、ティナ・フェイらが生み出した数多くのキャラクターに加え、コール・ポーターが作曲してフランク・シナトラが歌った曲が使われたあらゆる映画や演劇やコメディドラマ〔『上流社会』（56）など〕、さらにはＨＢＯ〔アメリカのケーブルテレビ局〕によるドラマシリーズ『キング・オブ・メディア』までを調べるべきだ。

8　道徳的想像力

わたしが言う道徳とは、善悪や正誤にかぎらず、人間が経験するプラスとマイナスの両面から成るあらゆることを指す。生と死、愛と憎しみ、正義と不正、富と貧困、希望と絶望、興奮と退屈など、われわれ自身や社会を形作るものだ。

わたしが言う想像とは、白昼夢にかぎらず、作家が創作の過程で時間、場所、キャラクターについて考えるあらゆることを指す。作者としてストーリーのなかでの人間模様を想像するときは、自分の価値判断をもとにして何が重要で何が瑣末かを決めるべきだ。

作家の価値基準は、人生や自分自身を取り巻くプラスとマイナスの価値要素を決めていく。生に値するものは何か。死に値するものは何か。その答えが表すものが作家の道徳的想像力、すなわち、人が経験することの二面性を掘りさげて、より深みや陰影のあるキャラクターを想像する力だ。

わたしが関心を持っているのは、教会の日曜学校で習うような道徳ではなく、キャラクターを作って磨きをかける作家たちが自分の価値基準に基づいて働かせる想像力だ。自分の本質が形作られる心の奥底を探れば、それが見つかるだろう。自分を駆り立てるものが、自分が創造するキャラクターをも同じように駆り立てる。

9　理想の自分

執筆中以外では、作家はよくいる書き手であってよい。それはつまり、欠点だらけの厄介者で、周囲からはた迷惑で気むずかしいと見なされる人物だ。しかし、いざ執筆をはじめると変化が起こる。キーボードに指を置いたとたん、作家は最も賢明で感受性の高い自分となる。才能と集中力、そして何より誠実さが最高潮に達する。最良の自分であるとき、作家は的を射た着想や見識をキャラクターに注ぎこむことができる。

10　自己認識

ソクラテスの「汝自身を知れ」という金言に対し、三人の著名な作家がつぎのように答えた。「『汝自身を知れ』だと。自分のことなど知ろうものなら、わたしは逃げ出してしまうだろうな」（ヨハン・ヴォルフガング・フォン・ゲーテ）、「自分を知りたがる青虫がいたら、そいつはけっして蝶にはなれないだろう」（アンドレ・ジッド）、「人間の本質について知っていることは、すべて自分自身から学んだ」（アントン・チェーホフ）。三人とも自分のことを深く理解しているとは思うが、最も皮肉な物言いから遠く、最も明晰なのはチェーホフだ。チェーホフは、人間は事実上ひとりきりで生きていることを理解している。

人々を愛そうと憎もうと、社会を観察しようと研究しようと、けっして他者を自分自身のようには理解できないものだ。他者の意識のなかで生きる技術が科学によって開発される日まで、われわれは互いに遠く離れて日々を暮らし、他者の表情をうかがいつつ、何も映らない目を前へ向けてひとりきりで生きていく。

すぐれたキャラクターを作る過程は、自己認識にはじまって自己認識に終わる。自分の本質をどう見ているか――表向きの人柄に隠された真の自我としてなのか、あるいは、たゆたう現実に乱されない中核としてなのか――にかかわらず、作家は独立した唯一無二の存在だ。作家が自分の作るキャラクターの内なる変化を推測するには、自己認識の中心に立つしかない。言い換えれば、われわれが手にできるのは自分が知りうるただひとつのむき出しの精神だ。だから、すぐれたキャラクターを作る過程は、自己認識にはじまって自己認識に終わる。

だが、ここで皮肉な事実がわれわれに微笑みかける。人々のあいだには年齢、性別、遺伝子、文化といった明確なちがいがあるが、それでも相違点よりも共通点のほうがはるかに多いのだ。愛の喜び、死の恐怖など、だれもが本質的には同じ経験をする。だから、自分の心に現れる考えや感情は、前から通りを歩いてくるあらゆる人の心にも、それぞれの時機にそれぞれの形でまちがいなく現れる。

みずからの人間性の謎を掘りさげれば、あなたは自分が作るキャラクターの人間性をもより深く理解でき、キャラクターは人間の本質についてのあなたの考えをより的確に表現できる。その結果、キャラクターは共感した読者や観客の心にも響く。そのうえ、作品を読んだり観たりした人は、自分自身のこともいくつか新たに発見する。あなたが作ったキャラクターはあなたの人間性から生まれたもので、その人間性は読者や観客には目新しいものだからだ。

本書の第5章では、キャラクターになりきって書くこと、つまり自分の内面をキャラクターの内面と同化させることで、キャラクターを自分自身と同等の深さで理解する技巧について見ていく。［原注13］

終わりに

稚拙に描かれたキャラクターは、どこのだれでもない人物を表現する。紋切り型のキャラクターは、どこかの他人が好む人物を表現する。唯一無二のキャラクターは、われわれ自身が好む人物を表現する。共感を呼ぶキャラクターは、われわれの真の姿を表現する。

ふだんの生活で、復讐のような危険な欲望を満たすことは許されないので、われわれは物語による心地よい満足感をむさぼる。われわれは物語が多様きわまりない世界へ自分を運んでくれることを期待するが、ふだんの生活ではけっしてたどり着けないところへいざなう運び手はキャラクターであり、空想の旅を動かす燃料は共感である。

フィクションが何世紀にもわたって生み出してきた複雑なキャラクターたちは、現実世界で出会う人々よりもはるかに多様で、それらの人々についての理解や観察を深める。また、われわれは人間よりキャラクターを理解しやすいので、人間にはまず向けないような愛情をキャラクターに注ぐことがある。むろん、そもそも他者のことは、たとえそれがきわめて親しい人物であっても理解できないものだから、驚くにはあたるまい。逆に、いま書いたことが信じられない人や、フィクションは現実にまさると感じない人は、職業選択を考えなおすほうがいいだろう。

2 アリストテレスの議論——プロット対キャラクター

プロット主導、キャラクター主導ということばは、二十世紀半ばの映画評論家がハリウッド映画とヨーロッパ映画——あるいは、彼らの見方によると、大衆向けの娯楽と洗練された芸術——のちがいを言い表すために作り出したものである。その後すぐ、書評家たちも、ベストセラー作品と文芸作品について同様の論調で書きはじめた。オフ・ブロードウェイはもともとブロードウェイに進出するまでの実験場だったが、一九六〇年代になると、ニューヨークの演劇界では四十二丁目通り〔ブロードウェイの劇場の多くはこの通りより北側〕が芸術と金の境界線となった。同じことがイギリスの演劇界でも繰り返され、ロンドンのウェストエンドで上演される伝統的な演劇と、実験劇場で上演される前衛的な演劇とに分けられた。後年、アメリカのテレビ業界は有料放送と広告放送に分かれ、ストリーミング配信で観るキャラクター主導型の大人向け作品と、地上波ネットワークで観るプロット主導型の家族向け作品とが争っている。

アリストテレスによる順位づけ

このような区別の起源は古い。古代ギリシャの哲学者アリストテレスは『詩学』のなかで、舞台芸術の六つの要素を、創作にあたっての難易度と作中での重要度に応じて、上から順につぎのように並べた。（1）プロット、（2）キャラクター、（3）思想、（4）ダイアローグ、（5）音楽、（6）視覚効果。

アリストテレスはキャラクターより出来事のほうが創作に芸術的技巧を要し、観客にも大きな影響を与えると考えていた。この考え方は二千年にわたって幅をきかせていたが、セルバンテスの『ドン・キホーテ』以降は小説がストーリーのおもな表現媒体へと進化し、十九世紀末になると、執筆に関する本の著者たちがアリストテレスの上位ふたつを入れ替えて、読者がほんとうに求めているのは印象に残るキャラクターだと主張した。彼らに言わせれば、プロットにある一連の出来事は、作家がキャラクターたちを並べて掛けておく物干し綱にすぎない。

この考えでは、プロットを物理的、社会的な平面で展開する数々のアクションやリアクションと見なす一方、キャラクターを意識や無意識の球のなかにある思想や感情にのみ結びつけている。しかし実際には、それらの領域は互いに影響し合っている。

キャラクターが目撃した出来事は知覚を介してすぐに心に伝わるので、キャラクターのいる世界で何か出来事が起こると、ほぼ同時にキャラクターの内面でもそれが起こる。逆もまたしかりで、決断をくだすという内面の出来事は、キャラクターがそれを行動に移すことによって外界の出来事になる。内外の出来事は知覚を通って階層から階層へ、内から外へ、そしてまた内へと移り、互いに影響し合う。プロットを外で起こることに限定すると、人生で起こることの大半を見落としてしまう。プロット主導とキャラクター主導の論争は見せかけだけのもので、そのことはアリストテレスがリストを作ったときからずっと変わっていない。

プロットとキャラクターの創作はどちらがむずかしいか、芸術においてどちらが重要かという問いかけは、分け方そのものがおかしい。そのふたつは本質的には同じものだから、比較するのは論理的でない。プロットはキャラクターであり、キャラクターはプロットである。ふたつはストーリーという一枚のコインの裏表だ。

役柄は、ある出来事がアクションやリアクションを引き起こしてはじめて、キャラクターとなる。事件は、それによってキャラクターが変化を引き起こしたり変化を体験したりしてはじめて、ストーリーを左右する出来事になる。出来事に影響されない人物は、孤立して生命を持たず、壁に掛けるのがふさわしい不動の肖像画にすぎない。キャラクターのいない出来事は雨の日の海のようなものだ――ありきたりで瑣末で、おもしろみがない。これらのちがいを深く理解するために、まず用語を定義しよう。

キャラクター、プロット、出来事

キャラクターとは架空の存在であり、出来事を引き起こすか、他者が引き起こした出来事に反応するか、もしくはその両方をおこなう。

プロットとはストーリーにおける出来事の配置である。だから、プロットのないストーリーは存在しない。ストーリーがあれば、そこには連続する出来事、つまりプロットがある。プロットがあれば、そこには出来事が並んでいて、それはつまりストーリーだ。どんなに短い物語であれ、ストーリーテラーは何がだれの身に起こるのかをプロットとして練り、それをもとに出来事を設計する。

フィクション作品は、長期にわたって語られたり演じられたりするうちに、古典的な形式からさまざまに変化し、逸脱する。視点が変わったり、出来事がテーマごとにまとめられたり、出来事が因果関係を持って進行したり、劇中劇やフラッシュバック（回想）が挿入されたり、反復や省略がおこなわれたり、現実味が増したり減ったり――そういった変化は、作家が思い描くものをどう表現するのが最適かを拠りどころにしている。だが、作中の出来事にどの程度好奇心を掻き立てられるにせよ、結局のところ読者や観客は、キャラクターを通した語りを頼りにする。

ふたつの定義に共通するのは**出来事**ということばなので、これも厳密に定義してみよう。日々の出来事を示す辞書の定義は、「起こること」だ。しかし、ストーリーにおける出来事は、なんらかの価値ある変化を生まなければ意味がない。たとえば、そよ風が吹いて芝生の上に落ちた葉の配置が変わる場合、たしかに変化にはちがいないが、この出来事には特に価値がないので、意味がない。

ストーリーテラーにとって、**価値要素**とは二元的な人生経験であり、プラスからマイナスへ、マイナスからプラスへ移り変わるものと定義できる。「生／死」、「正義／不正」、「快楽／苦痛」、「自由／隷属」、「善／悪」、「親愛／無関心」、「正／誤」、「有意義／無意味」、「慈悲／無慈悲」、「調和／不和」、「美／醜」など、人生のプラス、マイナスを大きく変える要素はいくらでもある。だから、ストーリーの技巧とは、出来事に価値を帯びさせて意味を与えることだ。

たとえば何かが起こって、あるキャラクターが別のキャラクターへ向ける気持ちが愛（プラス）から憎しみ（マイナス）へ変わったら、その出来事は意味を持つ。「愛／憎しみ」という価値要素がプラスからマイナスに転じたからだ。あるいは逆に、ある出来事によって貧乏（マイナス）だったキャラクターが裕福（プラス）になるとしたら、その変化は意味を持つ。「貧困／富」という価値要素がマイナスからプラスに転じたからだ。

したがって、**ストーリーを左右する出来事**とは、キャラクターの人生のなかで価値要素が大きく変化する瞬間を指す。この変化を引き起こすのは、キャラクターによるアクションか、キャラクターが自分ではコントロールできない出来事に対して起こすリアクションだ。どちらの場合でも、その出来事によって、キャラクターの人生の重要な局面で価値要素が反転する。

同じコインの表裏

ひとつの出来事にコインの両面があることの効果がはっきりと表れるのは、転換点で何かが発覚するか、決断がくだされるときだ。

発覚による転換　『チャイナタウン』（74）では、第二幕の最後に主人公のJ・J・ギテス（ジャック・ニコルソン）がイヴリン・モーレイ（フェイ・ダナウェイ）を夫殺しの犯人として責め立てる。それに対するリアクションとして、イヴリンは真実を告げる。しかし、それは殺人を犯したことではなく、父親との近親相姦によって娘をもうけたことだった。ギテスはその瞬間、イヴリンの父ノア・クロス（ジョン・ヒューストン）が、子であり孫である少女への邪悪な所有欲を満たすために義理の息子を殺したと気づく。ここで真犯人が明かされたため、プロットは急にマイナスからプラスへ転じる。それと同時に、われわれはイヴリンの内面――これまでに味わった苦しみや、正気を失った父親に抗う勇気――をたちどころに理解する。

決断による転換　ギテスはこの時点で警察に電話をかけて証拠を引き渡し、自分は身を引いて警察にノア・クロスを逮捕させることもできた。しかし、ギテスはひとりで殺人犯を追うと決断する。この選択のせいでプロットは主人公にとって危ういほどマイナスに転じ、さらにギテスの致命的欠点、すなわち無謀な誇り高さをもあぶり出す。ギテスは助けを求めるよりも自分の命を危険にさらす男だ。

「出来事」や「キャラクター」という用語は、転換点でのふたつの視点を表現しているだけだ。ストーリーを外側からのぞきこめば、転換点は出来事としてとらえられる。内側から見るときは、キャラクターとして転換点を体験する。出来事がなければ、キャラクターが行動を起こしたり、キャラクターの身に何かが起こったりすることもない。キャラクターがいなければ、出来事を起こす者もそれに反応する者もいない。

ヘンリー・ジェイムズもこう言っている。「人間性（キャラクター）とは、まさしく事件のあり方を決めるものだろう？　事件とは、まさしく人間性（キャラクター）を浮き彫りにするものだろう？　立った女がテーブルに手を置いて、意味ありげなまなざしで見つめてくるというのも事件だ。それが事件でなければ、何がそうだと言うのか。われわれの理解が及ぶあらゆる意味において、人間性（キャラクター）とは行為であり、行為とはプロットである」［原注1］

たとえば、あなたが書くストーリーで、ヘンリー・ジェイムズが述べたような出来事が起こるとしよう。

主人公の男は大きな危険にさらされていて、嘘をつけば身を守れると知りながらも、立ちあがってテーブルに手を突き、暗く痛ましい真実を伝えるまなざしを女に向ける。主人公が決断して行動を起こしたせいで、その報いとして人生がプラスからマイナスへ転じる。同時に、主人公の選択や行動やその結果によって、その実像、つまり勇気を持った誠実な男であることが表現される。

仮にこれがストーリーのいちばんの見せ場だとして、せっかく力強いシーンなのに、このあとで問題が起こるとする。話の終わりまで来て、最終幕のクライマックスが期待はずれであると気づく。最後がうまくいかなかったために、全体としても失敗作になっている。どうすればよいだろうか。解決策はキャラクターか出来事のどちらかにある。

出来事の設計　転換点で逆のことをさせてもいい。主人公に真実を語らせるのをやめ、権力と金を得るために嘘をつかせる。そう修正すれば、満足のゆくクライマックスを生み出せるかもしれないが、同時に主人公の道徳観を根本から覆すことになる。主人公はいまや、裕福だが性根の腐った人間だ。こうしたキャラクターの変化が受け入れられるなら、問題は解決だ。

キャラクターの設計　一歩引いて主人公の心理を観察すると、クライマックスに力強さが欠けているのは、キャラクターがあまりに純粋な善人であるため、結末に説得力がないからだと気づく。そこで、主人公を道徳的に少し劣らせ、たくましく困難を切り抜ける人物に書きなおす。このような実像の変化はどう表現すればよいだろうか。いくつかの出来事を再設計し、主人公が抜け目なく表裏のある人物であることを引き立たせればよい。こうして新たに作った転換点がクライマックスでしっかり功を奏すれば、問題は解決だ。

わかりやすいように、あらためて述べよう。プロット上の出来事は、キャラクターの人生における価値要素を反転させる。キャラクターはアクションによってその出来事を起こすか、外的な力が引き起こした出来事にリアクションを起こす。だから、キャラクターの性質を変えるには、どう変わったかを表現できるよう出来事を設計しなおす必要がある。出来事を変えるには、キャラクターの心理を設計しなおし、別のアクションを起こす新たな選択に説得力を与える必要がある。したがって、プロットとキャラクターのどちらかがより創造力を要する、あるいは、より重要であるということはない。

アリストテレスはなぜそのように考えなかったのだろうか。ひとつの答えの可能性として、ソポクレスの戯曲『オイディプス王』に心酔していたことがあるかもしれない。恐ろしい事件を追っていたオイディプスが知ったのは、自分自身がその犠牲者であり犯人でもあるということだった。自分が制御できない出来事、自分がいくら力を尽くしても避けられない出来事が、無情にもオイディプスを宿命へと駆り立て、破滅させる。

『オイディプス王』の出来栄えは、当時の演劇作品のなかで抜きん出ていた。アリストテレスはその悲劇的な美に魅せられ、ほかの劇作家たちがこの至上の権威に肩を並べることを願ってやまなかった。ソポクレスの描いた抗いがたい運命の力に動かされたアリストテレスは、そのせいで出来事を過大評価し、キャラクターを過小評価したのかもしれない。

だが、それ以上に有力な第二の理由は、芸術における慣習に基づく。アテネの劇作家たちはサブテクストを意識せずに作品を書いていた。それどころか、俳優たちは演じるキャラクターの本質を表現するために仮面をかぶってさえいた。もちろん、あるキャラクターが別のキャラクターに嘘をつけば、観客は語られていないサブテクストに気づいたはずだが、キャラクターが口にすることの大部分は本心だった。だからアリストテレスは、だれに出来事が起こるかよりもどんな出来事が起こるかに重きを置いたのだろう。

何世紀にもわたる心理学的知見を得たおかげで、今日の作家たちはキャラクターの実像と性格描写を区別して考えている。

性格描写と実像

性格描写　すべての目に見える性質や表向きの行動――年齢、性別、人種、話し方やしぐさ、職業や住みか、服装や装飾、態度や人柄から成る要素――すなわち、キャラクターが他者とかかわるときに身につける仮面や人格（ペルソナ）。こういった詳細はキャラクターの個性を知るための手がかりとなるが、外見と現実は異なり、キャラクターが見かけどおりの人間でないことは読者や観客も知っている。

実像　目に見えない、役柄の内なる性質――心の奥底にある動機や基本的な価値観。人生最大の重圧にさらされるとき、最も強く求めるものを手にするための選択や行動のなかに表れる。これらの決断や行為が、キャラクターの核となる人格を表す。

表向きの性格描写がキャラクターに確固たる信憑性を与えるのに対し、内なる実像はキャラクターとその未来を形作る。読者や観客が、自分ならあんなことをしたり言ったり欲したりしないと思ったら、ストーリーテリングは失敗だ。キャラクターの本質的な自己は、選択や行動を通して、ストーリー上の出来事を起こしたり、将来起こる出来事のお膳立てをしたりする。実像と性格描写が組み合わさると、納得できる物語で納得できるキャラクターを生み出せる――これは古今を問わず、たしかなことだ。しかし、アリストテレスが『詩学』でこれらの機能を区別しなかったので、プロットとキャラクターという比較不能のものについての誤った議論が生じた。

キャラクターは、自分が直面した問題を解決するか、解決に失敗するよう設計されている。ストーリーは、キャラクターが問題解決に取り組むなかで、自分の特徴や性質を表現できるよう設計されている。プロット上の出来事とはキャラクターの行動であり、キャラクターはプロット上の出来事を起こしたりつづけたりするための乗り物だ。プロットとキャラクターを秤にかけると、ふたつはぴったり釣り合う。ヘンリー・ジェイムズやデヴィッド・ロッジといった、作家でも学者でもある人々は、一世紀をゆうに超える年月にわたって、この筋道立った相互依存関係を主張してきた。では、なぜキャラクター主導かプロット主導かという議論が二十一世紀まで引きずられてきたのだろうか。

それは、芸術を論じているように見えても、その下にあるのは鑑識眼や階級、そして何よりも金に関する文化的な論争だからだ。キャラクター主導ということばが暗に意味するのは「上質な芸術作品で、金儲けではなく愛のために作られている。学識のある批評家によって解釈されるのが理想で、知識人だけが楽しむことができ、公的資金の援助を受けていればなおよい」という意味なのに対し、プロット主導はその逆、つまり「つまらない作品で、二流の作家が書いている。クリシェが織り混ぜられ、無教養な人向けのもので、批評する気にもならないほど陳腐。企業の金儲けのために作られている」という意味だ。

だれに起こるかよりも何が起こるかを強調するのは二流の芸術だという思いこみは、言うまでもなくばかげている。ホメロスの叙事詩『オデュッセイア』、シェイクスピアの戯曲『真夏の夜の夢』、アーネスト・ヘミングウェイの小説『老人と海』、スタンリー・キューブリックの映画『時計じかけのオレンジ』(71)、そして（専門家気どりを控えると）マイケル・フレインの笑劇（ファルス）『ノイゼズ・オフ』も、すべてプロット主導型の傑作だ。反対に、上滑りしていてくどく、表現が浅くて性格描写がうっとうしい小説や演劇や映画が、これまでどれだけあなたを拷問のごとく苦しめたことだろう。実のところ、どちらも何かを保証するわけではない。

論争を脇に置くと、このふたつの重要なちがいは、ストーリーの因果関係がおもに何に由来するかだ。創作において「キャラクター主導」と「プロット主導」という用語が意味を持つのは、ストーリーの芸術的価値ではなく主要な因果関係を述べる場合だ。執筆中の作品が行きづまったとき、解決策を見つけるためには、ひとつの大きな問いかけをするといい――何が出来事を起こすのだろうか、と。

プロット主導のストーリーでは、おもな転換点、特に契機事件〔用語集を参照〕をキャラクターがどうにも左右できない。多くの場合、このような事件はマイナスの影響を与えるもので、三つのレベルの対立や葛藤のどれかに由来する。（1）自然による原因――異常気象、病気、火災、地震、宇宙人による侵略、その他の「神の所業」など。（2）社会的な原因――犯罪、戦争、人災、私的または公的な不正、人種や性別や階級にまつわる不公平など。（3）偶発的な原因――宝くじの当選、自動車事故、生まれ持った遺伝子、そして何よりも、まったくの運――よいことであれ悪いことであれ、この三つのレベルにまたがる偶然もある。キャラクター主導のストーリーはその反対で、主要な出来事がキャラクターの手に委ねられる。この場合は、キャラクターによる選択や行動が出来事を引き起こす。偶然でもなく、社会や自然の力に圧倒されるわけでもなく、自由意志に基づく個人の選択が物語を進めていく。

したがって、プロット主導とキャラクター主導の大きなちがいは以下の六つだ。

1 因果関係

プロット主導のストーリーでは、鍵となる転換点を引き起こす力は外部、あるいはキャラクターの手の届かないところで生じる。犯罪者が悪事を働く、独裁者が宣戦布告する、疫病が世界にひろがる、宇宙人が地球を侵略する、太陽が空から落ちるなどだ。

キャラクター主導のストーリーでは、その逆だ。因果関係のおもな根源はキャラクターの意識的または無意識的なエネルギーで、それがキャラクターの願望や選択や行動を引き起こす。キャラクターは恋に落ち、罪を犯し、上司を密告し、家を飛び出し、他人の嘘を信じ、真実を探求する。

2 独自性

このあとの章でわかるとおり、欲求はキャラクターの独自性を形成するうえで役立つ。プロット主導のストーリーでは、自分の外に生じた欲求に駆り立てられる主人公が求められる。キャラクター主導のストーリーでは、自分の内なる欲求に従う主人公が好まれる。

3　価値要素

プロットのみが主導するストーリーでは、主人公は世界に欠けているものをもたらそうとする。これは、「平和／戦争」、「正義／不正」、「富／貧困」、「連帯／利己」、「健康／病気」といった価値要素で表現される。キャラクターのみが主導するストーリーでは、主人公は自分自身に欠けているものを手に入れようとする。これは「愛／憎しみ」、「成熟／未熟」、「真実／嘘」、「信頼／不信」、「希望／絶望」といった価値要素で表現される。

4　深み

プロット主導の作品では、キャラクターの潜在意識や非合理性はめったに描かれない。たとえば、『ミッション：インポッシブル』シリーズの主人公イーサン・ハントは、ただひとつの自覚した論理的欲求に従う。それは、不完全で不公正な世界を正したいというものだ。そのため、イーサンとＩＭＦ（インポッシブル・ミッション・フォース）の仲間たちは計画を練り、それぞれの手順を巧みに実行に移し、問題を解決し、正義を取りもどす。そういったことに加えて、仮にイーサンが子供時代の未解決のトラウマにまで取り憑かれていたら、スピード感に満ちたおもしろさが古びた牛乳より早く傷みだすだろう。

プロット主導のストーリーでは、社会的、物理的な設定をもとに話の細部を描き出すことで物語が豊かになる。山頂の風景やタキシードに身を包んだ姿が目を、鳥のさえずりや機械装置の音が耳を楽しませてくれる。

キャラクター主導の場合は、心理面の矛盾を描くことで物語を重層化する。キャラクターの心に無意識の欲求を埋めこみ、それを合理的な思考と対立させるわけだ。このようにキャラクターに焦点をあてた物語は深みに到達し、潜在意識に侵入するとは言わないまでも、少なくともふれることになる。

テネシー・ウィリアムズの戯曲『欲望という名の電車』で、主人公のブランチ・デュボアは、自分の望みはこの世界で幸せに生きることだけだと繰り返し語る。けれども、野蛮で下品な貧困生活のせいでそれがかなわない、と。実のところ、ブランチは無意識のうちにまったく逆のものを求めていて、クライマックスで現実から逃れて正気を失うとき、ようやく心の底で望んでいたものを手にする。

キャラクターの深みは内面の複雑さを測る指標になるが、キャラクターが目の前の敵対する力以上に複雑になることはありえない。対立や葛藤によって顕在化していなければ、深みを知ることができるはずがない。

5 好奇心

キャラクター主導の作品では、物理的、社会的な対立や葛藤を最小限にとどめ、キャラクターの内なる戦いやほかのキャラクターとの個人的な争いに焦点をあてる。「このキャラクターならどうするだろう」という問いは読者や観客の好奇心をとらえる。そしてその答えは、うまく示されていれば予想外のものとなり、突然の驚きをもたらす。

心理的リアリズムの達人であるシェイクスピアは、すべての主要キャラクターに予測不能の気質を吹きこんだ。恋人たちを例にあげると、滑稽なタッチストーンとオードリー（『お気に召すまま』）から、知的なベアトリスとベネディック（『空騒ぎ』）、悲劇的なアントニーとクレオパトラに至るまで、描き方は幅広いが、みなわれわれの予想を裏切り、さらには本人たちまでをも驚かせる。

タッチストーンは自分がなぜオードリーと結婚したいのかわかっていないが、衝動にまかせてそうする。ベアトリスは人を殺すよう頼んで、ベネディックを動揺させる。英雄マーク・アントニーは激しい海戦のさなかに突如逃げ腰になって、愛する女を追う。コメディでもロマンスでも悲劇でも、キャラクターたちはおのれの直情に唖然とし、みなわが身を振り返って言う。「なんてことをしてしまったんだ」

プロット主導の作品では内なる葛藤を排除するので、代わりに主要な人物たちを社会のなかで二極化させる必要がある。アクション作品の英雄は不正を正し、被害者を助ける。アクション作品の悪役は残虐にふるまい、罪なき者を殺す。こういった作品では、キャラクターが何者で何をするかがわかっているので、作り手は斬新な武器を登場させて好奇心を刺激し、「どのようにやってのけるんだろう」と想像させる。

DCやマーベルのスーパーヒーローたちは、ワンダーウーマンもスーパーマンもスパイダーマンもストームも、魔法や生物学的な能力を使って、独特かつ魅力的な方法で人々を助けたり守ったりする。デッドプール、ロキ、キャットウーマンといったアンチヒーローたちもまた独自の力を持つが、それを人々を支配し、命を奪うために使う。

6　自由と運命

自由と運命は、とらえどころがないが絶えず付きまとう概念だ。自由は、未来とは謎めいた未知の目的地で、多くの考えうる終着点のどこにたどり着くかは人生が終わる瞬間まで不明だと示唆する。運命や宿命はその反対で、目に見えないが逃れようがない因縁めいた力がわれわれの人生を決め、その最後に避けがたい出来事が起こるかのように感じさせる。古代ギリシャ人にとって、運命はきわめて現実味を帯びたもので、三人の女神として擬人化されたほどだった。「運命の手によって」という言いまわしは今日でも使われている。

運命、自由という概念は、ストーリーの創作と非常に興味深くからみ合っている。ストーリーの冒頭では、読者も観客も未来へ目を向け、何が起こってもおかしくないと考える。ストーリーは自由に無数の方向へ好き勝手に進んで、終着点にたどり着くかのように感じられる。だが、クライマックスに到達してから冒頭を振り返ると、物語がたどった道筋は必然で、運命づけられていたことに気づく。このふたつの視点は、プロット主導のストーリーとキャラクター主導のストーリーでは異なる形で表現される。

プロットのみが主導するアクション作品では、契機事件においてキャラクターはプラスかマイナス、どちらかの運命を追い求める。読者と観客は、クライマックスまでにキャラクターの人柄や戦術を理解し、その物語が運命づけられたとおりに進む必要があったことに気づく。あらかじめ決められたとおりに衝突する。英雄は利他主義の欲求を満たすために献身的な行為をする。それが英雄だ。悪役は権力を求めて残虐な行為をする。それが悪役だ。キャラクターは、自分が持つただひとつの堅固な性質によって、それぞれの運命へと駆り立てられる。

逆に、キャラクターのみが主導する作品の冒頭では、未来を決めるのは複雑なキャラクターのなかにある矛盾した力だとわかる。目標を追い求めながらキャラクターが選択や行動に及ぶときには、こうした力が争っている。

エルナン・ディアスの小説『In the Distance（未）』を例にあげると、主人公のホーカンは人道的に可能なあらゆる手段で、生涯を懸けて兄を探す。物語のクライマックスで冒頭を振り返ると、これは必然だったとまたしても感じるが、この作品の場合、それは主人公の内面で争う矛盾した力によるものだ。ホーカンの真の性質は、重圧を感じながら決断をくだす転換点で明らかになるものの、運命が必然だったようにはあまり感じられない。ホーカンはいつでも自由に別の道を選べたのだから、ストーリーはいくらでもちがう方向に進めたはずだ。

どんなストーリーであれ、運命なのか自由なのかは、自分が物語のどの地点に立っているかによって異なって感じられる。契機事件が起こったときは、進みうる道を数えきれないほど想像するが、クライマックスでは、程度の差はあるものの、唯一無二の道筋だと感じる。実際には、われわれの道は計画されてなどいない。運命の女神も手も存在しない。運命とは、過去の出来事を振り返ったときに見える、ただの蜃気楼だ。

プロットとキャラクターを融合させる

運命と自由をこのように扱うのは、極端なプロット主導型、極端なキャラクター主導型の場合だ。一方、人生はいくつもの要因がからみ合うなかを流れる。すぐれたストーリーテラーがひとつの因果関係だけを選ぶことはめったにない。

バランスのとれた因果関係

多くの作家が、意図した選択と意図しない偶然を織り混ぜてバランスをとろうとする。キャラクターが制御できる出来事とできない出来事を混在させるのは、何が原因で何が起ころうと、変化の際にはキャラクターが反応する必要があるからだ。人生に降りかかった災難はすぐさま、そこで生き延びられる人物かどうかの試練となる。

シェイクスピアはすべての戯曲をプロット主導で書きはじめた。シェイクスピアが下敷きにしたのは、ラファエル・ホリンシェッド、プルタルコス、サクソ・グラマティクスといったイギリスやギリシャや北欧の年代記作家が書いた歴史書、あるいはほかの、たいがいイタリア人の劇作家によるフィクションのプロットだった。そのため、剣闘と自殺、幽霊と魔女、船の難破と戦争、少年と男装した少女の出会いといった題材が好んで使われている。そして、シェイクスピアはこれらの物語を独自に出来事を配した設計で再編し、すばらしい主人公とそれを際立たせる脇役たちを作り出した。

同じことは、たとえばジョゼフ・コンラッドの小説についても言える。コンラッドが書いたのはプロット主導の壮大な冒険物語――『文化果つるところ』、『闇の奥』、『ロード・ジム』、『ノストローモ』、『密偵』――だが、最後のページにたどり着くころには、シェイクスピアの戯曲と同様、キャラクター主導だと感じられる。

ヨハン・ヴォルフガング・フォン・ゲーテは、小説『ヴィルヘルム・マイスターの修業時代』のなかで、仲間のフィクション作家たちに対し、外から訪れる無秩序な力はキャラクターの内面で吹き荒れる思考ゆえの葛藤に劣らず作品の出来を左右する、と警鐘を鳴らした。ゲーテは因果関係のバランスをとるべきだと主張し、すべてのストーリーテリングを異常な心理状態の両極にまとめようとしたドイツの文学運動「疾風怒濤（シュトゥルム・ウント・ドラング）」と釣り合いをとろうとした。［原注2］

因果関係のバランスという問題について考えるために、プロット主導の傾向が最も強いジャンルである戦争物を見てみよう。すべての戦争叙事詩の祖であるホメロスの作品『イリアス』では、怒れる神々の気まぐれに駆り立てられて、バランスが壮大な軍事と肉体の力へ傾いている。一方、ニコラス・モンサラットによる第二次世界大戦についての傑作小説『非情の海』では、バランスが逆のほうへ傾き、心理面に焦点があてられる。北大西洋での猛烈な海戦のさなか、船を攻撃された船長と船員たちは死に直面しながらも恐怖と闘い、どう行動してどう反応するかを刻々と選ばなくてはならない。近年では、カール・マーランテスがベトナム戦争についての小説『Matterhorn（未）』において、精神を引き裂く過酷なジャングル戦と、反撃して生き延びることで正気を保とうとする道徳意識とのあいだで、恐ろしいほどのバランスを見せつけた。

キャラクター主導のストーリーがかならずしも複雑な心理を描くわけではなく、プロット主導のストーリーには紋切り型の英雄と悪役が不可欠だというわけでもない。

たとえば、『ボーイズ・ドント・クライ』（99）の主人公には深みがなく、それを取り囲むのも小型トラックに乗ったよくある頑固者たちだが、この映画はまちがいなくキャラクター主導だ。いくら了見のせまい敵役たちでも、出来事をコントロールしていることには変わりがないからだ。一方、ジョゼフ・コンラッドは小説『ロード・ジム』で、主人公ジムに複雑な心を与えたものの、ジムは周囲の世間によって罪悪感混じりの怒りを植えつけられ、リアクションを封じられて、ついにはつぶされる。

どれほどバランスがとれていても、結局のところ、プロットに関するあらゆる問いの答えはキャラクターにある。「何が起こるのか」といった大ざっぱな問いを立ててはいけない。「このキャラクターに何が起こるのか。それはどのようにして起こるのか。なぜこのキャラクターに起こり、別のキャラクターには起こらないのか。何がキャラクターの人生を変えるのか。なぜそのように変えるのか。将来、キャラクターに何が起こるのか」といった問いを立てるべきだ。プロットについての問いはすべて、キャラクターの人生に向けなくてはならない。そうでなければ、その問いは無意味だ。［原注3］

統合された因果関係

内と外からの因果関係がストーリーにおいてどのようなバランスを保っていようと、読者や観客の心のなかでキャラクターとプロットがひとつに統合されることが望ましい。あるキャラクターが恋人について心変わりしたときの衝撃が、戦場で兵士が仲間を裏切ったときの衝撃と同等、またはそれ以上になることもあるだろう。どちらの場合も、その出来事は価値要素を逆転させ、そのうえキャラクターの本性を暴く。

ジャンルを問わず、すぐれた作品では外的な出来事が内なる変化を生み、それによって実像が明かされたり変化したりする。内なる欲求は選択や行動を引き起こし、それが原因で外的な出来事が起こる。キャラクターとプロットというふたつが、継ぎ目のないひとつのものとなる。

終わりに

自分のストーリーがアリストテレスの議論のどこに位置するのか――プロット主導か、キャラクター主導か、両者が釣り合っているのか――と疑問に思ったときには、すべてのシーンを書き出し、それぞれの転換点をキャラクターの選択によって起こるものと、キャラクターの手が届かない力が起こすものとに分けるといい。どちらに寄っていようと、因果関係の要素として一方が他方より創造力を刺激するわけではない。物事がどのように起こるかについては、いずれ心のどこかで結論が出せるはずだ。

3 作家の準備

キャラクター作りについて掘りさげる前に、この章では創作を支える基本的な考え方を見ていこう。人間の本質とはどんなものだとあなたは見なしているだろうか。そして、文化の影響とは？ 作家の責任とは？

作家から見た創造力

狂気としての創造力

古代の人々はしばしば、創造力を狂気に近いトランス状態として描写した。現代のコメディでも、劇作家のトム・ストッパードが戯曲『トラベスティーズ』でジェイムズ・ジョイスを風刺的に描いたように、こうした神話が増幅される。芸術家はよく、自分の空想を形にしたいという欲求と、そういった空想がもたらす当惑との板ばさみになった情緒不安定な人物として描かれる。

空想としての創造力

オーストリアの精神科医ジークムント・フロイトによるやや同情的な見方によると、創造力は現実から逃れる願望から生まれる。快楽はそれがもたらす結果によって絶えず打ち消されるものだ。甘いケーキは歯をむしばむ。ロマンスは心に笑みをもたらし、やがて打ち砕く。望みはめったにかなわないから、人間は夢想する。われわれは子供のころ、日々の揉め事から逃れて想像のなかに閉じこもり、自分を主役とする冒険物語を夢見るようになる。大人になると、こうした空想はいくぶん豪華になる。人間ならだれもがすることだ。しかし、創造力は空想にさらなる重要な一歩を与える。

作家も「まるで～のような」という筋書きを夢想するものだが、それを自分だけの想像から取り出して、映画、小説、演劇、ストリーミング配信のドラマシリーズへと作り変える。多くの作品は痛ましい経験を描いているものの、フィクションの世界が現実をおびやかすことはないので、キャラクターが苦痛を感じていても、読者や観客にとっては娯楽でしかない。

発見としての創造力

創造力の秘密を明らかにするためのひとつのステップとして、神経科学では脳の両半球の地図を描いて、それぞれが持つ異なる能力を突き止めた。左脳は、帰納や演繹といった論理、直線的思考、数学、パターン認識、言語に携わる。右脳は、因果関係や類推などの論理、視覚化、聴覚的想像、非言語表現、直観、リズム、感情、気分をつかさどる。[原注1]

たとえば、カール・サンドバーグの詩「霧」について考えてみよう。

霧がくる
小さな猫の足つきで
静かに腰をおろして
港と街を

眺めわたしている
それから動いていく。

（『シカゴ詩集』所収、安藤一郎訳、岩波書店、1957年、95頁）

この詩を考えているとき、サンドバーグの心に「猫」と「霧」のイメージが浮かんだ。左脳はふたつを生物と天候の例ととらえ、関連したものとは考えなかったが、右脳は創造力を具えた存在のみが察知しうるつながりを見てとって、突然ふたつを混合させたので、静寂という感覚で結びついたまったく新しい第三のものが生まれた。この詩を読むと、美しい隠喩に心を打たれ、経験したことのない感動によって内面が豊かになる。埋もれていた類似性を掘り起こす行為は、人間が他者に与えうる最も美しい贈り物だ。

創造力の本質は、この第三のものを見つけることだ。才能とは二面性の探知機であり、すでに存在するもののあいだに隠れた共通点を見つける。そして創造力がひらめいた瞬間、芸術家は両者を合わせてかつてない融合を生み、既知のものを新しいものに作り変える。

創造力はどちらの方向へ流れて第三のものを見つけるのだろうか。右脳から左脳か、左脳から右脳か。個別から普遍か、普遍から個別か。どちらへも流れる、というのが答えだ。理性と空想が互いを刺激し合うなかで、あるときはゆっくりと、あるときは瞬時に方向を変える。［原注2］

たとえば、ファンタジーを考えてみよう。魔法の世界のキャラクターを作る場合、作家はたいてい元型的な役柄（賢者、戦士、地母神）からはじめ、それから地に足をおろさせて、ふつうの人間とともに歩いたり話したりさせる（概念から実体へ移行させる）。あるいは、社会ドラマを書くなら、ニュースで知った現実の事件からはじめて、正義と不正の闘いを大規模かつ象徴的に表現しうる登場人物を設計するかもしれない（実体を概念へ発展させる）。二〇一七年に公開されたふたつの映画を比べてみよう。『ワンダーウーマン』（17）では、楽園からやってきた女神が人間の戦争に加わるのに対し、『スリー・ビルボード』（17）では、娘を殺されたギフトショップの店主による復讐が象徴的な行為となる。

ギリシャ神話のヘルメスのように、創造力は足に翼の生えた使者として、ふたつの世界——合理と非合理、左脳と右脳——を行き来し、混沌とした現実世界を芸術的な秩序によって手なずける。

外へ遊びに出かける子供のように、創造力は理性を家に残して自由な連想を鞍(くら)に乗せ、遠くへ駆けていく。ふたつのとりとめのない考えが突然ぶつかって融合し、第三のアイディアができると、この宝石を右脳がつかまえて左脳へ手渡す。そのおかげで、作家は技術を意図的に使って、輝く独創性のかけらを描きかけのスケッチにおさめ、記憶に残るキャラクターへと変形できるようになる。

キャラクター作りのふたつの理論

この過程がどのように進むかについては議論が尽きない。作家はキャラクターを考案するものなのか、産み落とすものなのか。キャラクターは意識的に作るものなのか、それとも無意識のうちに現れるものなのか。

考案する

作家のなかには、まずストーリーをひらめいて、そのあとにアイディアを練り、構想の段階で決めた条件を満たす特徴や立体感を具えたキャラクターを生み出すタイプがいる。

小説『ハンガー・ゲーム』の著者スーザン・コリンズはこう述べている。「ある夜、わたしは疲れ果ててベッドに横たわり、テレビのチャンネルをつぎつぎと切り替えていた。目に留まったリアリティ番組では、若者たちが百万ドルや独身男性などをめぐって争っていた。そのあとに観たのがイラク戦争の映像だった。そのふたつが溶け合って心が騒いだ瞬間、カットニス〔本作の主人公〕の物語を思いついた」

小説家のパトリック・マグラアは、現実世界の興味深い言動のなかに物語の口火を見いだすことが多い。

それは、変わった口調や目立つ角度でかぶった帽子など、些細なもののこともある。マグラアはそこで「あんな口調で話して、あんなふうに帽子をかぶるのは、いったいどんな人だろう」と問いかける。そして、人生で観察してきたことや人間の衝動についての知識をみずからの創造の才と組み合わせ、特徴的な言動に対する興味を昇華させて、人の心に強く訴えかけるキャラクターやストーリーを生み出す。

産み落とす

作家のなかには、自分は傍観者のようなもので、キャラクターたちをこれから書く物語へ導くパイプ役だと考える人もいる。それらのキャラクターは別の世界に独立した存在として生きていて、心の産道を通って作家の意識にはいりこむように感じられる。

小説家のエリザベス・ボウエンは「Notes on Writing a Novel」というエッセイのなかで、キャラクターを創造するという考え方は誤解を招くと述べている。ボウエンは、キャラクターははじめから存在していると考える。キャラクターは作家の意識のなかに少しずつ姿を現す――薄暗い列車のなかでほかの乗客と話しているとき、相手が少しずつ見えてくるように。

小説『オリーヴ・キタリッジの生活』でピューリッツァー賞を受賞したエリザベス・ストラウトは、読者がよく想像するのとはちがって、自分自身の経験をキャラクターに反映させているわけではないと語っている。むしろキャラクターたちは、ばらばらのシーンやダイアローグの断片のなかで、なぜか自然に生まれ、そしてストラウト自身も説明しづらい過程を経て、ついにはひとつにまとまる。ストラウトは紙切れに断片を書きつけ、それが集まるにまかせる。一部を捨て、一部を残しつつ待ちつづけて、「キャラクターたちがたわいもない行動をしはじめたら、正しかったものだけをとっておく」。

小説家のアン・ラモットはこう述べる。「いつも思っていることだが、わたしのなかにいる人々――キャラクターたち――は、自分がだれで、なんのために存在しているのか、何が起こるのかを知っている。だが、タイピングができないので、紙に記すときにはわたしの手助けが要る」

来る日も来る日も役柄を考えるなかで、多くの作家はふたつの方法を必要とする——潜在意識から思いがけず得る方法（産み落とす）と、部屋を歩きまわりながら即興で作る方法（考案する）だ。新しいキャラクターを作るたびに、作家はあらゆる着想をもてあそびながら、ちょうどよいバランスを見つけようとする。

創造力に不可解な部分があるのはたしかだが、キャラクターが作家の思惑どおりに行動しないという主張は文学の奢りだと感じられる。自分が演奏したい和音が鳴ろうとしないと言い張る作曲家がいるだろうか。赤色が自分勝手な意思を持っていると言い張る画家がいるだろうか。自分を謎めいた人物に見せようとする一部の作家は、執筆とは夢を見るような体験であり、作家は生来の衝動に身をまかせているにすぎず、自分ではコントロールできない直感的な力のパイプ役だと周囲を信じこませようとする。その手の話はいささか眉唾で大げさな感じを受ける。

たとえば、ウディ・アレンやルイジ・ピランデッロが作ったキャラクターたちのように、登場人物のひとりが物語から現実へ踏み出したとしよう。『カイロの紫のバラ』（85）や戯曲『作者を探す六人の登場人物』のような空想上の現実のことではなく、実際にこの世界にやってくるということだ。そして、その人物が自分の物語を書こうとし、あなたからキーボードを取りあげる。そこで自分には才能がないと気づく。さて、どうしたらよいか。

キャラクターは芸術作品であり、芸術家ではない。作家の心に現れ、作家が想像したとおりに行動する。ただし、思いがけない形になることも多い。自分のアイディアに驚かされるのは、才能ある作家にとって、よくあることだ。芸術家がみずから経験したこと、調べて知った事実、さらには夢見たことや想像したことを潜在意識が吸収し、すべての材料を掻き混ぜて新しい形に変えたうえで、意識下にもどす。この過程は目に見えないため、作家は思いがけず唐突にキャラクターの行動を理解できたり、新たな特徴の組み合わせを思いついたりして驚く。そのような天才的なひらめきは、芸術家が技巧の手綱を引こうとしているあいだに、気づかないところで潜在意識が渦巻いた結果である。
創造力はラマーズ法のように、しっかりと目を覚ました状態でキャラクターを産み落とす。謎めいた霊や、オリュンポス山からおりてきたゼウスの娘〔芸術の女神ムーサ〕がひらめきを与えてくれるわけではない。執筆という行為は今後も変わることなく、既知のものに息を吹きこむことでありつづけるだろう。

創造力の渇望

作家が人生で学習や経験や想像を重ねて集めた知識の切れ端やかけらは、すべて潜在意識のなかで渦巻いている。有能な右脳はそうした断片を無作為にふたつ拾いあげて、そのあいだにつながりを見いだすことで両者をひとつにまとめ、それを左脳へ渡して利用できるようにする。しかし、そのせいで作家にとっての永遠の問題が浮かびあがる。創作に使えるのはすでに心にあるものだけなので、考えてもいないことから作品が生まれることはけっしてない。

知識や経験が少ないほど、自分の才能が独創的なものを生む可能性は低い。逆に、理解や洞察が深いほど、新しいアイディアを見つける可能性は高い。ごく短い作品なら、才能があれば知識がなくてもなんとかうまく書けるかもしれないが、複雑な長編を書くためには幅広く深い知識が必要だ。

魅力的だがなじみのないキャラクターを思いつくと、急に自分の知識不足を実感するものだ。知識がじゅうぶんになることなど、ぜったいにない。実力以上の才能を発揮するためには、知識による嵩あげが不可欠だ。作家は偽善者でも文学界の詐欺師でもなく、広く深い理解力と、真実を狙い打ちする頭脳を持った人物である。作家は唯一無二のキャラクターを書くために創造力を調査で補強する。

ある夜、こんな夢を見たとしよう。ある家族が白衣姿で、目がくらむほどたくさんの試験管が並んだ机を前に、あわてふためいている。このシーンを見たあなたは、なぜか汗まみれで目覚める。その朝、この不思議な一家について理解しようとメモを書きはじめる。何を書くだろうか。答えを必要とする問いだ。

このキャラクターたちは何者か。母か。父か。息子か。娘か。研究者か、破壊工作員か。正確には何をしているのか。何かを作っているのか、壊しているのか。それとも、白衣は何か個人的なものを象徴しているだけで、科学とは無関係なのか。どのように答えたとしても、さらに新しい問いが現れ、あなたがそれに対する答えを持っているとはかぎらない。独自の知識を蓄えていなければ、ほかの作家の真似しかできない。では、魅力と独自性を具えたキャラクターを作るにはどうすればよいのか。

まず、そのキャラクターや作品世界についてわかっているあらゆることでファイルを埋めつくそう。わかっていると思っていても、ほんとうにそうなのかは、書いてみないとなんとも言えない。紙に記された文字があなたを自己欺瞞から現実へと引きずり出し、創作のために調査へ導く。知っているはずのことを紙に書き出せないとしたら、それが意味するのはただひとつ。学ぶべきときが来たということだ。

創造力の糧となる四つの調査

調査を進める道は四つある。自分自身の調査、想像のなかでの調査、本を使った調査、現場での調査だ。

1　自分自身の調査

記憶のなかには、意味があって感情を動かされる経験がすべて集められていて、そこには現実世界での経験もフィクションの世界での経験もある。両者は心のなかの同じ貯蔵庫にあるので、時間が経つとどちらが起源だったかわからなくなる。実際に経験したことを物語のように受け止め、物語を実際に経験したことのように受け止めることが少なくないのはこのせいだ。その結果、何が起こるのか。われわれは自分が考えているよりもずっと多くを知っている……自分の過去を探る手間をいといさえしなければ。

記憶の目録を作ることが、第一の、そして最も基礎的な調査方法だ。真実を見つけたければ、ただこう問えばいい。「自分が人生で直接知ったことのなかで、これらのキャラクターを作るのに役立ちそうなものはなんだろうか」

たとえば、あなたは女性作家で、父親に支配された家族を取り巻くストーリーを組み立てているとしよう。頭にあるのは、息子が厳格な父に反抗しているところだ。こういったキャラクターたちを作り、意外で本質を突いた、型にはまらない反抗のシーンを書くには、みずからの記憶をどのように使えばいいだろうか。

自分の子供時代を思い返してみよう。もちろんしつけはされただろうが、きびしくはなかったかもしれない。それでも、親が決めたルールに反発したことはあるはずだ。罰を受けたり反抗したりするときの原動力や、その中核にある苦しみや怒りといった感情は普遍的だ。自分に問いかけよう。最も精神的につらかったときはどうだったか。いちばん腹が立ったときはどうか。心が痛んだとき、腹が立ったときに何をしたか。

そのような過去のシーンを再現し、日記のように鮮やかに書き出そう。感情の内なる高まりや、それがもとで実際に起こした行動に焦点をあててはどうか――何を見たか、何を聞いたか、何を感じたか、そして最も重要なことだが、何を言い、何をしたのか。そうした情景や行動を、あたかもそれがもう一度起こっているかのように、手に汗をかき、心臓が早鐘を打つようなことばで表現すればいい。

では、キャラクターにもどろう。思い出したことを道しるべにして、過去の自分の経験をどう伝え、どう変化させ、さらにはどう反転させればキャラクターの経験に転じることができるかを考えるといい。

2　想像のなかでの調査

記憶は過去の出来事をすべて拾いあげて、それを現在に再現する。一方、想像力は五歳の自分の身に起こったことを拾いあげて、二十五歳のときの出来事とつなぎ合わせる。ニュースで読んだ記事を拾いあげて、ある夜に見た夢と組み合わせ、さらに街角で聞こえたことばを混ぜて、最後にそれら三つを映画で見た情景というリボンで飾りつける。想像力は類似性を原動力とし、過去のかけらから現在の全体像を作り出す。だから、父親と息子が互いに争ったり、相手を支配したりしはじめる前に、ふたりを心のなかへ連れてこよう。ふたりを見て、言うことに耳を傾けよう。ふたりのまわりを一周歩いてみよう。特徴を書き出したり、動機を分析したり、台詞をしゃべらせたりはしなくていい。それはまだだ。そうではなく、ふたりを長い散歩に連れ出して、想像のなかを歩かせよう。

この初期段階で求めるのは全体の印象、つまり、だれかとパーティーで語り合ったあとに感じるようなことだ。しかし、作るに値するキャラクターだと判断したら、想像力をさらなる深みへもぐらせる必要がある。

3　本を使った調査

父と息子の衝突について書くときには、自分自身の家族や見たことのある家族、さらにはさまざまな想像上の家族に頼ることができる。だが、どれほどよく知っている題材でも、記憶や想像だけで書けるものには限度があることがすぐにわかる。執筆をはじめたときの知識だけで終わりまで書けることはめったにない。作品を仕上げるには、本から学んだことを加える必要がある。

心理学や社会学の観点から親子関係について鋭く書いた本を読み、卒業論文を書くときのようにていねいにメモをとれば、ふたつの大きな効果が得られる。

1　調査した数々の家族のなかから自分が書きたい家族を見つけ出し、自分の知識が正しかった部分と誤っていた部分を確認できる。親子というものは異なる文化のなかでも同じ重圧を感じ、似かよった段階を経ていくとわかるだろう。どう反応し、どう適応するかは家族によるが、人間同士にはちがう部分より似ている部分のほうがずっと多い。だから、書いたものに真実味があれば、個人の物語が普遍性を持ち、人々はあなたが書いた架空の一家のなかに自分自身の家族を見いだす。言い換えれば、あなたの作品が読者や観客を得るというわけだ。

2　自力ではけっして得られなかったさまざまなものが、ページから飛び出してくる。学んだことがもともと知っていたことと融け合うと、創作上の選択肢が一気に増えて、クリシェとの戦いを制する助けとなる。

4　現場での調査

父と息子の最終決戦には、設定が必要だ。ふたりは馬術選手で、馬場馬術の大会に向けて練習しながら言い争っているとしよう。あるいは、馬を乗せるトレーラーの下で、壊れた連結部を修理しながら口論をしている。あるいは、家に帰る途中の道でその連結がはずれ、どちらのせいかと互いにわめき散らしている。三つともよさそうなシーンだが、あなたはどれも実際に見たことがない。

だとしたら、ドキュメンタリー映画の作り手のように、そういったシーンを現実世界で探し出そう。そうすれば、何が起こるかを観察したり、その出来事を経験した人と話したりして、題材を知りつくすまでメモをとることができる。その題材について過去に似たものを作っただれよりも深く理解し、キャラクターや設定についての絶対的権威になれたと思えるまで、けっして執筆を終えてはいけない。

人間性に関する作家の考え

独自のキャラクターを生み出すには、人間について独自の認識を持つことが必要であり、だからこそ、すぐれた作家ならだれでも、人がある方法である行動を起こすときに何が原因となるかについて、自分なりの理論を組み立てる。これには決まった処方箋はない。芸術家はかならずしも秩序や規律に従うわけではない。

だから、どんな作家も自分なりの方法で考えを継ぎ合わせ、ひとつにまとめる必要がある。

すると、自分の考えがキャラクターへ流れこんで、さまざまな影響を与える。何に意味を見いだし、何を目的とするか。何をすべきで、何をしてはならないか。何を追い求め、何と闘うべきか。何を作り、何を破壊したいと望むのか。どんな恋愛や人間関係をめざして努力するのか。どんな変化を社会にもたらしたいのか。どんな選択や行動をしたいのか。

考えがどのような形をとるかは、あなたが人間をどう見ているかによる。だれもが根底では同じ人間性を持っていると考えるのか、人には可塑性があり、親や経済や文化の力で形作られると考えるのか。人間性とはだれについても変わらないものなのか、それとも男女や文化や階級のちがい、あるいは自分と他者とのちがいによって変わるものなのか。

あなたの考えを歴史上よく知られている理論に照らして検証できるよう、ここからは「何が人に行動を起こさせるのか」というひとつの大きな問いかけに対する答えを、ふたつの相対する視点に分けて見ていく。

このふたつの視点が争点としているのは、素質か環境かという議論だ。より重要なのはどちらだろうか。遺伝や生まれつきの能力――つまり素質なのだろうか。それとも、育ち方やまわりへの適応――つまり環境なのだろうか。言い換えれば、人の成功はだれの手柄なのか。そして、無慈悲な失敗はだれのせいなのか。

二大理論

人類がみずからについて深く考えはじめると、無秩序を理解するための考えがいくつか生まれた。こうした考えの主要なものは、何が人に行動を起こさせるかに関して、相反するふたつの視点に分かれると言える。自己の内面を見て内から外へ主観的に考えるか、それとも外の社会を見て外から内へ客観的に考えるか。すなわち、素質か環境かということだ。

インド

まず、インド発祥のふたつの考え方からはじめよう。

内的

仏教では、人間には不変の魂や永遠の自己など存在しないと説く。そして、自分自身の考えが聞こえたときに、それを考えている「自分」、すなわち意識的な自己と見なすものは実際には幻であり、非自己であるとする。つまり、現実は存在するが自己は幻想である。

外的

ヒンドゥー教が提示するのは正反対の考え方だ。自己は存在するが現実は幻想である。現存するものの根底にあるものには人知が及ばない。幻想の力であるマーヤーは実体のないものに形を与える一方、その原因を覆い隠し、ゆがめる。われわれが五感を通して経験する世界は存在するが、それはマーヤーの幻影の背後に隠された究極の現実のぼやけた模造品にすぎない。真の現実世界をことばで説明することはできない。言語自体もマーヤーの副産物だからだ。

ギリシャ

同じころに発展したギリシャ哲学は、このどちらの考え方とも対立する。

内的

ソクラテスは仏教とは逆に、自己は幻影でないどころか、存在の中心に位置するものだと主張した。「吟味されない人生は生きるに値しない」と説き、だからこそ「汝自身を知れ」と述べている。自分の内なる世界と折り合いをつけずに、周囲の世界について知ることができるはずがあろうか。自分の内なる人間性をとらえずに、ほかの人間を理解できるはずがあろうか、と。

外的

アリストテレスはヒンドゥー教とは逆に、世界は実在し、理解できると信じていた。われわれは本来、社会を住みかとする政治好きな動物である。自分のすぐれた能力を積極的に、かつ公然と発揮して他者に尽くすときには達成感を感じるものだ。同じ志を持つ集団のなかで、徳や美点、さらには際立って理性的な見識を誇示しつづけてこそ、充実した人生だと言える。

中国

中国哲学はギリシャとインド、どちらの考え方にも似ている。

内的

道教ではソクラテスや仏陀と同じく、自己の内側から外の現実を見る。この思想では、社会よりも自然界の物質や摂理と調和して生きることを重んじる。大げさな公の儀式は必要なく、求められるのはむしろ、簡素さや自発性、思いやりや謙虚さ—自然の内なる精神と調和した行動だ。道教では、他者を知るには力が、自己を知るには強さが必要であり、他者を知ることは英知、自分を知ることは光明であると説いている。

外的

孔子はアリストテレスやヒンドゥー教と同じく、社会に秩序があってこそ幸福になれると考えた。社会の観点から物事を見る儒教では、公衆道徳、家族に尽くす心、祖先崇拝を重んじる。そして、子は親に、妻は夫に敬意を払うべきであり、いかなる場合にも正義が最も優先するという厳格な序列を説いている。

十九世紀

二千五百年を経ても、哲学は同じ境界線で分かれていた。

外的

カール・マルクスは、アリストテレスと同様に、社会の力が意識を決めると考えた。そして仏陀と同様に、不変の自己など存在しないと信じていた。「歴史はすべて、人間性の絶え間ない変化である」

内的

ジークムント・フロイトはマルクスとは反対の考えを持っていた。フロイトによると、宇宙の中心を支配するのは潜在意識で、家族より大きな社会構造には意味がない。フロイトのモデルでは、精神生活には三つの要素がある。イド（生命のエネルギーの源、あるいは性的衝動）、エゴ（自己、あるいは自己認識）、スーパーエゴ（良心）だ。フロイト以降の精神分析学者は、この三つのなかに真の自己があるとしたらどれなのかという議論をつづけている。

二十世紀

外的

二十世紀半ばに、人類学者のジョーゼフ・キャンベルは神話に関する斬新な説を考案した。心理学者のカール・ユングの言う元型、つまり人間が祖先から受け継いで普遍的に持っている型を、多様な物語で使われる役柄にあてはめたのである。キャンベルは世界の神話や民話に共通して見られる基本構造を単一神話と名づけたうえで、これは時代を越えて文化から文化へと受け継がれてきたもので、伝説というより発明に近いと述べた。［原注3］単一神話論を信奉するあまり、多くの作家がアクション作品のキャラクターを平板な紋切り型の人物におとしめた。

内的

心理学者のウィリアム・ジェイムズは、精神生活を進行中の矛盾であると見なした。自己のあり方が内面ではっきりと自覚されていることがある一方で、夢想や混乱によって意識が融け、永遠に変わりつづける表象や心象の流れと化すこともある。ジェイムズは考えた。「だれもが現在のひとつだけの自己と、それとはまったくちがう過去の自己を、どちらも自覚できるのはなぜだろう」と。われわれはいま知覚している自分でありながら、記憶のなかに散乱している過去の自分すべてでもあるが、なぜこのようなことが可能なのか。ジェイムズが提起したこれらの矛盾は、作家が複雑なキャラクターを創造する手がかりとなる。

二十一世紀

今世紀にはいると、人間性についての二極化した議論はつぎのような形をとっている。

外的

批判理論、あるいはポストモダニズムと呼ばれるものは、環境を基盤とした思想であり、精神を社会による条件づけを受けた器官と見なす。そのため、ある文化の主観に基づいた信念によって別の文化の行動や価値観を評価することは偏狭ということになる。この考えはさらに進み、科学的な手法そのもの——証拠を集め、実験し、推論すること——までも、偏ったもの、文化的にゆがんだものとして否定している。

内的

認知科学は批判理論とは対照的に、言語学や情報技術やコンピューター研究を土台としている。素質を基盤としたこの考え方によると、精神は進化によって設計された生物学的なコンピューターである。認知科学では、脳のコードとネットワークさえ解読できれば、人間の行為を引き起こす究極の要因は科学の力ですべて理解できると信じられている。

内的／外的についての議論に関して、わたし自身は、人生にはつねに両方のものが混じっているが、遺伝子と文化のどちらの影響が量的、質的に大きいかはさまざまだと感じている。それより重大なのは、歴史上のどの考え方でも、偶然による影響をじゅうぶんに考慮していないことだ。

一卵性双生児についての研究を考えよう。同じ遺伝子を持ったふたりの人間は、やがて明らかに異なる個性を持つようになる。同じ家庭で育っても別々の家庭で育っても、似た部分は残るものの、ふたりがまったく同じままでいることはない。だから、双子のあいだのちがいを作るのは生まれでも育ちでもない。では、なんだろうか。偶然だ。

誕生という偶然の出来事をはじめ、この世のさまざまな力がでたらめに衝突するのは、だれにとっても日常茶飯事だ。子供の遺伝子は、両親や兄弟姉妹によるしばしば衝動的なふるまいと作用し合う。自分で選んだわけでもない文化によって、子供はゆがめられ、形作られる。教師ごとにちがう教え方に翻弄され、宗派についても同じことが言える。試合に勝つこともあれば、負けることもある。社内政治との出くわし方もいろいろあり、それによって権力のピラミッドを昇降する。また、天気も含めた物理的環境にも影響される。青空の下を好きなだけ駆けまわって日焼けした子供と、雨の多い地域でテレビの自然番組を観て育った日光不足の子供は同じではない。
子供の人生がどう変わるか――好転、悪化、どちらでもない――には、運がほかの要因と同じぐらい大きくかかわる。偶然何かが起こると、キャラクターはリアクションを起こす。偶然に対するリアクションとして、ようやく素質と環境の力が働きはじめる。

作品を書くための三つの鍵

ここまで示した考え方のうち、採り入れたいものがあれば採り入れればいいし、すべてはねつけてもいい。肝心なのは、人間性について、一般的な経験や型にはまった教育よりも深いところまで見通せているかどうかだ。自分なりの考えを発展させるには、内なる三つの能力、すなわち、道徳的想像力、推論力、自己認識力に日を向けるといい。創作の準備をするうえで最後に欠かせないのは、これら三つの難題を解決するために独自の才能を集中させることだ。うまくいけば、自分のキャラクターが行動を起こす理由を、より広く、より深い思索に基づいて理解できるだろう。

1　道徳的想像力

道徳的想像力とは、人生における価値要素を感じとる能力であり、これによって価値の変化（プラス／マイナス）、階層の変化（意識／無意識）、強度の変化（婉曲／露骨）などを認識する。これらの変化は、葛藤に対峙する（もしくは背を向ける）ための決断や行動を起こす（もしくはためらったり決断を先送りにしたりする）ことを人々に促し、つづけさせる。

複雑なキャラクターを作るとき、作家は道徳的想像力を使ってキャラクターの内なる領域をのぞきこみ、キャラクターの個人的、内的生活で働く価値要素を特定して、どれほどのものかを測る。「成熟／未熟」、

「誠実／不実」、「利他／利己」、「親切／残酷」――これらはすべて、人間性を大きく変化させるものだ。

複雑な設定を作るときには、物語の社会的、物理的環境にあるプラスとマイナスの価値要素を衝突させる。善良と邪悪、重要と瑣末、正義と不正、有意義と無意味など、人生で複数の価値を持つものはたくさんある。

価値要素の衝突がなければ、物語の社会設定はボードゲームとたいして変わらない。作家が道徳的想像力を用いて特徴同士を組み合わせなければ、役柄はモノポリーの駒にも劣るものになる。だから、まず設定を作ってそこからキャラクターを引き出すにせよ、キャラクターを先に作ってまわりを設定で覆うにせよ、結局は両者を人生の価値に関する自分の認識で満たさなくてはならない。[原注4]

2　推論力

ストーリーテラーは、指先と言われたら腕を、腕（アーム）と言われたら軍隊（アーミー）を心に思い浮かべなくてはならない。ひとつの和音を聴いた作曲家がメロディーを作ったり、一本の線を見た画家がキャンバスを奇跡で埋めつくしたりするのと同じように、ひとつのヒントを得た作家はひとりの人間を想像する。

一生で書くすべての物語の登場人物に足りるほど多くの人に、実生活で出会うことはできない。だから、代わりに帰納と演繹によって推論する力を身につけよう。部分から全体を思い描くこと――子供を見てその子の一族を想像すること――や、全体から部分へさかのぼって考えること――大都会を夢見て失くした情熱を見いだすこと――を学ぶべきだ。

3　自己認識力

あらゆる執筆作品は自伝的なものだ。内からあふれ出る珠玉の即興も、外から訪れる着想のきっかけも、すべてあなたの心、あなたの想像力、あなたの感情のフィルターを経て紙へたどり着く。ここで言いたいのは、キャラクターがあなたの分身だということではなく、自己認識がキャラクターを創作するうえでの根幹となるということだ。

あなたのことを広く深く知っているのは、自分自身だけだ。客観的に観察できる主観は、あなた自身の主観しかない。自己と会話するときも、自分の内なる声を相手にするしかない。あなたは自分の心という独房に住んでいて、他者とどれほど長く親密で個人的な付き合いをつづけようと、その内面で何が起こっているかを知ることはけっしてできない。推測はできても、知るのは無理だ。

知ることができる自己は自分のものだけだが、それすら限界がある。自己認識は自己欺瞞によってゆがめられるから、自分自身のことについては、思うほどには理解していない。自己認識は完璧ではなく、さまざまな面で不正確だ。とはいえ、あなたにはそれしかない。

では、自分のことすら部分的にしか知らず、他者についてはほとんどわからない状態で、どうすれば独創的で複雑なキャラクターを作れるのだろうか。こう問いかけるといい——「もし自分がこのキャラクターで、こういう状況に置かれたら、何を考え、感じ、おこなうだろうか」と。そのあと、自分の素直な答えに耳を澄まそう。その答えはつねに正しい。あなたなら、人間らしくできるだろう。自分の謎めいた人間性をより深く見通すことで、他者の人間性もよりよく理解できる。

人々のあいだには明確なちがい——年齢、性別、人種、言語、文化のちがい——があるものの、似ている部分はそれよりずっと多い。われわれはみな人間で、人としての基本的な経験は同じだ。だから、自分が心のなかで考え、感じていることは、前から道を歩いてくるすべての人々もそれぞれの形で考え、感じている。

キャラクター創作の鍵が自己認識であると理解したうえで、世界のすばらしい作家——ウィリアム・シェイクスピア、レフ・トルストイ、テネシー・ウィリアムズ、トニ・モリスン、ウィリアム・ワイラー、ヴィンス・ギリガン、イングマール・ベルイマン、ほかにも数えきれないほどの偉大な者たち——の心から飛び出した何百というキャラクターたちを見てみよう。個性があり、魅力的で、忘れがたいキャラクターたちは、みな、ひとつの輝かしい想像力から生まれている。

第2部
キャラクターの構築

わたしのキャラクターは、過去と現在におけるあらゆる文明の寄せ集めであり、本や新聞の一節、人間性のかけら、上質の衣服の切れ端をつぎはぎしたものだ。人間の魂がそうであるように。
——ヨハン・アウグスト・ストリンドベリ
[原注1]

キャラクターを作り出すときは、どの角度から見るのが最もよいだろうか。外側から書くのがよいのか、それとも、内側から書くのがよいのか。作家はまず設定を作って、そこに登場人物を配置すべきなのか。それとも、まず登場人物を考えて、それを中心に世界を構築していくべきなのか。

どちらの場合でも、特定のキャラクターに焦点があたると、同じ疑問が生じる。表向きの特徴を作ってから、そのキャラクターの内なる核心部へ立ちもどるべきなのか。それとも、核心部からはじめて、特徴を考え出すべきなのか。このあとのふたつの章では、この対照的な手法を検証する。

4　キャラクターの着想——外側から書く

はじめにひらめいた着想の小さな炎が、登場人物のそろったストーリーが完成するまで燃えつづけることはほとんどない。作家の本能が引き起こすのは、たいがいわずかな直感や少しばかりの謎にすぎない。それらの断片が自由な発想の連鎖反応を引き起こし、想像力を掻き立てる。はじめは画期的に思えたものがクリシェの袋小路で行きづまることも多いが、やがて、本質を見抜く貴重なひらめきが成功への曲がりくねった道をたどっていく。

着想は、作家を取り巻くさまざまな領域のどこからでも湧きあがるものだ。そこで、ストーリーテラーの世界を、中心点を同じくする五つの球体が入れ子構造になったイメージでとらえてみよう。

1　いちばん外側の殻は、時間と場所、人と物、過去と現在といった現実で構成されている。
2　その現実世界の内側には、小説、演劇、映画といったフィクションの表現媒体がある。
3　さらにその内側には、ストーリーを語るためのさまざまな伝統を持つジャンルがある。
4　ストーリーにはそれぞれ、登場人物が誕生するまでのバックストーリー、物語が進行するなかで起こる転換点、こうした出来事すべてを統合するテーマがある。

5　中心には作者が立ち、創造への着想を求めて外へ目を向けている。
まずは外側から、作者がいる内側へ向かって進んでみよう。

現実から着想を得る

キャラクターを創造するきっかけは、現実（物体、映像、ことば、音、におい、味、質感）の濃密さが無限の想像力とぶつかり合ったときにひらめくものだ。とりとめのない感覚や経験が自由奔放な想像の連鎖を引き起こし、やがて複雑なキャラクターへと結実する。とはいえ、作家を最も刺激するのはほかの人間たちである。

作家にとっての人間は、音楽家にとっての音のようなものだ。作家が即興でキャラクターを作るとき、人間の本質が音色を奏で、作家が描く人間のふるまいは交響曲となる。その結果、架空のキャラクターと現実の人間は、まったく異なる性質を持つことになる。

現実の人間は謎に満ち、完成されていない――人生はまだつづいている。キャラクターは芸術作品だ――作者の着想を表現したもので、完成されている。人間はたしかに存在しているが、ときにキャラクターは現実の人間よりも鮮烈な存在だ。人がまっすぐ向かってくると、われわれは衝突を避けようと進路を変える。キャラクターは、すべての動きを見られていることなど知るべくもなく、ただ滑るように通り過ぎていく。人間はわれわれに立ち向かい、われわれはそこに影響を与える。キャラクターはわれわれの興味を引きつけ、われわれはそれを吸収する。

ヘンリー・ジェイムズやルイジ・ピランデッロなど、二十世紀初頭の作家たちは、（その小説や戯曲からはっきりわかるように）たとえキャラクターを神同然の方法で認知させることができても、現実の人間を客観的に観察する自信はないと考えていた。見ることができるのは身ぶりや特徴にすぎないので、内面を深く知ることはできないということだ。隠された動機に対する分析はせいぜい推測にすぎず、たとえ教養に基づいた推測であっても、誤りや偏見を免れないと考えていた。

それは正しかった。たとえば、もしあなたが回想録を書くとしたら、当然ながら実際に知っている人間が登場することになるが、知人を登場人物にすると、スナップショットのように表面的なものになる。実生活からそのままキャラクターを持ってくるなら、外見の下に隠された真の姿を明らかにし、作家としての洞察力で驚きを生み出さなくてはならない。模写は禁物だ。実在の人物を、信頼できる魅力的なキャラクターに作りなおす必要がある。

実在の人物から着想を得たとしても、信頼性が保証されるわけではない。だが、信頼していなければ、作家はその人間を書く気持ちにはなれない。そして、特徴をつぎつぎと書いていくうちに心のなかで信頼が高まり、確信が深まったときに作品が生まれる。たったひとつのユニークな面が、唐突にその人間の本質すべてを暗示することもある。示唆に富んだ細部が現実から興味深い着想を引き出し、信憑性の高いものになる。

自分が書くキャラクターの設定や世界や特徴についてかぎられた知識しかない作家は、一般的なことしか書けないので、信頼が損なわれ、発想も乏しい。現実をしっかりととらえている作家は、類のない設定で読者や観客をたちまち魅了する独自のキャラクターを生み出す。

表現媒体から着想を得る

着想の第二の源である媒体の選択は、作家のストーリーの形だけでなく、そこに住むキャラクターたちの特徴や行動にも影響を及ぼす。たとえば、映画のキャラクターは、カメラ映えするように、ことばによる表現よりも視覚的な表現に頼りがちだ。そのため、脚本家は外見や身ぶりで自分を表現できるキャラクターを作る傾向がある。一方、舞台のキャラクターは、観客に訴えるために、視覚的な表現よりもことばによる表現に頼る。そのため、劇作家はキャラクターに表現力に富んだ台詞を与える傾向がある。

舞台や映画のキャラクターは、未来の願望に向けてことばや視覚的な表現をするために、現在時制のなかで生きている。一方、小説は過去形で語られることが多く、出来事を回想し、何が起こったかを過去にさかのぼってくわしく解釈していく。それゆえ小説家は、一人称の語り手に、鋭い記憶力や、すぐれた判断力、サブテクストへの感受性を与えがちだ。

媒体の選択は、キャラクターの性格だけでなく、作家自身の自意識にも影響する。自分は何者なのか。劇作家か。ショーランナー〔テレビドラマの製作総責任者〕か。脚本家か。小説家か。こうした肩書きにはそれぞれに立派な伝統があるが、作家の面々には、小説、演劇、映画のどれかにこだわらないよう勧めたい。作家としての意識をひとつの媒体に限定すると、創造の範囲がせばまるからだ。

たとえば、もし自分が書いた脚本を映画化や舞台化してしてくれる人がいなかったら、別の媒体向けに書きなおしてはどうだろうか。演劇として上演したり、小説として出版したりすればいい。自分のキャラクターを人前に立たせて、読者や観客の反応を見てみよう。机の前で考えていただけでは得られないことに気づくはずだ。ストーリーを発表し、反響を見て、自分の能力を向上させよう。才能を見せつけて、あらゆる媒体に通じる「作家」という肩書きを自分に与えるのだ。

自分のことを深いレベルで知るために、「自分が愛しているのは、自分のなかの芸術なのか、芸術のなかの自分なのか」〔原注1〕と問いかけよう。文章を書くのは、内なる自分が表現を欲しているからなのか。それとも、アーティストとしての生活を夢見ているからなのか。駆け出しの作家たちは、ハリウッドやブロードウェイ、あるいは小説家が多く住むコネチカット州の田園地方に憧れをいだく。しかし、何度か原稿が却下されると、夢破れ、挫折する。どの媒体から着想を得るのであれ、作家としてのライフスタイルへの憧れは脇に置いて、自分自身に合った媒体であることを確認してもらいたい。

ジャンルから着想を得る

ほとんどの作家は、自分が思うほどには現実から着想を得ておらず、フィクションから着想を得ることがはるかに多いのではないだろうか。真の意味での最初のひらめきが、街角やインターネットで見かけたものから得られることはまれだ。ほとんどの場合、自分が好きなジャンルの小説、演劇、映画、ドラマシリーズにある台詞の一節や美しく表現された映像がヒントになる。

主要な表現媒体には数えきれないほどのジャンルがあり（第14章参照）、それぞれにさまざまなサブジャンルがあるので、組み合わせたり、まとめたりすることで、ストーリー設計は多種多様になる。だから、新しい独創的な題材を探すときは、自分自身がどのようなストーリーを好むかに目を向けてみよう。どんな映画シリーズに夢中になっているのか。何をおいても観にいくのはどんな映画や演劇か。どんな小説を読むのか。どんなジャンルが好きなのか。まず自分自身が情熱を注ぐものから、キャラクター作りの手がかりを探してみよう。

出来事から着想を得る

ロシアの演出家コンスタンチン・スタニスラフスキーは、俳優たちの才能を引き出すために、「魔法のもしも」とみずから呼ぶ理論を提唱した。これは、想像力を解き放つべく、仮定に基づいて考える方法だ。キャラクターにふさわしい瞬間を作り出すため、俳優は「もしも……なら、どうなるだろう」と自問自答して、自分の反応を想像する。

たとえば、家族で喧嘩をする場面をリハーサルしているのであれば、俳優は「もしもこの瞬間に弟を殴ったら、どうなるだろう？　弟はどう反応するだろう？　弟の反応に対して、わたしはどう反応するだろう？」と静かに自問する。このような仮定に基づく問いかけによって、予想外ながらも真実味のある行動へと想像が飛躍する。

キャラクターの創造者がしているのも同じことだ。「魔法のもしも」が心に浮かんだ作家は、即興で契機事件を起こし、それが引き金となってつぎの出来事が起こる。もしも人食いザメが海水浴客を襲ったとしたら、サメの退治に乗り出すのはどんなキャラクターか。〔原注2〕もしも自分の夫が五十年近い結婚生活のあいだずっと、若くして死んだ初恋の相手をひそかに思いつづけていたとしたら、それを知って幸福をぶち壊されるのはどのような妻だろうか。〔原注3〕

「もしも……なら、どうなるだろう」という問いかけによって、ストーリーの契機事件が起こる。それに対してキャラクターが反応し、物語がプロット主導なのかキャラクター主導なのかが決まる。スティーヴン・キングは、自分の小説はつねにプロット主導ではじまると語っている。物語を開始するにあたり、キングは「魔法のもしも」によって、主人公の手には負えない契機事件を作り出す。だが、それ以降は、自分の作り出したキャラクターたちが主導権を握って、予想もつかない決断をくだすことを期待するという。それによって、最後のページに行き着くころには、キャラクター主導のストーリーだと感じられるようになる。〔原注4〕

テーマから着想を得る

書くことは人生を探求することだ。作家は船乗りのように自分のストーリーの海へ出航するが、どこへ向かうのかも、たどり着いた先に何があるのかもよくわからないままだ。それどころか、水平線の向こうになんの驚きもなければ、使い古された航路を進んできたことになり、新たな針路をとる必要が生じる。

やがてクライマックスの転換点で、登場人物と出来事が結びつく段になって、作家は自分のストーリーの意味を理解する。言い換えれば、ストーリーが作家に理解をもたらすのであり、作家が物語の意味を決めるわけではない。では、その意味とはなんだろうか。

古代の神話から現代の風刺小説まで、巧みに語られたストーリーが共通して表現しているのは、人生はどのように、そしてなぜ変化するのか、という重要な問題だ。それは、ストーリーの核となる価値要素をマイナスからプラスへ、あるいはプラスからマイナスへ変化させるような根本的な原因から生じるもので、人間の本質について語られた無数の物語にある、憎しみから愛へ、愛から憎しみへ、自由から隷属へ、隷属から自由へ、無意味な人生から有意義な人生へ、有意義な人生から無意味な人生へ、といった重大な変化が起こる。作家がストーリーを追求していくと、社会の内奥や登場人物の潜在意識に隠れていた原因が突如として明らかになり、キャラクターの深みが生まれる。それは作家が即興でしか見いだせないものだ。

しかし逆に、作家がある信念から出発して、それを証明するためにプロットや登場人物を作りあげると、自発性は柔軟さを失い、予想どおりのものしか発見できない。信念に固執する作家は、自分の主張を証明したいという燃えるような熱意ゆえに、ストーリーを図解入りの講義へと、登場人物をただの代弁者へと変えてしまう。これは中世の道徳劇のような古くさい手法だ。中世の道徳劇では、普遍的な人間やありふれた人間を主人公にして、それを取り巻く役者たちに、美徳と悪徳、慈悲と悪事、美と知識、生と死といった概念に出くわす場面を演じさせた――すべては道徳心のない人間を啓蒙するためだ。

アイディアからストーリーへと逆行することは、昨今の社会派ドラマの残念な傾向だ。このジャンルは、貧困、性差別、人種差別、政治的腐敗など、社会に蔓延するさまざまな悪弊からテーマをとっている。

たとえば、ある作家が、薬物依存は社会にはびこるひどい病だが、愛の力で救うことができると考えたとしよう。そこで、「愛は依存症を救う」というテーマから出発して、まず最終幕のクライマックスを考え、ひとりの薬物常習者が愛の力によって数十年に及ぶ依存状態から完全に立ちなおる話にする。その結末を踏まえて、いくつかの転換点を薬物摂取という契機事件につなげ、そのあいだを自分の理論を実践するキャラクターが登場する出来事で埋めていく。善人はさらなる善人になり、悪人はさらなる悪人になり、すべての台詞は依存症を救う愛の力について薄っぺらな説明を論じ立てる。このような不自然な結末が、愛や依存症に対するだれかの考えを改めさせることなどあるだろうか。

キャラクターを創造する過程で見いだす意味は、機械的にプロットを構成するときの信念よりも、つねに発見に満ちている。

キャラクターの生い立ちから着想を得る

すべてのキャラクターには、生まれた家庭までさかのぼれる過去がある。こうした過去は作家にとって重要なものだろうか。小説家のフィリップ・ロスは重要だと考えた。ロスにとって過去とは、意欲を引き出すきっかけや輝かしい側面が隠された場所だった。だから、主人公ひとりについて五千を超す、生い立ちのこまごまとした情報を考え出した。

劇作家のデヴィッド・マメットの考えはその逆だった。マメットは、お決まりのトラウマがあろうがなかろうが、子供時代を想定することは時間の無駄だと考えた。

こうした意見のちがいは、作家の仕事の進め方だけでなく、表現媒体の選択にも関係している。小説は（例外はあるが）過去形で語られ、ある期間にわたってキャラクターの人生が投影されるが、演劇は（例外はあるが）現在の一断面において場面が展開される。実のところ、舞台において、人物の略歴を説明するために、過去を回想するモノローグやフラッシュバックなどの小説的な手法を用いる場合もある。エドワード・オールビーの『ヴァージニア・ウルフなんかこわくない』や『幸せの背くらべ』がその例だ。

わたしはフィリップ・ロスの考えを支持する。ロスが考えた五千に及ぶキャラクターの生い立ちの断片は、ほとんど小説に登場することはなかったが、それによって築かれたキャラクターへの理解が創造的な選択の基礎となった。

キャラクターの過去をまとめる際には、特異なひとつのことではなくパターンを探すといい。感情面での経験が重なると、蓄積されていくものがある。トラウマが繰り返されるとPTSD（心的外傷後ストレス障害）を引き起こし、日々甘やかされると利己主義になる。繰り返し呼び起こされる感情の痕跡は、意欲（何を求めるか／何を避けるか）、気性（穏やか／神経質）、気質（楽観的／悲観的）、性格（愛敬がある／気むずかしい）といった特徴に影響を与える。

潜在意識の動きは行動の特性を引き出し、行動の特性は潜在意識の動きを反映する。いったん根づいたこうしたパターンは、一生を戦い抜く原動力となる。大人としての葛藤のなかで、キャラクターが子供のころの特徴を捨てることはほとんどない。むしろ、現在の人物を過去から来た人物のように扱うことも少なくない。こうして、生い立ちのなかで作られた基礎がキャラクターのその後の生き方を決める。

ストーリーの契機事件が起こるまでのキャラクターの歳月を構築するときには、思春期に焦点をあてるとよい。十代の前半には、はじめて将来の夢を見て、その意味や目的を問い、系統立てて考えるようになるものだ。運がよければ、よい刺激を与えてくれる教師や、自分のなかでのひらめきなど、生涯をかけて追い求める目標が生まれる有意義な経験をすることになる。あるいは、はじめて垣間見た人生の目的が急に悲観的になることもありうる。この時期には、混乱、疑い、恐れ、恥、悲しみ、怒り、抑圧——このいくつか、またはすべてを同時に経験する。青春を迎えるとはそういうことだ。

そして、程度の差こそあれ、自分の存在意義を見いだすために、探求の年月を過ごす。自分は何者なのか、どこから来てどこへ行こうとしているのか、たどり着いた先でどううまくやっていこうか、と。やがてある時点で、好むと好まざるとにかかわらず、現実的な自己が確立される。成長したキャラクターは自分自身の歴史の専門家として、自分自身の未来の予言者として、あなたのストーリーに登場できる状態になる。

こうして探求するとき、作家は空虚な未来より豊かな過去を重んじることが多い。記憶は質感や緊張感、においや形をともなうが、想像は細部をともなわないいくつもの可能性と埋められるべき空白を提供する。キャラクター自身の立場からすると、過去に体験したパターンを未来が繰り返すことを願うばかりだ。

キャラクターの語る身の上から着想を得る

外側から書く場合の最後の取り組みとして、こんなことをしてみよう。自分が書いたキャラクターと向き合ってすわり、自己紹介をしたあと、相手に身の上を語らせる。もちろんキャラクターは実在の人物ではないから、声を聞くことができるのはあなたの想像力だけだ。つまり、自分が作りあげた自己と会話をすることになる。

身の上話は、その人物が自分の人生についてどう考え、自分を取り巻く現実をどう見ているかを表現するものだ。最良のとき、どん底のとき、転換点、成功、失敗、その他の重要な瞬間について尋ね、キャラクターの身の上話を引き出そう。キャラクターが自分について語る話はほとんど事実ではないが、自分をどう見ているかがはっきり見てとれる。その説明が真実なのか嘘なのか、あるいは両方が混じったものなのかは、あなたが判断しなくてはならない。

キャラクターが話すとき、忘れてはならないのは、自分自身についての発言はすべて自分にとって都合がよいものだということだ。人間にはそれしかできない。たとえば、一人称代名詞ではじまる台詞は、深遠なものであれ、些細なものであれ、すべてある程度のまやかしや誇張が付き物だ。登場人物が悪行を告白するときでさえ、言外には「おのれの欠点を見つけ、人前でそれを認める勇気があるなんて、自分はなんと繊細で、正直で、聡明な人間だろう」という多少の自画自賛があるものだ。シェイクスピアの『ハムレット』で主人公が「ああ、わたしはなんというやくざか、卑怯な男か」と自分を罵るときですら、自己認識に対するある種の誇りが含まれている。

　どんな場合でも、自分について語る内容には、見かけとはちがって、字面どおりの意味を超えた目的がある。真実かでたらめか、自己認識か自己欺瞞かを判断できるかどうかは、あなた自身にかかっている。キャラクターが話すことと、それを聞いて自分が感じたことを、つねに比較しなくてはならない。

　どんな人間も見かけどおりではない。だれもがみな表向きの人格（ペルソナ）を身につけている。それは、できるだけ摩擦を起こさずに日々を乗りきるために考え出した仮面だ。その仮面の下を見るためには、最大のジレンマ、難局でおこなった選択、重大な危機に直面したときにとった行動について、あなたのキャラクターに問いかけるしかない。

　たとえば、原因と結果が一致し、変わらぬ目標をめざす価値観が伝わる身の上話からは、しっかりと落ち着いた心境のキャラクターが浮かぶ。一方、原因と結果が一致せず、複数の矛盾した目標をめざすような一貫性のない身の上話では、その反対だ。[原注5]

　内なる矛盾が、そのキャラクターに多面性を与える（第9章参照）。だから、キャラクターの身の上話を聞くときには、心に秘められた矛盾に注意するといい。人はしばしば、共存できないふたつのものを求める。たとえば、出世の階段をのしあがる一方で、同僚からのあたたかい激励を期待する。無茶な話だ。キャラクターが人生で望むさまざまなものを語るとき、それは首尾一貫しているか、それとも矛盾しているか、どちらだろうか。

　そこで理由を問いただそう。キャラクターの真の動機は潜在意識のなかにあるものだが、それでも、自分が望むものを得るために揺るぎない正当な理由を示そうとするはずだ。あなたは大人を質問攻めにする五歳児のように、しつこく理由を尋ねなくてはならない。なぜその行動をとるのか。自分の行動をどう説明するのか。何を求めているのか。求めるものを手にするためにどんな計画があるのか。人生の戦略をもう立てているのか、それとも行きあたりばったりに動いているのか。

最後に、どんな信念かを尋ねよう。信念は人間のすべての行動の裏づけとなるものだ。神の存在を信じているのか。ロマンティックな恋愛が存在すると信じているのか。善とは何か、そして悪とは何か。信頼している組織はあるのか。それは民間のものか、公的なものか、そんなものはないのか。命を懸ける対象、魂を懸ける対象はあるのか。自分の世界を作りあげているのはどんな深い信念なのか。

信念は行動を形作るものだが、突然変わることもある。たとえば、狂信者がイデオロギーを覆して対立側に加わること――共産主義者がファシストになり、ファシストが共産主義者になること――は珍しくない。本物の信者にとっては、信じることの意味よりも、信じることの情熱のほうが重要だ。［原注6］

こうして得られたものから、キャラクターの立体感や内面の複雑さを作りあげるための着想を得てもらいたい。

5 キャラクターの着想——内側から書く

自分と正反対の人間の意識に自分を投影するには、天才の大胆さが必要である。
——ヘンリー・ジェイムズ［原注1］

着想の第二の源では、作家が自分の世界の中心ではなく、キャラクターの世界の中心にいる。冒険心のある作家は、キャラクターの内面にはいりこんだ自分を想像して、キャラクターの目と耳で見聞きし、キャラクターが感じるすべてを感じとることで、自分の創造物に生命を与える。キャラクターの葛藤を思い描いて、即興で選択し、架空の人生があたかも自分に起こっているかのように一瞬一瞬を行動に移す。そんなふうにある意識から別の意識へと飛躍するには、ヘンリー・ジェイムズが指摘したように、ある種の才能が必要だ。キャラクターになりきって書くこの手法を、わたしは「内面からの造形」と呼んでいる。

このように作家がキャラクターの内面にはいりこむと、キャラクターの感情が作家の感情となる。鼓動が重なって、心のなかに同じ怒りが燃えあがり、キャラクターの勝利を祝福したりキャラクターが愛するものを愛したりする。最も強力な着想は、キャラクターが経験したことを作家が経験したときに得られる。言い換えれば、キャラクターを最初に演じるのは作家なのだ。

作家は即興演者だ。作家はまず、キャラクターの意識の中心に自分がいることを想像する。キャラクターになりきると、意識や感情やエネルギーがキャラクター作りを押し進める。うろうろと歩きまわり、腕を振り動かし、ことばを発し、それが男であれ、女であれ、子供であれ、怪物であれ、自分の創造物を演じる。俳優のように自分が作り出したキャラクターの感覚のなかで生き、みずからが生きたキャラクターであるかのようにストーリーの出来事を見聞きするうちに、キャラクターに起こる感情が作家のなかでも起こる。

作家はどうやってキャラクターになりきるのか。どのようにして、自分の創造するキャラクターを即興で表現するのか。どんなふうに自分の感情を使って、架空の存在に命を吹きこむのか。ここでも、スタニスラフスキーの「魔法のもしも」が使われる。

自分のキャラクターに命を吹きこむために、作家は問いかける。「もしもわたしがこういう状況にいたら、どうするだろう」と。そう考えることで、たしかにアイディアは浮かぶだろう。だが、作家はキャラクターではない。そのような状況で作家が言うこと、することは、キャラクターが起こすであろう行動とはまったくちがうものになりうる。

あるいは、「もしもわたしのキャラクターがこういう状況にいたら、どうするだろうか」と問うこともできる。しかし、そう考えることは、いわば作家を観客席に置き、舞台上のキャラクターを描写することになる。キャラクターが感じていることを感じるのではなく、その感情を推測しなくてはならない。そして、推測はほとんどの場合、クリシェだ。

だから、キャラクターになりきるために、作家は「魔法のもしも」でつぎのように考える。「もしもわたしがこのキャラクターだとして、こういう状況にいたら、どうするだろうか」と。言い換えれば、作家は自分自身としてではなく、キャラクターとしてシーンを演じる。それによって、作家の感情ではなく、キャラクターの感情が流れるようになる。

キャラクターになりきって書くことは、キャラクターの頭のなかで何が起こっているかを考えることだけではない。キャラクターのなかで生き、あなたの心がキャラクターの心を占め、キャラクターの自己認識があなたのものとなり、両者が一体となって行動するということだ。内面からの造形を習得すると、ほかの方法では実現できない真実味と繊細さをもって、小説や演劇や映画のキャラクターに命を吹きこむことができる。

　架空の存在のなかにしかない着想を得るためには、強い意志と、ときには勇気を持って、想像しつづける必要がある。そのためには、自分自身の内面を知らなくてはならない。自分の本質を理解すればするほど、キャラクターの複雑さを見抜くことができる。自分自身を知るためには、自分の内面の底を認識して、夢と現実、欲望と倫理を比べ、それをもとにして社会的自己、個人的自己、内的自己、隠れた自己を探り、多面的な人間性に行き着かなくてはならない。あなたの真実が、あなたが創造するすべてのキャラクターの真実となる。

　そこで、内面からの造形を試みる前に、人間の多層的で複雑な内部を見てみよう。

観察する者とされる者

　脳のなかでは、約一千億個の神経細胞（ニューロン）が百兆か所以上のシナプスで相互に接続している。この想像を絶する複雑な組織は、身体との相互作用、そして身体を介した周囲の物理的および社会的世界との相互作用によって、つねに適応し、変化している。脳は新たな思考や感情を日々進化させ、未来に備えて記憶する。

　こうして認知される膨大な情報のなかから、なんらかの理由で（科学はまだそれを解明していない）、周囲のものを認識するだけでなく、自分自身を認識する心、つまり、一歩離れて自分を客観視できる自覚が生まれる。［原注2］

　人間の内面の本質については、何世紀にもわたって議論が戦わされてきた。それは現実なのか、それとも空想なのか。自分自身を見つめる心が見ているものは、自分自身なのか、それとも無限に反射しつづける鏡像なのか。

仏陀は、先に述べたとおり、われわれの心の内にあるものは心の外にある光景や音の感覚的な印象として生まれるので、自己は幻想である、と考えた。われわれが自己と呼ぶものは、俳優が舞台に現れては去っていくように、外からつぎつぎに現れる印象がまとまったものにすぎない。だから、真の自己は存在しない――それはアナッタ（無我）であり、ある種の精神的な特殊効果である。

ソクラテスはこの考えを覆した。ソクラテスは、人間には確固とした内なる領域があるだけでなく、そのなかに観察する者とされる者というふたつの自己が存在すると考えた。**中核の自己**（観察する者）は、人生を見守り、理解しようとする意識の中心だ。中核の自己は**行動する自己**（観察される者）を世界に送り、行動を起こさせる。そして、中核の自己は行動する自己の言動を認識し、みずからの日常生活の観客となる。これが自己認識であり、自分しかいない内なる劇場で繰りひろげられる劇である。［原注3］

考えてみよう。何か失敗をしたあと、自分に対して「このばか！」と思うことはないだろうか。そのとき、正確には、だれがだれをけなしているのか。成功したときには「うまくやったな」と思うことだろう。だれがだれを褒めているのだろうか。自己批判と自己満足はどのように働くものなのか。だれがだれに向かって話しているのか。

このページを読んでいるときも、あなたの内なる意識があなたのすべての動きを観察している。あなたはそれを認識し（ページを読む自分を見る）、行動する（紙にメモをとる、あるいは記憶に残す）。このように、認識から行動へ、そしてまた認識へという心のなかの方向転換が、中核の自己と行動する自己を分けている。［原注4］

とはいえ、現在でも一部の神経科学者は仏教の側に与している。脳の各領域はそれぞれ独立した機能を持っていて、どの領域も単独では自己認識を起こさないので、中核の自己は存在しないというのがその主張

だ。〔原注5〕

ソクラテスを支持する者たちの考え方はこうだ。人間には、運動のための運動ニューロン、感覚のための感覚ニューロン、そして、複雑な思考のための介在ニューロン――これが群を抜いて数が多い――がある。脳には、過去の経験の記憶と未来の出来事への想像があり、それが身体の神経系やそこで生じる各瞬間の感覚と一体になって、何十億ものインパルス〔電気信号〕を意識の中心である中核の自己に向けて集める。つまり、自己認識とは、すべての領域のすべてのニューロンが協調して働くことによる副反応だ。そのため、脳のいずれかの領域が損傷を受けると、自己意識が弱まり、消えることとすらある。行動においても観察においても、最大の自己認識は健康な体の栄養状態がよい脳から発せられる。〔原注6〕

これは何も新しい考え方ではない。エジプト人は観察する自己を守護霊と見なしてバー（魂）と名づけた。これに類するものとして、ギリシャ人のダイモーン〔原注7〕、ローマ人のゲニウス〔原注8〕がある。だが、仏陀が主張したように、自己は架空のものだと科学が最終的に判断するなら、わたしはそれでかまわない。その場合、われわれを人間たらしめるのはフィクションであり、われわれの本質だ。〔原注9〕

（試してみよう。鏡に向かって自分の目を見つめる。一瞬、心の奥深いところでだれかが見つめ返すのを感じるだろう。しかし、つぎにまばたきをすると、それは、行動する自己が反応する直前に、中核の自己が自分を観察していた一瞬の姿だったと気づくだろう。このような瞬間に気づくのは、予定外のときがいちばんよいのだが、試す価値はある）

人間の本質についての理解を深めるためには、自己という概念を受け入れるだけでなく、中核の自己（観察する者）、行動する自己（観察される者）と、行動する自己が装うすべての個人的および社会的な人格（ペルソナ）、中核の自己が記憶しているあらゆる過去の自己、そして最深部にある隠れた自己という、さまざまな自己を受け入れなくてはならない。〔原注10〕

四つの自己からキャラクターを考える

各層の自己がきわめて人間らしいキャラクターをどのようにして作りあげるのかを考えるにあたって、まず意識の中心から見ていこう。中核の自己が内なるジレンマに立ち向かい、決断をくだし、行動する自己に指示をくだす**内的領域（内的自己）**だ。

つぎに、その中心をふたつの層で囲む。行動する自己がさまざまな人格を帯びて親密な関係に対応する**個人的領域（個人的自己）**と、行動する自己が公的な人格を帯びて組織や個人に対応する**社会的領域（社会的自己）**だ。

最後に、これら三つの層を支える土台として、隠れた自己が矛盾した欲求と戦う**潜在意識の領域（隠れた自己）**を置く。

それぞれのストーリーで、こうした面がキャラクターのなかにどれだけ現れるかは作家しだいだが、ひとつひとつ見ていこう。

内的自己――アイデンティティが形を変えたもの

十九世紀末から二十世紀はじめにかけて活動したアメリカの心理学者ウィリアム・ジェイムズは、中核の自己を「自己のなかの自己」、「持ち主である自己」、「所有者である自己」などと名づけた。ジェイムズは中核の自己を城塞のなかの聖域にたとえて、われわれの個人的および公的な人格の中心であるとした。［原注11］ジェイムズの「思考の流れ」という概念は、ヴァージニア・ウルフなどの小説家に影響を与え、「意識の流れ」という文学上の手法が生まれた。

ウィリアム・ジェイムズが考えた内的領域では、中核の自己は過去のさまざまな自己を観察し、吸収しながらも、生涯にわたって変わらないひとつのアイデンティティを持ちつづける。われわれは自分がかつての自分とはちがうことを知っているが、中核の自己はずっと不変だと感じている。われわれの心は永久に変わらない確固たるアイデンティティを持っているが、同時に、絶えず進化するみずからの意識が、行動しては反応し、学んでは忘れ、進化しては退化し、価値観や欲求に関する態度を維持しながらも、する価値があるものは何か、時間の無駄なのは何かなどについては態度を変えていく。われわれは日々、人間の自然な状態としてのパラドックスのなかで生きている――変化する一方で、変わらずにもいるわけだ。〔原注12〕

ところで、ウィリアム・ジェイムズの弟は作家のヘンリー・ジェイムズである。ふたりは科学と小説の両面から思考の本質を掘りさげた。この研究に基づいてヘンリーは視点の技法を探求し、現代の心理小説に革命をもたらした。十九世紀のアメリカにはふた組のジェイムズ兄弟がいた。ヘンリーとウィリアム（作家、心理学者）、ジェシーとフランク（銀行強盗、無法者）である。

頭蓋骨に閉じこめられている中核の自己は、基本的に孤独な存在だ。われわれの内なる声は、聞くことのできる唯一の内なる声だ。中核の自己は他者の内的領域とテレパシーで交信することができないので、意識は心のなかの映画のようなものになる。脳内のどこかに、永久に隔離された状態ですわる自分がいる――目がとらえたイメージと想像を同時に映し出した、音、におい、手ざわり、味、感情をともなう、三百六十度の多感覚映画のひとりの観客として。〔原注13〕

深い瞑想状態にある人は、自分のなかの自分と向き合おうとしているのかもしれない。瞑想の焦点から目をそらして自分の意識を振り返り、行動している自分がそれを見ている自分と出会うことを期待するのだろう。だが、いくら試みても、そのふたつが出会うことはけっしてありえない。意識がつぎのことへ向いた瞬間、中核の自己は一歩さがって観察をはじめる。これがハムレットのジレンマだ。

ハムレットの心は、合わせ鏡のように、劇中ずっと自分自身を見つめている。自分を理解しようともがくうちに、自分を意識する自分自身の意識に取り憑かれる。自己認識の内側に踏みこんで、内側から自分自身を観察しようとするが、それができない。やがて第五幕の墓場の場面のあと、ハムレットは、自分が人生で追い求めてきたものは果てしなくふくらむおのれの主観だけだったことを理解する。［原注14］ついに自分への執着を振り払ったとき、ハムレットは心の平安を得る。

ハムレットが理解したとおり、自分自身のなかにいる自分と向き合うことはできない。自分がそこにいることはわかっていても、中核の自己だけを心から切り離して、手にとって見ることはできない。そちらへ顔を向けても、こんどは背後へ移動して、潜在意識への入口をふさぐ。実際に中核の自己の奥にはいりこむことができたら、渦巻く潜在意識の深淵に落ちていくことだろう。

一人称小説、舞台での独白、映画のナレーションなどでキャラクターが自分のことを語るとき、批判を受ける自己はふつう二人称で呼ばれ、称賛を受ける自己は一人称で呼ばれる。シェイクスピアが独白で一人称を使うのは、キャラクターが語りかける相手が自分自身ではなく観客だからだ。それにもかかわらず、俳優のなかには、独白を、中核の自己と行動する自己の対話劇、つまり、分裂した人格のなかでの議論であるかのように演じる者がいる。［原注15］

心が行動を起こすと決めると、中核の自己は行動する自己を世界へ送り出し、何が起こるかを見守る。行動する自己が公に見せる行動は、個性、人格（ペルソナ）、仮面（マスク）、見せかけ、態度など、さまざまな名前で呼ばれる。どれも適切な同義語だが、わたしは「自己」と呼ぶことを好む。

キャラクターになりきって書く場合、作家はキャラクターの行動の真のあり方を見きわめなくてはならない。それは中核の自己がなりすましたものだ。作家はつねに観察をつづける一方で、行動する自己となり、最初の演者としてキャラクターの動きを即興で演じる。

中核の自己は、以下のようにさまざまな変化をすることがある。

拡張された自己

ヘンリー・ジェイムズとウィリアム・ジェイムズは、中核の自己をひろげて「拡張された自己」とした。

ふたりの考えでは、人間の自己には、自分のものと認識しているすべてが含まれる。コンピューターは心を、iPhoneは手を、車は足を、衣服は皮膚を、それぞれの手立てで拡張する。友人や祖先、学歴や職業、休暇の過ごし方、音楽や映画の趣味、ジムの鏡に映る自分の姿は、みなそこに含まれる。自分のものと呼ぶすべてが集まって、自己認識の全体が作られる。

その結果、自分自身について考えるのと同じように、自分のものについても考えるようになる。仕事や恋人や美貌を失うことは、自分の一部を失うことだ。友人や恋人や家族が悪事を働けば恥ずかしいと感じるし、侮辱されれば怒りが燃えあがる。成功すれば自分も成功し、衰えれば自分も衰える。自分のアイデンティティを物や他者と結びつけることは精神的な弱さの表れだと感じる者も多いが、人間とはそういうものだ。［原注16］

保護された自己

中核の自己は、健全さを保つために、みずからの秘密を守らなくてはならない。フランスの哲学者ミシェル・ド・モンテーニュはこう表現した。「われわれは自分だけの秘密の小部屋を確保する必要がある。そこはなんの束縛もなく、黙想、自由、貴重な孤独が保たれる場所だ」［原注17］。すべての作家、特に小説家は、この「秘密の小部屋」で、一人称の小説や短編を語れる強い声を探す。この保護された健全な自己には、意志の力、合理的思考、道徳的感性といった永続的な才能が具わっている。

失われた自己

一方で、大怪我、突然の貧困、薬物依存、狂気、老化、不治の病などの大きな不幸に見舞われることによって、キャラクターが極度のストレスにさらされると、中核の自己が大きく混乱し、感情の噴出、思考の停止、発作、幻覚、記憶喪失、意識の喪失、人格の分裂や破綻などが起こる。つまり、キャラクターの多面性が失われるということだ。自我は弱まって、つなぎ留めるものもなく孤立し、やがて本質的な自己が消滅する。

いくつか例をあげよう。ケン・キージーの小説『カッコーの巣の上で』では、精神科病院の入院患者であるチーフ・ブロムデンが統合失調症の幻覚に悩まされながら物語を進める。『禁断の惑星』（56）では、ひとりの科学者の自我から怪物が生まれる。『メメント』（00）では、主人公が前向性健忘症と短期記憶喪失に苦しむ。ウィル・セルフの小説『Phone（未）』では、精神分析医のザカリー・バスナーがアルツハイマー病の発症に立ち向かう。ガブリエル・ガルシア＝マルケスの小説『百年の孤独』では、記憶が失われていくホセ・ブエンディアが身のまわりのものすべてに名札をつける。ウジェーヌ・イヨネスコの戯曲『瀕死の王』では、死を目前にして恐怖に駆られた王の心が、正面衝突したフロントガラスのように砕け散る。

自己の喪失によってキャラクターの現実認識が大きく変わったときこそ、作家の真価が問われる。そんなときには「魔法のもしも」を使い、「もしもわたしがこのキャラクターで、このような極端な状況にいたら、どうするだろう」と考えよう。ゆがんだ中核の自己の視点に立つためには、変容した現実を想像し、どんなに不穏なものであっても、その対処法を考え出さなくてはならない。

キャラクターが持つ「自分」という感覚は記憶に依存しているが、記憶が都合よく選択や保身をしてのけ、自分を欺いたり正当化したりしがちなのは、だれもが知るところだ。そのため、中核の自己と行動する自己は似かよっているという不確実な幻覚に陥りやすい。ある種のキャラクターでは、中核の自己が揺れ動き、人生を生き抜くなかで絶えず自分自身を作りなおすことになる。その分裂を表現するために、ジョイス・キャロル・オーツは小説『ブロンド　マリリン・モンローの生涯』で、モンローを無数の自己に寸断して描いた。

個人的自己——親密さが形を変えたもの

われわれは他者と出会ったとき、その関係の質に合わせて行動を適応させる。母親に妹と同じように接したり、現在の恋人にかつての恋人と同じように接したり、親友に同僚と同じように接したりはしない。行動する自己は、付き合いの長さ、力関係、これまでのいきさつなど、多くの要素に合わせて、声音、身ぶり、表情、感情の大きさを選ぶ。変化はわかりにくいかもしれないが、つねにそのようなことをしている。

個人的な関係は親密さの度合いによって定義され、家族、友人、恋人の三種類がある。最初のふたつの関係では、苦楽をともにすることによって、親近感、帰属意識、忠誠心、連帯といった感情が育まれ、その関係に奥深く残る。恋人同士では、それらにロマンティックな儀式や性的な要素が加わる。

われわれは行動を適応させてはいるが、自分を欺いているわけではない。関係が異なれば、それぞれ異なる自己が必要なことは常識でわかる。実のところ、キャラクターになりきって書く作家は、ひとりのキャラクターが多くの関係を持つほど、より多くの姿を作り出して演じなくてはならない。中核の自己に比べて、個人的自己は一時的な行動の姿であり、行動する自己が場面から場面へと動くときに簡単に切り捨てられる。キャラクターにとって最も重要で、願わくは一貫性のある個人的自己は、愛する者たちに愛されている自己である。

社会的自己——権力が形を変えたもの

権力とは、社会的な相互関係を形作る主要な要素であり、金銭的、物理的な関係、あるいは組織内での序列——上司と部下、警察官と犯罪者、給仕する者とされる者など——を反映している。

あなたの主人公は幼いころから、ショッピングモールで母親に手を引かれながら、あるいは入学式の日にほかの子供たちと向き合いながら、摩擦を避けて求めるものを手に入れる戦術として、社会的な仮面をつけることを学んできた。すべての社会的自己は大なり小なり不誠実だが、中核の自己を守るためには欠かせない。

だから、キャラクターが周囲の人々について実際に何を考え、何を感じているかにかかわらず、行動する自己は、上司に見せる社会的な人格（ペルソナ）、同僚に見せる別の人格（ペルソナ）をはじめ、店員／顧客、医師／患者、弁護士／依頼人などの対になった関係のあいだでまとう仮面、さらには、教室やデモやスポーツイベントで見せるさまざまな顔、パーティーで小グループを渡り歩いて雑談するときの特別な姿などを持っている。

キャラクターの社会的自己は、親密さや社会的地位などの要因に応じて、みずから考え出したさまざまな声、身ぶり、態度、人間性を操作し、出会いのたびごとにギアを入れ替える。つまり、相手に応じて支配的な自分と従順な自分を演じ分けることができるわけだ。リナ・ウェルトミューラー監督の映画『流されて…』（74）では、裕福な人妻ラファエラ（マリアンジェラ・メラート）が、この主従の逆転をみごとに演じる。

キャラクターの自己は、個人的自己であれ社会的自己であれ、一連の演技と考えるべきだ。それぞれの役柄には、相手の個性や、両者のあいだの力関係や親密さの度合いに応じて、特有の声つき、目の表情、身ぶり、気づかいがある。

作家がキャラクターの個人的自己と社会的自己をどのように発展させるかは、心理的な原因と結果に対する作家自身の考えしだいで決まる。キャラクターが子供から大人になるまでのあいだに学ぶ社会的、個人的な役割が結びついて、中核の自己を形成するのか。それとも、中核の自己が、出会いに応じて自分が演じる役割を考え出すのか。子供の役割演技が結晶して大人としての中核の自己になり、それが将来の役割演技をより成熟したものへと向かわせるのか。あるいは、いつまでも子供のままで、つねに衝動的で向こう見ずな自分に翻弄されるのか。

人種、宗教、文化など、親から受け継いだアイデンティティは、キャラクターに社会と共通の土台を与える。だが、時が経つにつれ、変化の要因が自我を進化させ、作り変えていく。変化とは、人が自分に合うサブカルチャーや旅の道連れとなる友人を求めて世界に飛び出していくための遠心力だ。たとえば、旧弊な宗教のしきたりに縛られたトランスジェンダーの若者が、どのように公共の場を切り抜けるのか。どのように自分の社会的自己、個人的自己を進化させ、最終的に溶けこむのだろうか。

隠れた自己――欲望が形を変えたもの

ぼくの頭のなかにだれかがいるが、それはぼくじゃない
――ピンク・フロイドの楽曲「狂人は心に」（アルバム『狂気』収録）から
カール・ユングのことばをヒントにしている

意識の奥にある静かな空間には、潜在意識の自己が存在する。この領域は複雑で洗練された構造を持つ。そこは中核の自己からは隠れているが、知覚や感情が両者のあいだを行き来して流れ、影響し合っている。潜在意識は、傷ついた自己のための避難所でもなければ、医師でもない。それは真実に根をおろし、けっして嘘をつかず、偽らない。従うものはただひとつ、「生き延びよ」という至上命令だ。［原注18］

潜在意識はことばを発しないが、中核の自己が認識しているよりもはるかに速く「考える」ことができる。潜在意識は、毎分数百万の感覚刺激を吸収して環境を把握し、即座に判断して無数の決まった作業をこなすことで精神的な効率を高めた結果、中核の自己が不慣れなことに自由に反応できるようにする。

潜在意識には、気分や感情、無意識の能力、無意識の反応、無自覚の知覚、習慣、嫌悪、夢、記憶、暗黙知、創造的なひらめきなどが含まれる。この隠れた自己からは、人間本来の欲求が起こる。食欲、性欲、強烈な生存欲のほか、知識、愛、平和への欲求などだ。こうしたものは心を混乱させ、判断や感情や行動を揺るがせるので、人目につかないところに隠されている。［原注19］

そこで疑問が生じる。キャラクターになりきっている作家は、役柄の潜在意識のなかから即興で書くこと

ができるのだろうか。潜在意識とは、われわれの祖先が木に住んでいたころから受け継がれてきたものだ。それは動物の心と同じように、言語や自己認識を持たないため、通常の意味での思考は不可能に思える。一方で、わたしはしばしばペットのなかで欲望や好奇心が湧き起こるさまを想像してきたので、できないことはないとも思う。自分のキャラクターに命を吹きこむ手がかりになるなら、やってみるといい。

『マッドメン』のアクションにおける四つの自己

長くつづくドラマシリーズ『マッドメン』の脚本を書くにあたり、ショーランナーのマシュー・ワイナーと共同脚本家たちは、「仕事の世界」、「私生活」、「秘密の世界」という三つの観点で各キャラクターの葛藤を描いた。この三つは「社会的自己」、「個人的自己」、「中核の自己」に対応している。わたしはそこに「潜在意識の世界」という第四の観点を追加し、各キャラクターを「隠れた自己」を含めて解釈した。人間の本質は、優雅で壮大に混乱した未解決ミステリーだ。四つの自己による構造はキャラクターを創造する骨組みとなっているが、これに従わなくてはならないわけではない。内側から書く場合でも外側から書く場合でも、主要キャラクターを作り出すには、四つの観点におけるキャラクターの本質を最終的に理解する必要がある。以下の登場人物を研究し、その四つの観点による設計を、あなたが現在執筆中の役柄と比較してみよう。

ドン・ドレイパー（ジョン・ハム）

社会的自己　広告代理店の敏腕クリエイティブ・ディレクターで、クライアントからの信任も厚い。

個人的自己　妻とふたりの子供とともに、朝食用シリアルのCMのような絵になる家庭を営んでいるが、自分の不倫関係がその幻想を崩壊させる。

中核の自己　本名はディック・ホイットマンという別の男である。朝鮮戦争で戦死した将校になりすまし

隠れた自己　ている。その罪悪感に苛まれて、人を愛することができない。自分でもそれをわかっている。恐怖に取り憑かれている。大きな成功をおさめているにもかかわらず、自分の人生は無意味で何も残らないのではないかと恐れている。

ベティ・ドレイパー（ジャニュアリー・ジョーンズ）

社会的自己　大学卒で元モデルのベティは、子供たちには口うるさく接している。趣味の乗馬にかよい、ひっきりなしに煙草を吸って日々を過ごしている。

個人的自己　望まない三人目の子供を妊娠し、空虚な結婚生活に閉塞感を覚えている。

中核の自己　不実な夫に復讐するために、自分の性的魅力を利用して、隣人の若い息子を悩ませ、見知らぬ男たちと一夜かぎりの関係を持つ。

隠れた自己　自分に自信が持てず、美貌に生まれついていなければなんの取柄もなかったと感じている。

ロジャー・スターリング（ジョン・スラッテリー）

社会的自己　広告代理店の共同経営者であり、かなりのやり手である。心臓発作を二度起こしている。

個人的自己　妻と離婚したいと思っているが、愛人たちのだれをほんとうに愛しているか自分でもわからない。

中核の自己　官能的なジョーンに未練があるが、それを認めることができない。

隠れた自己　ひとりになることが何よりもこわい。

ペギー・オルセン（エリザベス・モス）

社会的自己　高い知性と強い意志で、秘書からコピーライターになり、自分の事務所と秘書を持つように

個人的自己　敬虔なカトリック教徒であるペギーは、結婚せよという家族からの圧力に逆らって自分のキャリアを追求している。
中核の自己　妊娠を隠すために、周囲にはただ太っただけだと思わせている。
隠れた自己　職場で最も頭が切れる人間だが、自分でも認めることができない奇妙な性的衝動に駆られている。

ピート・キャンベル（ヴィンセント・カーシーザー）

社会的自己　若き営業マンであるピートは、他者を出し抜くこともいとわず出世の階段をのぼっていく。
個人的自己　妻が心から望んでいる子供を授からないので、夫婦関係に亀裂が生じている。
中核の自己　結婚前夜にペギー・オルセンと関係を持ち、のちにペギーは彼の息子を産む。会うことのできないその子供に思いを寄せる。
隠れた自己　能力に欠けているが、その事実を気にも留めない。

ジョーン・ホールウェイ（クリスティーナ・ヘンドリックス）

社会的自己　美貌の陰には人間に対する聡明な洞察力が隠れている。
個人的自己　無能な医師と愛のない結婚をするが、ほかの男とのあいだに子供ができ、離婚する。
中核の自己　女性の人生は結婚しなければ意味がないという考えで自分をだまし、ビジネスの才能を否定している。
隠れた自己　自分以外の人間のためには働きたくない一匹狼だ。

サルヴァトーレ・ロマーノ（ブライアン・バット）

社会的自己　広告代理店のアートディレクターであり、ドンが書くしゃれた宣伝文句のデザインを担当している。
個人的自己　結婚しているが、子供はいない。
中核の自己　同性愛者であることを、同性愛を嫌悪する同僚に対して懸命に隠している。
隠れた自己　同性愛者である自分をきらっている。

外側から書く／内側から書く

キャラクターになりきって書く手法は、作家の創造的自己とキャラクターの内面を結びつけるものだが、内側からしか書かない作家はほとんどいない。視点を変えながら、両方のやり方で書くのがほとんどだ。まず、年齢、ＩＱ（知能指数）、遺伝上の資質はもちろん、その設定や社会などの外殻からキャラクターの特性についての手がかりをつかむ。そして、さまざまなレベルの行動を通して、キャラクターの核である隠れた自己をのぞきこむ。さらに、「魔法のもしも」によってそのキャラクターになりきって、そこから即興で演じていく。だが、キャラクターになりきっているときも、別のキャラクターの視点へ切り替えることは珍しくない。

例をあげよう。ある作家がＡとＢというふたりのキャラクターのシーンを描写する場合、「もしもわたしがこの瞬間にＡだったら、どうするだろうか」と自問し、そのキャラクターに合った選択と行動を見つけるだろう。そして、つぎのビート〔シーンのなかの最も小さな構成要素。本著者『ストーリー』参照〕では視点を変えて、こう自問するだろう。「もしもわたしがこの状況でＢだったら、いまＡが言ったこと、したことにどう反応するだろうか」

作家は、そのつどキャラクターの外へ出て、いま思いついたばかりの行動と反応、そしてそれが両者の役柄に与えた影響をじっくりと考察する。その思考と感情は、内から外へ、外から内へ、主観から客観へ、客観から主観へと、シーンが完成するまで繰り返し切り替わる。

アメリカの小説家Ｅ・Ｌ・ドクトロウは、交互に視点を切り替えて書く技法のすぐれた実践者であり、外側から書く手法と内側から書く手法の両方のよいところを巧みに使い分けた。『ラグタイム』や『ニューヨーク市貯水場』などの歴史小説では、作品のテーマを世界的な権威になるまで研究したのち、自分のキャラクターになりきって書いた。ドクトロウが描いた架空の人物はあたかも歴史上の人物であるかのようで、歴史上の人物はあたかも彼の独創的な発想で即興的に作られたのではないかと感じられることが多い。〔原注20〕

6　役柄とキャラクター

役柄はキャラクターではない。役柄はストーリーの社会秩序における一般的な立場（母親、上司、芸術家、一匹狼）を担い、それに応じた役目（子供に食べさせる、従業員を管理する、キャンバスに絵を描く、他人を避ける）を果たすにすぎない。まっさらなキャンバスを囲む額縁のように、役柄はキャラクターを描きこむための空白のスペースを作家に差し出す。

完成されたキャラクターは、ストーリーに登場すると、まず基本的な立場を担って、ただひとつの個性をそこへ詰めこみ、その役目を比類のない形で果たすことで、ほかの登場人物と唯一無二の関係を築きあげる。登場人物を設計するときは、同じ立場を担ったり、同じ役目を同じようにおこなう者がいないように、役柄とそれぞれの関係を戦略的に配置する。

登場人物の構成

ストーリーにおけるそれぞれのキャラクターには、複雑な人間関係のネットワークが張りめぐらされている。この相互関係を整理するために、登場人物を太陽系になぞらえて、太陽を取り巻く惑星、衛星、彗星、小惑星として見てみよう。脇役は三つの同心円で、さまざまな距離を置いて太陽のまわりを移動し、太陽や脇役同士に大なり小なり影響を与える。影響力の強いキャラクターは主人公の近くを、あまり影響力がない脇役はその外側をまわり、一シーンしか登場しない端役、台詞のない通行人、その他おおぜいは外べりをまわる。こうして宇宙が完成する。三人称の語り手は、目に見えない神のようにこの宇宙を遠くからながめている。

登場人物を設計するには、まず主人公からはじめて、外側へ大きくひろげていく。

主人公

あるキャラクターを読者や観客の前に立たせて、それがいかにおもしろく、魅力豊かで、貴重な時間を費やすに値する人物かを示すには、勇気が必要だ。そこで、まずは主人公に不可欠な資質について考えよう。

(1) 意志の力

人間の心は、死に絶えることを何よりも恐れ、安全を求めるため、ストーリーの契機事件によって人生の歯車が乱れると、主人公の本能は生命が危機に瀕しているかのように反応する。そして、欲求の対象を思い描く。それは、人生の均衡を取りもどすことができると感じる物理的、個人的、社会的な目標だ。この目標を追求していくと、敵対する力が行く手を阻む。最後の危機で直面するのは、ストーリーのなかで最も強力で困難な敵だ。真の主人公は、自分の目的を達成して人生の均衡を取りもどすための最後の試みとして、この究極の難題に挑み、究極の決断をくだし、究極の行動をとる意志の強さを持っている。最後の行動は失敗に終わるかもしれないが、意志の力を使い果たすまでは失敗とは言えない。

(2) 複数の資質

主人公は、精神的、感情的、肉体的な資質を一体にして、自分の限界まで、あるいは限界を超えて人生の目標を追い求めていく。こうした資質はストーリーによって異なる。若いのか、ある程度の年齢に達しているのか、裕福なのか、貧しいのか、教養があるのか、無教養なのか、といったさまざまな資質のなかから選び出し、主人公の選択や行動が本人にしかできないもので、その本質に忠実であり、信頼できるものだと読者や観客が感じるものにすべきだ。

主人公の行動は、ストーリーを読者や観客の想像も及ばぬ結末へ導くような、じゅうぶんに広い、そしてじゅうぶんに深い影響をもたらすものでなくてはならない。主人公が望むものを得られない場合でも、その行動によって最後は人間性がすべて明らかになる。

ストーリーの社会的、物理的な設定へ出来事を広く拡大するために、作家はしばしば主人公をエリート層に属させる。医師、弁護士、戦士、政治家、科学者、探偵、企業の幹部、犯罪王、著名人などだ。高い地位にあるエリートの行動は、社会的階層のなかで広範な結果をもたらし、多くの人々がかかわる話が生まれる。

ストーリーの出来事が混乱に陥って、内に隠れた領域に踏みこんだときに、深みを探求できる複雑さと、変化に対応できる柔軟性を持っているのであれば、主人公はどんな階層の住人でもいい。

そしてもちろん、ストーリーは主人公の世界をひろげると同時に、深く掘りさげることもできる。『ブレイキング・バッド』とその前日譚『ベター・コール・ソウル』のジミー・マッギルの例を考えてみよう。物語の序盤では、ジミーは詐欺まがいのことで稼ぎながら弁護士をめざす、社交的でチャーミングな人物だった。しかし、ソウル・グッドマンという別人格をまとうことで、ほんとうの自分を奥深くに隠す。その一方で、彼の小さな法律事務所の仕事はどんどんひろがり、十億ドル規模の麻薬ビジネスに巻きこまれていく。

(3) 劣勢の立場

主人公を片方の手のひらに載せて、精神的、感情的、肉体的な資質を量ってみよう。つづいて、反対の手に、ストーリーの流れのなかで主人公が直面するすべての敵対する力を載せてみる。これに含まれるのは、主人公の内面にある消極的な思考や感情、友人や家族や恋人との個人的な対立、立ちはだかるすべての組織とそこに所属する人々、そして、悪天候や致命的な病気や時間的制約などの物理的な問題などだ。

主人公の力を、敵対するすべての力を合計したものと比較すると、敵対する力が大きく上まわり、明らかに劣勢だとわかるはずだ。主人公には欲求の対象を手にする可能性もあるが、あくまで可能性にすぎない。

(4) 感情移入できる

読者や観客は、架空の世界に足を踏み入れた瞬間に、そのストーリーの価値要素をすばやく吟味して、プラスとマイナス、公正と不正、善と悪、興味があるものとないものを選び分け、感情移入できる安全な場所である「善の中心」を探す。

「善の中心」とは、ストーリーの奥深くで光を発するプラスの価値要素（正義、善、愛など）であり、それを取り巻く暗いマイナスの価値要素（専制、悪、憎しみなど）と対極をなすものだ。このプラスの光が共感を呼ぶのは、人間は心の奥底で自分はおおむね善良で正しいと思っていて、プラスと認識したものに自然と共感するからだ。例外もあるが、ほとんどのストーリーは善の中心を主人公に置いている。

例をふたつあげよう。

マリオ・プーヅ原作の『ゴッドファーザー』三部作（72、74、90）は、腐敗した警察官や買収された裁判官に囲まれたマフィア・ファミリーの世界を描き出す。だが、主役となるコルレオーネ一家には忠誠心というプラスの資質がある。ほかのファミリーは互いを欺き、裏切り合う。そのため、悪のなかでもさらに悪の存在となる。コルレオーネ一家は団結してお互いを守るので、悪のなかでは善の存在になる。この一家に善の中心を見いだしたとき、観客は直感的にマフィアに共感を覚える。

トマス・ハリスの小説『羊たちの沈黙』では、読者の関心をふたつの善の中心へ向ける。ＦＢＩ訓練生クラリス・スターリングの勇敢さはたちまち共感を呼ぶが、物語が進むにつれて、ハンニバル・レクター博士もまた共感を呼ぶようになる。

作者はまず、暗く卑劣な世界にレクターを置く。ＦＢＩは、海の見える独房へ移すという偽りの申し出で協力させようとする。病院長はサディストで功名心が高く、レクターに殺される警察官たちは無能だ。

一方、レクターのなかには明るい光が満ちている。知性にあふれ、ユーモアのセンスがあり、囚人でありながら驚くほど冷静で礼儀正しい。マイナスの社会のなかでレクターが持つプラスの資質にふれた読者は「だから人間を食べるんだな。世の中には、それよりひどいことがたくさんあるからな。とっさには思いつかないが、ぜったいにある」と肩をすくめる。共感を覚えた読者はこう考える。「もしも自分がサイコパスで人肉を食べる連続殺人犯だったら、レクターのようになりたい。やつはクールだ」

(5) 好奇心を掻き立てる

主人公は、そのストーリーのなかで最も複雑で、それゆえ最も魅力的なキャラクターだ。ひとりのキャラクターのなかにふたつの相反する性質があると、読者や観客は当然「いったいどんな人間なんだろう？」という疑問を持つ。その答えを追求することで、物語に引きこまれていく。

(6) 登場時間の長さと内面の深み

主人公は物語の前面に立ち、大部分の時間で読者や観客の心を支配する。その主人公がきびしい選択を重ねたすえ、潜在的な動機や隠された欲求が最終的に明らかになる。クライマックスで、主人公は最も内面の深いところまで知られるキャラクターとなる。

(7) 変化への対応力

人間は時が経つにつれて、知識を身につけ、新しい信念を見いだし、新しい環境に順応し、衰えゆく肉体を受け入れる。その一方で、内なる本質は不変であることが多く、一部の例外を除いて中核の自己は変化しない。よい方向への変化を思い描くことはあっても、それは可能性というより願望に近い。ほとんどの人間は生涯にわたって本質的な自己を保ちつづけるので、変化しないキャラクターこそ真実味があり、現実的に感じられる。

変化するキャラクターは、変われば変わるほど現実から遠ざかり、象徴的な存在へと向かう。前向きな態度で進むキャラクターは理想に向かって進化し、悲観的な方向へ沈むキャラクターは暗黒の元型に向かって進化する。そして、すべての登場人物のなかで、最も変化する可能性が高いのが主人公だ。

変化する主人公の例として、スクルージ(『クリスマス・キャロル』)やジェシー・ピンクマン(『エルカミーノ：ブレイキング・バッド THE MOVIE』)は心を入れ替え、テオ・デッカー(『ザ・ゴールドフィンチ』[19])やフリーバッグ(『Fleabagフリーバッグ』)は教訓を学び、ジャッキー・ペイトン(『ナース・ジャッキー』)やトルーマン・カポーティ(『カポーティ』[05])は堕落する。トニー・ウェブスター(『終わりの感覚』)やデヴィッド・ルーリー(『恥辱』)は幻滅し、デイヴィッド・コパフィールド(『デイヴィッド・コパフィールド』)やスティーヴン・ディーダラス(『若き芸術家の肖像』)は作家となる。

(8) 真実を見通す力

葛藤によって人生のバランスが崩れると、キャラクターの心は、物事がいかにして、なぜ起こるのか、そして、人はいかにして、なぜそのような行動をとるのかといったことを考える。最も強い葛藤に苛まれるのは主人公なので、決定的啓示(エピファニー)を受ける可能性が最も高くなる。

決定的啓示とは、古くは、神が崇拝者の前に突然姿を現すことを意味した。現代では、現実を見抜く突然のひらめき――物事の表面下に隠された本質的な原因や力を直感的に認識すること――を意味する。決定的啓示を得た主人公は、何も知らず、意識すらしていなかった状態から、心を掻き乱すような真実へと導かれる。これによって人生は大きく変わり、その結果、成長する場合もあれば破滅する場合もある。

悲劇では、アイデンティティを悟ることによってクライマックスを迎えることが多い。主人公が自分のほんとうの姿に突如として気づく、衝撃的な自己認識の瞬間だ。ソポクレス『オイディプス王』のオイディプスは、妻が自分の母であったうえに、自分が父を殺していたことを知り、おのれの両目をえぐり出す。シェイクスピア『オセロ』のオセロは、だまされて無実の妻を殺してしまったことを知り、自分の胸にナイフを突き立てる。アントン・チェーホフ『かもめ』では、ニーナの愛を得られないと悟ったコンスタンチンが命を絶つ。『スター・ウォーズ エピソード5／帝国の逆襲』(80)では、ダース・ベイダーが自分の父親であることを知ったルーク・スカイウォーカーが自殺を企てる。

古代ローマのある喜劇〔プラウッス『メナエクムス兄弟』〕では、つつましい召使いが、自分にはほくろが目印の双子の兄弟がいることを知る。母親が嵐の洋上で出産したため、生き別れになっていたのだ。しかも、母親は遠い国の女王で、ふたりは莫大な富の相続人である。それから二千四百年後、シットコム『ラリーのミッドライフ★クライシス』のラリー・デイヴィッドは、自分がユダヤ人ではなく、ミネソタ州に住む敬虔なキリスト教徒で典型的なスカンジナビア系の家族から養子に出されたことを知る。実の家族を訪ねたラリーは、ユダヤ人のほうがいいと考える。

自分のアイデンティティの発見にとどまらず、決定的啓示はときに不安を掻き立てるような心境へ導く。シェイクスピア『マクベス』のマクベスは最後の独白で、人生には「愚か者が語る物語」ほどの意味しかないと嘆く。

その三百五十年後、サミュエル・ベケットの戯曲『ゴドーを待ちながら』で、ポッツォは人生のはかなさを嘆く。女性は墓穴にまたがって出産し、その赤ん坊の人生は子宮から出て墓に落ちるまでのあいだに終わるとして、こう語る。「女たちは墓石にまたがってお産をする、ちょっとばかり日が輝く、そしてまた夜」（『ベスト・オブ・ベケット1』所収、安堂信也・高橋康也訳、白水社、1990年、163頁）。

ドラマシリーズ『ナース・ジャッキー』のジャッキー・ペイトンは決定的啓示によって、薬物に手を出したのは、はじめて産んだ子供が泣きやまないのに耐えられなかったからだと認めることになる。つまり、薬物依存は自分自身のせいだ。しかしこの事実は、ジャッキーが薬物をやめる自制心を持っていないので、彼女を救うことはできなかった。

決定的啓示は絶対的な出来事であり、だからこそ危険だ。ストーリーのなかで最も壮大で心に残る瞬間を生むことができるかもしれないが、大げさで気恥ずかしくなる瞬間になる可能性もある。

演劇でも映画でも、決定的啓示を表現するには、その前後を描くすぐれた脚本と、それを演じるすぐれた俳優が必要だ。たとえば、『カサブランカ』（42）第三幕のクライマックスで、リック・ブレインが自分の未来を見つめて「これも運命のようだな」と言うとき、観客はそのことばの裏にある広大なサブテクストを堪能する。

一方、小説で決定的啓示を表現するには、より大きなリスクをともなう。登場人物を突き動かすような事実の解明には、作者の表現の才能のみならず、読者の想像力やキャラクターの信憑性も重要となる。そのため、多くの意味を詰めこんだ、人生を変えるような啓示についての記述は、飾り立てた文章になりがちだ。

さまざまな主人公

ほとんどのストーリーで、主人公となるのはひとりの男、女、子供だ。中心となるこの役はさまざまな形で演じられる。

ふたりの主人公

多面性を持つ主人公をひとり置くのではなく、好対照をなす性格を持つふたりのキャラクターをともに主人公にすることで、複雑さを実現することができる。

小説の例では、ラドヤード・キプリングが『王になろうとした男』で、ダニエル・ドレイヴォットとピーチ・カーネハンという多面性のあるふたり組を登場させている。ジャネット・イヴァノビッチとリー・ゴールドバーグによる「Fox and O'Hare」シリーズ〔すべて未訳〕のような犯罪物でも、ふたり組の主人公が活躍する。

映画の例では、ウィリアム・ゴールドマン脚本の『明日に向って撃て!』(69)のサンダンス・キッドとブッチ・キャシディ、カーリー・クーリ脚本の『テルマ&ルイーズ』(91)のテルマとルイーズがある。ディック・ウルフ製作のドラマシリーズ『ロー・アンド・オーダー』では、警察官と検察官のペアを主人公として登場させている。

演劇では、トム・ストッパードの『ローゼンクランツとギルデンスターンは死んだ』、サミュエル・ベケットの『ゴドーを待ちながら』、ウジェーヌ・イヨネスコの『椅子』などのモダニズム作品がふたりの主人公を登場させているが、複雑さを生み出すためではない。むしろその逆で、同一性を強調するためだ。これらのふたり組は奥行きがなく、非現実的で、ほとんど見分けがつかない。

集団の主人公

登場人物が集団で物語の主人公になるには、ふたつの条件が必要だ。(1)表面的なちがいはあっても、心のなかには同じ欲求があること。(2)目標に向かって奮闘するなかで、全員が苦楽をともにすること——つまり、ひとりの身に起こったことの影響が全員に及ぶことだ。ひとりが成功すれば、みなが喜びを分かち合い、ともに前進する。ひとりが挫折すれば、ともに後退する。

映画の例は、『七人の侍』(54)、『特攻大作戦』(67)、『イングロリアス・バスターズ』(09)などだ。

主人公の集団にはどれくらいの人数がいるものなのか。セルゲイ・エイゼンシュテインは『戦艦ポチョムキン』(25)で、何千人もの水兵や市民を登場させ、暴政に対する反乱を演出した。『十月』(27)では、ロシアの全労働者が巨大な主人公となった。

複数の主人公

マルチプロットの物語には、中心となるプロットがない。その代わり、テーマに沿って複数のストーリーラインを交錯させたり(『クラッシュ』[04])、最初と最後をつなげたり(『人生スイッチ』[14])する。ストーリーラインそれぞれに主人公がいる。

分裂した主人公

ロバート・ルイス・スティーヴンソンの『ジキル博士とハイド氏』やチャック・パラニュークの『ファイト・クラブ』などの小説では、分裂した人格のふたつの面が主人公の道徳的自己を支配しようと争う。映画の例としては、『ウディ・アレンの重罪と軽罪』(89)で、ふたつのストーリーが並行して進み、結末では、それぞれの主人公が、意志の弱い、不道徳で自己欺瞞に満ちたひとりの敗者として、観客の心のなかで融合する。チャーリー・カウフマン脚本の『アダプテーション』(02)や、オオカミ人間が登場するすべての映画が、これと同様の構造になっている。

受動的な主人公

ストーリーテラーが内なる戦いに目を向け、主人公の倫理観や精神構造や人間性に対する心理的な駆け引きを描くとき、そのキャラクターは周囲の人間に対して受動的に感じられる。ことばにならない思いが行動に移されることはほとんどないので、表向きには、達観したかのように無力な顔で日々流されて過ごしているように見える。だが内面では、何度も同じ過ちを繰り返さないように、あるいは、あまりに多くの選択に満たされた心を落ち着かせるために、あるいは、ふたつの悪からましなほうを選ばざるをえないという事情ゆえに、目に見えぬ闘いを必死に繰りひろげている。

たとえば、アンナ・バーンズの小説『ミルクマン』では、本を読みながら歩く名前のない主人公が、現実を避け、不気味なストーカーから身を守る。『アバウト・シュミット』(02)では、定年退職したシュミット(ジャック・ニコルソン)がアフリカの孤児に手紙を書くうちに、自分の人生の過去、現在、未来に対する悲嘆で胸がいっぱいになる。

主人公の切り替え

あるキャラクターが、自分が主人公であると読者や観客をミスリードしたあと、死をとげるなどして退場したり、敵対者になったりした場合、ストーリーは新しい方向へ進んで、急激に揺さぶられる。『キリング・フィールド』(84)では、前半はアメリカ人ジャーナリストのシドニー・シャンバーグが主人公だったが、大虐殺がはじまったカンボジアから彼が逃れると、助手のディス・プランにストーリーの主導権が移り、映画を引き継いでクライマックスまで運んでいく。『サイコ』(60)では、映画の途中で主人公が殺されるので、その死はより衝撃的に、悪役はより恐ろしい存在に感じられる。その後、被害者の妹と恋人がふたり組の主人公として登場する。

隠喩の主人公

アニメーションのキャラクター(バッグス・バニー)、動物(『ベイブ』[95])、無生物(『ウォーリー』[08])など、人間の隠喩である存在も、対立や葛藤に直面したときに自分の欲求を追い求めて自由意志で選択をするのであれば、主人公になることができる。

一番目の円の脇役

一番目の円にはいるのは主要なキャラクターであり、主人公に協力したり邪魔をしたり、焦点をあてたりそらしたり、支援したり奉仕したりする。支援する場合は出来事の流れを変えるが、奉仕する場合はそこまではいかない。たとえば、古典的な犯罪小説では、殺害された遺体を発見する警察官が支援キャラクター、そして犯人を逮捕して懲らしめる刑事殺人犯の身元を特定する手がかりを得る検死官が奉仕キャラクター、そして犯人を逮捕して懲らしめる刑事が主人公だ。

支援キャラクターや奉仕キャラクターが重要になるのは、複数の特徴と多面性を持ち、独特の行動とひたむきな態度によって読者や観客にストーリー外の人生を想像させることができる場合だ。言い換えれば、主要な支援キャラクターは、みずからひとつのストーリーを生む可能性を秘めている。

こうした役柄は、以下のようにさまざまな役割を果たす。

サブプロットの主人公

メインプロットと交わって流れに影響を与えるサブプロットの主人公は、重要な支援キャラクターだ。一方、メインプロットと平行して流れに影響を与えないサブプロットの主人公は、奉仕キャラクターだ。『ゴッドファーザー』を例にとると、マイケルがゴッドファーザーの座に就くことで、メインプロットが動く。テシオの裏切りというサブプロットは、この流れの方向を変えて支援する。一方、マイケルのラブストーリーのサブプロットは、登場するキャラクターに深みを与えて奉仕する。

焦点キャラクター

焦点キャラクターは読者や観客の興味を最も強く引く役柄で、ほとんどの場合、主人公がこれにあたる。しかし、まれに、ストーリーに並はずれたエネルギーや興奮をもたらすキャラクターに注目が集まり、主人公がストーリーの中心からはずれることがある。シェイクスピアの『ベニスの商人』では、アントニオが主人公だが、シャイロックは忘れがたいキャラクターだ。『羊たちの沈黙』ではクラリス・スターリングが主人公だが、ハンニバル・レクターが強烈な印象を残す。ガストン・ルルーの小説『オペラ座の怪人』の主人公はクリスティーヌだが、注目を集めるのは怪人だ。

引き立て役のキャラクター

十八世紀の宝石商は、ダイヤモンドの裏に光を反射させるための薄い金属箔（フォイル）を貼ると、輝きを倍にできることに気づいた。作家が主人公の引き立て役（フォイル）を置くのは、これと同じ原理だ。〔原注1〕

引き立て役はさまざまな形で主人公に奉仕する。

《1　主人公を輝かせる》

正反対のものと対比させると、特徴がはっきりと理解できる。白い壁の前に黒い椅子を置くと、黒さがいっそう引き立つのと同じだ。主人公のイメージを際立たせるには、対極にある引き立て役を隣に配するとよい。

例をあげよう。サンチョ・パンサ、ワトソン医師、アーノルド・ロススタインの三人は、痩せぎすの主人公ドン・キホーテ、シャーロック・ホームズ、ナッキー・トンプソンとそれぞれ滑稽なほど対照をなす、ずんぐりとした引き立て役だ。「スタートレック」シリーズでは、まじめで厳格なミスター・スポックと楽天的で大胆なカーク船長が対比されている。『カサブランカ』では、女好きのルノー署長と恋に苦悩するリック、レジスタンスの英雄ヴィクトル・ラズロと政治的無関心を装うリックが対比されている。テルマとルイーズ〔『テルマ&ルイーズ』〕やブッチ・キャシディとサンダンス・キッド〔『明日に向って撃て！』〕のように主人公がふたりいる場合は、互いを引き立て合っている。

《2　主人公には見えないものを見る》

欲求の対象を求めて奮闘するあまり、主人公は行動の軸を見失い、つぎつぎと衝動的な判断をくだす。このとき、理性の声として奉仕するのが引き立て役だ。

ドラマシリーズ『オザークへようこそ』では、マーティとウェンディのバード夫妻（ジェイソン・ベイトマンとローラ・リニー）が交互に相手の引き立て役を演じる。ひとりが目標を見失って衝動的にふるまったとき、もうひとりが相手を落ち着かせて、行動の軸を立てなおす。

《3　主人公と相反する道徳観を持つ》

道徳的にすぐれた、あるいは、逆に劣った引き立て役と対比させることで、主人公を際立たせることができる。

例をあげよう。『ミーン・ストリート』（73）で、無鉄砲なジョニー・ボーイ（ロバート・デ・ニーロ）の幼なじみは、信心深いチャーリー（ハーヴェイ・カイテル）だ。『ナース・ジャッキー』では、冷静なエレノア・オハラ医師（イヴ・ベスト）が、型破りなジャッキー・ペイトン（イーディ・ファルコ）と好対照をなしている。『プラトーン』（86）では、善良なエリアス軍曹（ウィレム・デフォー）と冷酷なバーンズ軍曹（トム・ベレンジャー）の存在が、クリス・テイラー二等兵（チャーリー・シーン）の心を乱す。チャールズ・ディケンズは小説『二都物語』で、よく似た風貌を持ちながら対照的な性格を持つふたり、高潔なチャールズ・ダーニーと自堕落なシドニー・カートンを登場させた。善良で純粋な人間の潜在意識に不道徳な引き立て役を埋めこめば、ロバート・ルイス・スティーヴンソンの『ジキル博士とハイド氏』になる。

《4　主人公へと導く》

ストーリーを貫くサスペンスを作り出すために、作者は主人公を謎に満ちた存在にする場合がある——バックストーリーもなく、友人もなく、自分について語ることもない。これによって、主人公の胸の内や欲求、真情や企てに対する強い好奇心を喚起できる。主人公の内面についての疑問を引き起こしたうえで、緊張感を生み出すために、作家は答えを明かさずにおく。頼るべきものがない読者や観客は、ほかのキャラクター、特に引き立て役に手がかりやひらめきを求める。

引き立て役は主人公を完全には理解していないかもしれず、さらに言えば、まったく誤解しているかもしれないが、どちらの場合も、引き立て役が主人公と交流するたびに、読者や観客は主人公について——何が真実なのか、そうでないのか、何をもっと知るべきなのかを——少しずつ学んでいく。

賢明な引き立て役は、主人公の隠れた真実を深く見通すことができる。たとえば、主人公の性格が謎に満ちている場合や、どんなに世慣れた読者や観客も驚くような波瀾万丈な人生を送っている場合、あるいは、主人公が聖人や天才、あるいは『白鯨』のエイハブ船長のように狂気に満ちた人間である場合、読者や観客には、妄想の荒海で舵をとるイシュメイル〔『白鯨』の語り手〕や、もう少し現代に移せば、ドラマシリーズ『ザ・ソプラノズ　哀愁のマフィア』で、トニー（アンソニー）・ソプラノの内なる混乱を理解するドクター・メルフィのような存在が必要になるだろう。

《5　主人公の決定的啓示を読みとる》

急に大きな直感を得た主人公が、心のなかでひっそりと静かに反応する場合がある。これによる変化が表立って見られることはほとんどないが、主人公をよく知る引き立て役は、その微妙なふるまいを察知し、突然のひらめきを読みとることができる。『ブレイキング・バッド』の主人公ウォルター・ホワイトにとってのジェシー・ピンクマンは、このような引き立て役だ。

《6　主人公の複雑性を読みとる》

いろいろな面を持つキャラクターの場合、内なる企みを読者や観客にじゅうぶんに理解させるには、複数の引き立て役が必要になる。

ドラマシリーズ『キング・オブ・メディア』（別名『メディア王～華麗なる一族～』）を例に考えてみよう。巨大メディア企業の経営者一族を描くこのドラマでは、頭脳明晰なケンダル・ロイと、それぞれに思惑を持つ三人のきょうだい、コナー、シヴォーン、ローマン、そして、カロリーナやフランクなどの社員たちによって、冷酷な経営者ローガン・ロイの内面が少しずつ明らかになる。

《7　主人公を設定に即した存在にする》

複雑な主人公は特別な人間だという印象を与えることが多い。あまりにも特殊なので、戦士、祈祷治療師、詐欺師、女神、魔術師など、いかにも定型めいた雰囲気を醸し出すこともある。主人公の資質が象徴的な方向へふくらむほど、読者や観客にとって信憑性が感じられなくなる恐れがある。シェイクスピアの悲劇の主人公も、ヘミングウェイの小説の主人公も、ＤＣコミックスのスーパーヒーローの主人公も、スピード違反のリスクを背負っている。

シートベルトとなるのは、地に足のついた引き立て役だ。ハムレットにとってのホレイショー、『誰がために鐘は鳴る』のロバート・ジョーダンにとってのアンセルモ、『スーパーマン』のクラーク・ケントにとってのロイス・レーンがこれにあたる。引き立て役は、その社会にはよくある存在なので、主人公を現実につなぎ留めると同時に、個性的に見せることができる。それどころか、物語のすべての登場人物は、主人公に重みと信頼性を与えるための巨大な引き立て役と見なすこともできる（これについては第17章でくわしく説明する）。

視点となるキャラクター

主人公が視点人物である場合がほとんどだが、例外もある。アーサー・コナン・ドイルの「シャーロック・ホームズ」シリーズでは、一人称の語り手であるワトソン医師が視点人物だが、主人公である焦点キャラクターはホームズだ。F・スコット・フィッツジェラルドの小説『グレート・ギャツビー』もこれと同じ関係である。

主要な支援キャラクター

主人公の視点から見ると、主要な支援キャラクターには、主人公を助ける者もいれば、妨害する者もいる。出来事にプラスの影響を与える者もいれば、マイナスの影響を与える者もいる。欲求の対象を追い求める主人公に手を貸す者もいれば、邪魔をする者もいる。中でも特に重要なのは、人生の均衡を取りもどそうとする主人公の努力に真っ向から立ちはだかる敵対的なキャラクターだ。

冒険物、犯罪物、ホラーなど、アクションのジャンルでは、こうしたキャラクターを悪役と呼ぶ。完璧な悪の化身から、複雑なアンチヒーローまで、さまざまな者がいる。キャラクター主導の六つのジャンル（第14章参照）では、最大の敵は自分自身であることに主人公が気づくことも多い。

主要な奉仕キャラクター

主要な奉仕キャラクターには、読者や観客に見えないところで進行している人生があるかのように感じられる。その人物は物語の出来事を変えず、出来事によって変わることもない。確固たる性格とある種の自由さを持ち、ストーリーの結末がどうあれ、自分自身は変わりようがなく、完結した存在だ。物語に顔を出すたびに、なんらかの役割を果たす。

チャールズ・ディケンズの小説『荒涼館』に登場するミス・フライトは、裁判の狂気に取り憑かれた善良な老女である。長期にわたる訴訟で家族が崩壊した彼女は、毎日法廷にすわって裁判を傍聴するのが生きがいだ。裁判には滑稽なものもあれば、悲劇的なものもある。傍目には異常と思える発言をするが、それには象徴的な意味がある。鳥かごに飼っている多くの鳥を「審判の日」に解き放とうと考えている。

あるキャラクターが、こうした主要な役割のどれか、またはすべてを果たすこともできる。だが、そのような登場人物がおもしろくなりすぎて、役柄の機能と釣り合いがとれなくなると、調和を乱し、ストーリーを乗っとって沈没させることもある。

『ザ・ファイター』(10)では、ディッキー・エクランド(クリスチャン・ベール)が主役の座をほとんど奪い、それに比べて主人公のミッキー・ウォード(マーク・ウォールバーグ)はかなり退屈な印象を与える。

二番目の円の脇役

二番目の円の脇役とは、その人物のひとつの対立項だけ(陰気／陽気)、あるいは、ひとつの特徴だけ(いつも陽気)を強調した、登場時間の短いキャラクターだ。とはいえ、あらゆる人間のなかにはさまざまな葛藤や対立が存在するため、どんな端役のキャラクターでも、ひとつの面だけから想像してはいけない。どの面を強調するかは、目的に合わせるべきだ。背景説明のために、軽食堂のコックを噂好きな男とするのなら、その内的自己や個人的自己を思いやることで、その軽口を楽しく豊かに描くことができる。

二番目の円の支援キャラクター

二番目の円にいる支援キャラクターは、ストーリーの進行を助けることもあれば妨げることもあるが、登場しないシーンでも興味を引くほどの個人的な魅力はない。ハムレットがいないときにクローディアスとレアティーズが何をしているのか、『キャッチ＝22』でジョン・ヨッサリアンがいないときにマイロ・マインダーバインダーがどう過ごしているのか、『チャイナタウン』でジェイク・ギテスと電話をしていないときにアイダ・セッションズがどんな気持ちでいるのかを気にする者はいない。

二番目の円の奉仕キャラクター

二番目の円の奉仕キャラクターのおもな特徴は、行動が予測可能ということだ。元型キャラクター（母性的な女性）、類型キャラクター（反応の鈍い人間）、定型キャラクター〔第12章参照〕（ジムのトレーナー）は、ストーリーの設定の基礎となる。表向きの際立った特徴は、場面ごとにさまざまな形で現れる。たとえば、大声で話す人間は、電話で話す場合とレストランで話す場合とではしゃべり方がちがうかもしれないが、つねに大声であることに変わりはない。もしそれが変わるなら、同じキャラクターではないか、新たな対立項が加えられたということだ。

三番目の円の脇役

主人公から最も離れた位置にいるその他おおぜいのキャラクターがストーリーに登場するのは、たいてい一度かぎりであり、ほとんどの場合、奉仕キャラクターとしてだ。ごくまれに、端役でも強烈な印象を残すことがあるが（ホラー映画の恐怖に怯えた顔）、たいがいは無名で存在感がないままだ（バスの運転手）。端役は、背景で流れるテレビのニュースキャスターのように、ストーリーに説明を加えることもあるが、戦場に転がる死体などはプロットに必要な小道具にすぎない。

背景となる群衆や、ストーリー設定における社会の構成要素も、こうしたものに含まれる。スタジアムで叫ぶ観衆などは、主要キャラクターが移動する場所の人々の密度を表している。

語り手

語り手は、ストーリーの物理的・社会的設定、キャラクターの過去の生活、キャラクターの観察可能な行動の特徴などを、読者や観客に説明する。語り手は、人称、表現媒体、信頼性によってさまざまな種類に分けられる。

まず、三つの人称について説明しよう。

1　一人称の語り手は、ページや舞台や画面外から、耳をそばだてる読者や観客に自分のストーリーを直接語りかける。

2　二人称の語り手は、あたかもそのストーリーの出来事を読者や聴衆が体験しているかのように話す。作者は「わたし／ぼく」や「彼女／彼／彼ら」といった代名詞ではなく、「あなたはばかだ。何をしでかしたか、よく見ろ」というように、「あなた」という代名詞を使う。それによって読者は主人公になり、自分のなかで思いをめぐらせて気を引きしめる。

3　三人称の語り手はキャラクターではなく、作者が説明のために用意した情報や感想を伝える声である。これは出来事の外に存在するので、読者や観客は語り手そのものの現状や未来には関心を持たない。

この三種類の語り手は、三つの表現媒体のいずれでも使われる。彼らは、関連する事実のすべてを知っているわけではないかもしれないし、知っていたとしても正直に語っていないかもしれない。そのため、読者や観客の視点から見ると百パーセント信頼できるとは言えない。どの場合も、その相対的な信頼性は作者の目的にかなうものでなければならない。

信頼できる語り手

演劇　一人称の語り手の例には、テネシー・ウィリアムズの戯曲『ガラスの動物園』のトム・ウィングフィールドがある。彼は事実を語るが、感情面の記憶がしばしば回想をあいまいにする。二人称の語り手は、観客を舞台上に呼んで参加させたり、即興で演じさせたりする。三人称の語り手としては、ソーントン・ワイルダーの『わが町』に進行役として登場する舞台監督や、エルヴィン・ピスカトールによる『戦争と平和』の舞台化作品での語り手などが、聡明で信頼できる人物の例である。

小説　一人称小説には、もの静かで共感を誘う語り手が、大胆で不誠実な人物を観察するものが多い。『グレート・ギャツビー』、『回想のブライズヘッド』、『すべて王の臣』などがそれにあたる。全編にわたって二人称で語ることはむずかしいので、その形式の小説はほとんど存在しない（ジェイ・マキナニーの『ブライト・ライツ、ビッグ・シティ』がその例外として知られている）。信頼できる全知の三人称の存在は、小説というものが生まれて以来、多くの作品の語り手となってきた――二十一世紀ではジョナサン・フランゼンの『コレクションズ』がその例である。

映画　『アニー・ホール』（77）や『メメント』（00）の一人称の語り手は、自分が理解したとおりに真実を語る。二人称の語りを試みた例として、『湖中の女』（46）ではカメラが主人公の目になり、それによって観客の目にもなって、主観的な視点から映画が進行する。『天国の口、終りの楽園』（01）の三人称の語り手は、世事に通じていて信頼できる。

信頼できない語り手

あるキャラクターがほかの人物に嘘をついていて、その構図を正しく見抜くことができたとき、われわれは豊かな気分になる。一方、『ユージュアル・サスペクツ』（95）のロジャー・〝ヴァーバル〟・キント（ケヴィン・スペイシー）のように、語り手が意図的にわれわれを欺く場合、信頼できない語りの目的はなんだろうか。なぜ作者は架空の事実についてわれわれを誤った方向へ導くのか。ふたつの理由が考えられる。信頼性を高めること、そして、好奇心を刺激することだ。

《信頼性を高める》

博識と無知、善と悪といったはっきりとした対立項がないキャラクターは、ファンタジーや寓話にしか居場所がない。欠陥のないキャラクターは非現実的に見える。現実の人間には欠陥があり、不完全なものだ。人間は少なくともふたつの理由で、まわりの世界に対する認識を誤り、自分の心を欺いている。第一に、人間は生まれつき、事実をゆがめて誤解したり、失敗を正当化して言いわけをしたり、ごまかしや嘘で利益を得ようとしたりする傾向があるからだ。第二に、正気を失った心のなかでは、記憶と現実が隔たっているのが当然だが、きわめて理性的な心のなかでさえ、記憶とは信頼できないものだからだ。それゆえ、現実的な物語では、欠陥のある語り手こそ人間の現実を反映することになり、信頼性が高まる。

人間としての欠陥のほかに、一人称の語り手が信頼できない最大の理由は、いずれ自分自身について語ることになった場合に真実を語るのが困難になるからだ。先にも書いたように、「わたし」という代名詞ではじまる台詞には、大なり小なりの嘘が含まれている。衝撃を和らげるための自己防衛本能があるので、自分について正直にありのまま話すことは不可能に近い。その結果、自分についての発言はすべて自分にとって都合がよいものだが、皮肉にも、それが読者や観客のキャラクターに対する信頼を深めることにもなる。

《好奇心をさらに刺激する》

一人称の語り手が嘘をつくと、登場人物も嘘をつくことになる。たとえば、イアン・バンクスの小説『蜂工場』では、語り手であるフランクが、幼いころに猛犬に襲われてペニスを食いちぎられたと語る。しかし、小説のクライマックスで、フランクは、実は幼いころから父親に犬に襲われたという嘘を聞かされていたことや、実験用のホルモン剤を飲まされていたことを明かす。十代になったフランクは、自分はいままでずっと女だったと告白する。それによって読者の好奇心は驚きから衝撃へ変わる。

三人称の語り手が嘘をつくと、作者も嘘をつくことになる。三人称の語り手に信頼性が欠如するのは自滅的だと言っていい。作者が三人称の形式を選ぶのは、架空の事実に対する読者の信頼を高めるためにほかならない。だから、三人称の語り手が事実を曲げて伝えると、読者や観客は困惑してストーリーを投げ出すか、逆にいっそう興味を引かれる。中には、一ページ目で「自分はキャラクターよりも信頼できない」と言い放つ作者もいる。『スローターハウス5』では、作者のカート・ヴォネガット自身が内容に誤りがありうると語り、何が真実で何が偽りなのか、そもそも真実や偽りということばに意味があるのかを読者に考えさせる。こうした作家を支持する読者にとって、信頼性の有無に好奇心を持つことは緊張感を高める。

誤った解釈や偏った信念は、映像やことばでたやすく表現できる。視点が少しずれただけで、どの形式でも信頼性を失う。こうした理由から、ストーリーを語るにあたって最も主観的な表現媒体は映像作品と小説である。

《映像作品》

信頼できない一人称の語り手　不完全な記憶（ドラマシリーズ『ママと恋に落ちるまで』）、不完全な知識（『フォレスト・ガンプ／一期一会』［94］）、明らかな作り話（『ユージュアル・サスペクツ』）によって、主人公が信頼できない語り手となる場合がある。ドラマシリーズ『アフェア 情事の行方』では、ふたりの主人公が同じ出来事をふたつのきわめて個人的な視点から見る。『羅生門』（50）では、ひとつの重大事件について四人の登場人物がそれぞれまったく食いちがった証言をする。『嘘をつく男』（68）では、ひとりの人物が戦時中の話を相手や目的に応じて七通りに語る。

信頼できない二人称の語り手　映像作品で使用されたことはないが、将来はバーチャルリアリティで体験できるかもしれない。

信頼できない三人称の語り手　映画の脚本家、監督、編集者は、偽りの回想（『怪人カリガリ博士』［62］）、偽りの現実（『ビューティフル・マインド』［01］）、偽りの歴史（『イングロリアス・バスターズ』）など、さまざまな方法で物語の過去を歪曲することができる。

《小説》

信頼できない一人称の語り手　作者は、不安定な精神状態を表現するために、信頼できない語り手を利用する。エドガー・アラン・ポーの『告げ口心臓』の無名の語り手や、ケン・キージーの『カッコーの巣の上で』のチーフ・ブロムデンがその例である。『ライ麦畑でつかまえて』のホールデン・コールフィールドのように、無知や未熟さを背負った主人公の場合も同様だ。また、アガサ・クリスティの『アクロイド殺し』のように、語り手が意図的に読者をだます場合には、信頼できないことが手口となる。キャロライン・ケプネスの『YOU』では、一人称の語り手であるジョーが、最愛の恋人グィネヴィアとのロマンスをくわしく物語り……やがて彼女を殺害する。イーアン・ペアーズの『指差す標識の事例』では、四人の登場人物（うちひとりは常軌を逸している）が同じ出来事をそれぞれの偏った視点から語るので、実際に何が起こったのか、読者にははっきりとわからない。

信頼できない二人称の語り手　スチュアート・オナンの『A Prayer for the Dying（未）』では、「主人公であるあなた」がしだいに狂気を帯びていく。

信頼できない三人称の語り手　トニ・モリスンの『ホーム』では、一人称の主人公と、一見すると三人称全知である作者が交互に語り手となるが、その内容はしばしば矛盾する。主人公の記憶は、戦争と人種差別によってむしばまれているので、事実を知ることはできない。だが、何かをほんとうに知ることなどだれにもできないと悟る語り手もまた、主人公と同じなのだ。

《演劇》

戯曲は、ストーリーを語るにあたって最も客観的な表現媒体である。二十五世紀にわたって、舞台とは、観客にとって、こちらには目を向けないキャラクターを並べた演壇であり、それゆえ、ありのままのキャラクターを見ることができる。つまり、完全に信頼できる三人称の形式だ。劇場の観客が、信頼できない一人称、二人称、三人称の感覚を通して物事を見るようにするためには、想像力に富んだ脚本と演出が必要となる。

信頼できない一人称の語り手　ブライアン・フリールの『Dancing at Lughnasa（未）』では、舞台上の語り手の幼少のころの記憶と、五人いる姉妹の記憶が矛盾する。観客は、記憶する人間の数だけ過去があることに気づかされる。

信頼できない二人称の語り手　フローリアン・ゼレールの『Le Pere 父』では、舞台そのものが認知症の男性の心になる。観客は、主人公の頭のなかに住んでいるかのように、その男が現実をコントロールしようともがくのを感じとる。ある場面で娘として登場したキャラクターが、つぎの場面では別の俳優によって演じられ、主人公にとっても観客にとっても、突然見知らぬ人物となる。一見、連続しているように感じられるふたつの瞬間が、実は十年もの時を隔てていたことが徐々にわかる。主人公が混乱するにつれ、観客も混乱し、ついには、内面が崩壊したらどうなるかを、観客は直接的かつ個人的に体験する。

信頼できない三人称の語り手　マーク・ハッドンの小説『夜中に犬に起こった奇妙な事件』では、自閉症と思われるクリストファーが、一人称の語り手として独特の風変わりなストーリーを語る。ロンドンで舞台化された際は、クリストファーの心の揺れを表す演出として、スモーク、鏡、大音響を使って、信頼できない語りを表現した。

7　表向きのキャラクター

人間は社会的動物として、他者に与える自分の印象をうまく切りまわす必要がある。そのために、人間は実にさまざまな役割を演じている。進化論の視点から考えると、ひとりで何役もこなすこうした独演会の目的は、他者とうまく付き合うこと、成功すること、異性をつかまえることだ。生き延びるためにはすぐれた演技が必要だったので、われわれの祖先は創意工夫を重ねて、模倣と表現のための完璧な技術を進化させた。つまり、人間は古代からずっと何かを演じてきた。

これは、われわれが不誠実だということではない。状況の変化に応じて、ひとつの自己から別の自己へ微妙に変化することを常識としておこなっているにすぎない。神父と告解者、上司と部下、妻と夫、他人同士など、そのときどきの関係に合わせているわけだ。人間は、子供のように、恋人のように、さらには洗練されたニューヨーカーのようにふるまうことができる。その三つを同時に演じることも可能だ。

役柄がひしめく銀河を一周したあとは、それぞれのキャラクターに命を吹きこむ必要がある。この章では、はじめから継続して強い印象を読者や観客に与える、生気あふれる社会的・個人的自己の組み合わせについて探っていく。表向きのふるまい、行動パターン、性格の特徴を寄せ集めたものが、その役柄の**性格描写**となる。

性格描写

創作活動を整理するために、複雑なキャラクターを性格描写と実像というふたつの側面に分けて考えてみよう。

実像とは、内なる自己——中核の自己、行動する自己、隠れた自己——の総体であり、目に見えない心のなかに住む。これについては、つぎの章でくわしく取りあげる。

性格描写とは、社会的自己と個人的自己の組み合わせであり、目に見える特徴と推測できる特徴の総体である。こうした自己を通して表現される多くの特徴を発見するのは、困難で想像力を要する。そこで、自分のキャラクターを二十四時間つねに追いかけてみよう。やがて、名前、年齢、性別、家とその調度、職業とそれによって得られる生活など、はっきりした特徴が見えてくる。身ぶり、顔の表情、声の調子、雰囲気、たたずまいなど、ボディランゲージの基本もわかるだろう。

キャラクターのことばに耳を傾け、人との接し方を注意深く観察することで、能力や知性、信念や態度、気分や希望など、内在する特徴を感じとることができる。それこそがキャラクターの表向きの姿であり、世間が見ている姿だ。

性格描写の三つの役割

性格描写には、信頼性を持たせる、個性を与える、好奇心を掻き立てるという、ストーリーを支える三つの大きな役割がある。

信頼性

作家が最も恐れることはなんだろうか。読者や観客に作品を退屈だと思われることだろうか。自分が書いたキャラクターがきらわれることだろうか。アイディアに賛同してもらえないことだろうか。どれもありうる。だが、最大の恐怖は不信感ではないかとわたしは考える。

キャラクターの行動に疑問を持ち、ストーリーに興味を失った読者や観客は、「あの女性があんなことをするはずがない」などと考え、本を投げ出したり、リモコンで電源を切ったり、劇場の出口へ向かったりすることになる。

信頼性を持たせることは性格描写からはじまる。読者や観客は、キャラクターの精神的、感情的、身体的な特徴と、発言、感情、行動とのあいだに納得できるつながりを感じたとき、ストーリーに引きこまれていく。納得できる性格描写があれば、どれほど奇想天外な筋立てであっても、読者や観客は現実であるかのようにその世界に浸ることができる——ハリー・ポッターとルーク・スカイウォーカーはその代表的な例だ。

個性

われわれは、すでに知っていることを学ぶためにストーリーを手にとるのではない。手にとるときには、こう祈っている。「どうか、いままで見たことのない人生の側面が見られますように。これまで出会ったことのない個性的なキャラクターに出会えますように」と。

個性は具体性からはじまる。性格描写が陳腐だと、キャラクターは嘘くさく、ありきたりで、柔軟性がないものになる。性格描写が具体的だと、キャラクターは独創的で、意外性があり、変幻自在なものになる。

流行に敏感なキャラクターを作るとしよう。そのためには、まず現在のファッション事情を徹底的に調査することだ。街で見かけたファッションを自分の目で観察し、時間をかけて流行の最先端の店を見てまわり、ノートにくわしくメモをし、携帯電話で写真を撮る。そうすれば、だれも見たことがない独自の性格描写を思いつき、信頼性のある個性的なキャラクターを作ることができるだろう。

好奇心

ユニークな性格描写は、好奇心を掻き立て、表向きの特徴という仮面の下にある内なる実像を知りたいと思わせる。

たとえば、飲んだくれで、暴力的で、怒りっぽい失業中の夫がいるとしよう。明かりのついていない居間に下着姿ですわって、汗だくで缶ビールをがぶ飲みし、脂じみた手で顎ひげを撫でながらフットボール中継の再放送をながめている。それを見て「でも、ほんとうの彼はどんな人間なんだろう」と思うだろうか。まず思わないだろう。クリシェは好奇心を掻き立てない。

使い古された性格描写が提起するのは、答えがわかりきった質問でしかない。このキャラクターは何者だろうか——見た目どおりの人物である、と。コンクリートの塊のように、外側も内側も同じだ。読者や視聴者の好奇心を刺激し、その好奇心に応える信頼性の高いキャラクターを生み出すためには、魅力的な世界を構築し、その設定に見合うだけの魅力的で個性に富んだキャラクターを配置する必要がある。

設定——世界の構築

性格描写は、性別や髪の色などの生まれつきの要素からはじまる。一方、キャラクターは誕生したときから、さまざまな物理的、社会的設定に翻弄され、表向きの姿が作られていく。時間と空間がこうした出来事すべての枠組みを作り、外見や行動に大きな影響を与える。

時間にはふたつの側面がある。時期と期間だ。作者は物語の舞台を、現代、過去、仮想の未来、あるいは時間を超越したファンタジーの世界に置くことができる。それぞれの時期のなかで、作者は物語の期間をキャラクターの生涯と関連づけて設定する。ストーリーの長さとキャラクターの生涯の長さは同じでもいい。ルイ・マル監督の『My Dinner with Andre（未）』（81）は、二時間のディナーについての二時間の映画だ。また、ストーリーが数日、数か月、数年、さらには一生に及ぶ作品もある。テレンス・ウィンターによるドラマシリーズ『ボードウォーク・エンパイア 欲望の街』やジョナサン・フランゼンの小説『コレクションズ』がその例としてあげられる。

ストーリーが描く空間にも、ふたつの側面がある。物理的な場所と、対立や葛藤のレベルだ。ストーリーは、山の頂上、農場、宇宙ステーション、ある都市のひとつの街角、その街角のひとつの建物、その建物のひとつの部屋など、どこでも舞台にできる。物理的な場所が設定されると、そこにキャラクターが住むことになるので、作家はその場所での対立や葛藤のレベルを決めなければならない。これには、物理的なもの（自然に立ち向かう）、社会的なもの（法に立ち向かう）、個人的なもの（義理の家族に立ち向かう）、内的なもの（自分自身に立ち向かう）、またはその組み合わせなどがある。

行動パターンはたいがい習慣的なもので、ときには儀式的になり、生まれたときからはじまって、幼年期を通して発達する。食事や遊び、会ったときや別れの挨拶など、日々の生活に必要な活動が生まれる。こうした習慣は平凡なものかもしれないが、役柄の性格描写にしっかり組みこまれる［原注1］。

道徳的想像力

道徳的想像力が強い作家は、ストーリーの設定のあらゆる側面に意味を見いだす。人間であれ物事であれ、どっちつかずの存在はない——警察官も、小道具も、雨のしずくさえもそうだ。こうした作家は、自分が書くストーリーのすべてがプラスかマイナスに、あるいはその両面が融合して響くように、価値要素が似たものを集めている。価値のないものはない。どっちつかずのものはすべて、ページの外、舞台の外、スクリーンの外へ追いやられる。

キャラクターを最初に演じるのが作家であるのと同じ意味で、作家はストーリーの最初の美術監督でもある。設定に書いたあらゆる要素が、少なくともひとりの、できればすべてのキャラクターの姿を明らかにし、映し出し、対比させ、変化させるものであるよう、作者は気を配る。道徳的想像力を持たない作家にとって、自動車はただの乗り物でしかないが、美術監督としての作家にとっては、価値を決めるものになる。オペラハウスに乗りつける車を鮮やかなピンクのマセラティにしたとき、作家は、その途方もなく裕福な所有者だけでなく、皮肉っぽい笑みを浮かべて鍵を受けとる駐車場係員の性格も描写する。

道徳的想像力は、価値要素を重要度の高いものから低いものへ順位づける。生と死はすべてのストーリーに影を落とすものだが、サイコスリラーでは生死を中核の価値要素として前景に置き、ロマンティック・コメディでは無関係なものとして後ろへ追いやる。戦争を描くストーリーの中核の価値要素は勝利と敗北だが、すべての行動に生と死が付きまとう。道徳的想像力がなければ、設定はただの置き物だ。［原注2］

文化による制限

時間、場所、そして人々は、キャラクターができることを制限するだけでなく、してはならないことも規定する。キャラクターがある場面に登場すると、あらゆる人や物事との関係に対して、さまざまな制限が網目のように張りめぐらされる。暗い路地を安全に歩くにはどうするか、だれかにふれられたときはどう反応するか、法廷で何を言うべきか、などだ。原則として、キャラクターの人生を取り巻く人間関係が好ましいものであるほど、行動はより制限され、洗練されたものになる。その逆もまた成り立つ。何も失うものがなければ、どんなことでもできる。

物理的設定

人生のあらゆることがそうであるように、この世では物理的な力と時間的な力がからみ合い——命にかかわる病気のせいで何かを成しとげる時間がない、車が動かないので遠くへ行けない、など——よい方向にも悪い方向にも働く。太陽の光は人を美しく日焼けさせることもあれば、やけどを起こさせることもある。農場と都市は食料と住まいを提供するが、肥料で川を汚し、有害物質で大気を汚染する。

環境はそこに住む人間を形作る。北欧と地中海沿岸では、明らかに異なる性質を持った人間が生まれる。その理由は天候だ。さまざまなものが意識をある方向へ、潜在意識を別の方向へ向かわせる。教会の信徒席に書類鞄を置くと、対抗意識が生まれる。日本では、心を落ち着かせる青色の照明を駅ホームに設置して自殺者を減少させた。洗浄液のにおいがすると、炭鉱労働者は身ぎれいにしたくなる。[原注3]

ストーリーの物理的な設定を作る際には、二方向から問いかけてみよう。（1）時間、空間、物体がキャラクターの個性にどのような影響を与えるか。（2）敵対する力はキャラクターの欲求をどのように挫折させるか。

社会的設定

あるキャラクターとその人物が住む社会は、つねに影響し合っている。社会的設定は、国籍、宗教、地域、学校、職業など、さまざまなグループを作り出し、それに憧れる者もいれば反発する者もいる。どちらにせよ、それらはキャラクターの個性を支えるものだ。

たとえば、科学者と芸術家というふたつの集団は、きわめて対照的な個性を生み出す傾向がある。同じことは、南部の小さな町と北部の大都市の住民、幼稚園の先生とポルノ俳優についても言える。とはいえ、あるコミュニティに共通する特徴のなかでは、個性は無限だと言えよう。

巨大な社会システムの最大の特徴は、その一員になることにともなう代償だ。出世の階段をみごとにのぼりきった幹部社員は、優秀な従業員にはなれても、人間としての欠陥が多い場合がある。だが、組織が一方的に人間性を奪い去るはずはない。多くの人間は、魂を売り渡したことをひそかに喜び、自己欺瞞の殻のなかでぬくぬくと暮らす。その殻を打ち破るには、鈍器のような正直さが必要だが、そんなものはとっくに捨ててしまったというわけだ。[原注4]

ドキュメンタリー映画の巨匠フレデリック・ワイズマン（『高校』、『基礎訓練』、『病院』、『BALLET アメリカン・バレエ・シアターの世界』）が描いたように、組織で働く人間は知らないうちに互いの人間性を奪い合う。だが、一部の幸運な人間は人間性を取りもどすかもしれない。

設定を考える際には、その社会全体がキャラクターに与える影響を注意深く考えて、具体的なかかわり合いを細かく取り決め（第15章参照）、複雑なキャラクターには繊細だが際立った社会的人格を持たせるようにしよう。

個人的設定

家族や友人や恋人といった、親密で逃れられない関係ほど、人生のなかで対立や葛藤を生み出すものはない。喜びに満ちた抱擁を交わした友人とも、やがて裏切り合う。太陽のようにあたたかい母親の愛も、子供が見くだすようになれば消える。恋愛によって、人は喜びを爆発させ、悲しみに打ちひしがれる。家族のだれにも理解できない理由で、兄がカルト教団に入信し、弟はアメリカ無神論者協会の広報誌を編集する。ふたりの反目に終わりはない。

ストーリーを設定する際には、キャラクターを取り巻く親密な関係についてじっくり考えよう。この対立や葛藤のレベルは、独特で機微のある性格描写をおこなう最大の機会となる。

設定と性格描写

キャラクターが自分の物理的、社会的、個人的な世界とぶつかるたびに、性格描写がひとつひとつ刻みこまれる。こうした設定がキャラクターに与える影響をたどるために、以下にあげる八つの関係を考えよう。

1　設定が、家、車、仕事、ポーカークラブなどのなかにキャラクターを埋没させる。やがて、持ち物は中核の自己の延長となる。ヘンリー・ジェイムズの『ある婦人の肖像』に登場するマダム・マールは、自分に憧れる若い女性イザベル・アーチャーに対して、キャラクター拡張の原理をこう説明する。

「私ぐらいの年齢になれば、どの人にも殻があり、それを考慮に入れる必要が分ってくるものよ。殻というのは人間を包んでいる付属品や環境のすべてよ。真空状態の男も女も存在しないわ。誰だっていろいろな付属品で出来上がっているのよ。自分自身と呼べるものは一体何なのでしょう？　自分はどこから始まり、どこで終わるのでしょう？　自分は付属品の中に流れて行き、また逆に付属品から流れ帰って来ます。私の着ている服に私自身のかなりの部分が出ていると信じていますよ。もの（ヽヽ）って本当に大事よ。自分自身といっても、他人には、それが外に出ていなければ見えませんもの。だから自分の家とか家具とか服とか、好きな書物とか、交際中の友人とか――そういうものすべてが自分を表しているのです」（行方昭夫訳、岩波書店、1996年、上巻379頁）

この原則は、マイケル・オンダーチェの『イギリス人の患者』やジョナサン・フランゼンの『コレクションズ』などの小説にも受け継がれている。

2　敵対する力を設定が放ち、キャラクターの欲求に立ちはだかる。『オール・イズ・ロスト～最後の手紙～』(13)では、単独で航海中の男をインド洋が打ちのめし、『スリー・ビルボード』(17)では、娘を殺害された母親を、世間からの不当な扱いが殺人へ駆り立て、『ガールズ・トリップ』(17)では、女主人公の週末の予定を女友達や恋人や別れた男が掻き乱す。

予期せぬ反応によって、キャラクターが考えていたことと実際に起こったことのあいだに突如としてずれが生じると、人生の表面に生じた亀裂が潜在意識を揺るがす。そして、火山が噴火するかのように、意図しない欲求が湧きあがり、思いも寄らない、しばしば後悔をともなう行動を即興で引き起こす。深層にある自己に及ぼす影響がキャラクターに深みを与え、その設定に反発するエネルギーが物語に力を与える。

3　設定と登場人物が、現実の巨大な隠喩となっている。パズルのピースのように、設定と登場人物がぴったりと組み合わさり、鏡に映る像のように、互いの存在を明らかにする。キャラクターは設定に意味を与え、設定はキャラクターを反映して、この世界を象徴する。

ルイス・キャロルの物語『不思議の国のアリス』では、不思議の国は物理学ではなく魔法に支配され、そこで起こる出来事は論理ではなく狂気に従う。その結果、アリスを含めた登場人物たちは、ナンセンスな変身をとげることでその設定を反映させる——力を合わせて、現実の世界、現実の人間、そして人間のばかばかしさの多面的な隠喩を描き出している。

設定が登場人物のあり方を反映し、登場人物がその世界を反映するというパターンがはっきりと見られる作品の例としては、ドラマシリーズ『キング・オブ・メディア』やポン・ジュノ監督の『パラサイト　半地下の家族』(19)などがある。これらの作品では、ホームドラマとスリラーのジャンルが融合し、キャラクターとその家族、彼らが住む社会が相互に影響し合っている。ストーリーは、社会をつなぎ合わせる接着剤として腐敗がひそかに機能するという、現実世界の政治問題を反映している。[原注5]

4　設定がキャラクターの思考に物や人、記憶を注ぎこみ、心を乱す。例として、トニ・モリスンの小説

『ビラヴド』やデヴィッド・ミーンズの短編小説「The Knocking（未）」がある。

5　前景にキャラクターが多くあふれているせいで、設定が背景に退く。ラリー・デイヴィッド脚本の『ラリーのミッドライフ★クライシス』や、マシュー・ワイナー脚本の『マッドメン』などのドラマでは、家やオフィスやレストランがキャラクターにとって肖像画の額縁のような役割を果たす。

6　設定がキャラクターとどう見ても無関係で、隔絶された存在であるため、キャラクターが孤島にいるかのように見える。例として、トム・ストッパードの『ローゼンクランツとギルデンスターンは死んだ』や、サミュエル・ベケットの『ゴドーを待ちながら』などの戯曲がある。

7　設定にある物体がみずから意志を持つようになる。エドガー・アラン・ポーの『アッシャー家の崩壊』やブライアン・エヴンソンの小説『A Collapse of Horses（未）』がその例だ。

8　設定にある物体がキャラクターになる。ルイス・キャロルの『鏡の国のアリス』では、チェスの駒であるキング、クイーン、ナイトのほかに、卵を擬人化したハンプティ・ダンプティが登場する。『ガーディアンズ・オブ・ギャラクシー』（14）には、樹木型ヒューマノイドのグルートと、遺伝子改造によって高い知能を持ったアライグマのロケットが登場する。［原注6］

性格描写の変化

物理的、社会的、個人的な設定に立ち向かうとき、キャラクターはさまざまな表向きの自己を身につける。こうしたぶつかり合いにはどれも大きな動きがあり、そのすべてが性格描写に劇的で真実味がある変化をもたらす。よくある例としては、つぎの四つが考えられる。

1　反抗　キャラクターは、自分が望む方向に進むことを願って、設定を変えることがある。田舎町の芸術家は大都会へ向かい、奨学生は大学を中退して軍隊にはいる。

2　旅行　海外での胸躍る体験は、さまざまな面を持つグローバルな自我の形成を促す。若者文化はその一例だ。アメリカで生まれたジーンズとテニスシューズは、アジア諸国でも生産され、七大陸のあらゆる国の若者が身につけるようになった。

3　タイムトラベル　キャラクターは、周囲と異なる時間枠に身をひそめることができる。懐古主義者は過去に、出世競争を好む者は未来に、快楽主義者は倒錯した現在に生きる。〔原注7〕

4　インターネット　通信網でつながっただけの仮想空間へ国境を越えて旅することは、自我を劇的に変化させる。オンラインの文化は瞬間的で、匿名性を持ち、深みがないが、そのなかでは実在する人間が実際に物事を動かしていて、好むと好まざるにかかわらず変化がもたらされる。

特徴を明確にする

大まかな輪郭を描いたら、つぎに一個人としてのキャラクターを表現する表向きの特徴をくっきりと描く必要がある。「それは生まれつきだ」ですむ単純な人間などいない。複雑なキャラクターはすべて、生まれつきの特徴と、あとから自分で身につけた特徴の両方を具えている。生まれつきの特徴（声の響きなど）は不変で、後天的な特徴（語彙など）は進化する。何百もの遺伝子が相互に作用し合うと同時に、外界から脈絡のないさまざまな影響を吸収して、ひとつの特徴が生まれる。この両面に想像力を働かせれば、さまざまな特徴が溶け合ったユニークで魅力的な性格描写ができる。〔原注8〕

目に見える特徴にはそれぞれ、プラスからマイナスまでの振れ幅がある。「洗練／素朴」、「社交的／非社交的」、「カリスマ的／退屈」など、公の場であらわになる特徴は、キャラクターと知人や他人との関係を明らかにする。「寛大／利己的」、「励まし／粗探し」、「気づかい／無関心」など、プライベートな場でのふるまいは、家族や恋人や友人との個人的な関係を特徴づける。

どの程度の特徴を書きこむのがいいのか。視覚芸術においては、何もないキャンバスを0、完全に描きこまれたキャンバスを1とすると、最も見やすい密度は0・3、つまり三割が埋まった状態だ。これはキャラクターにもあてはまるだろう。主人公の七割の部分は謎のままにしておくといい。作者が書いた三割の部分をもとに、読者や観客が残りを想像力で埋めていく。登場人物の特徴をすべて書きつくすと、話が長くなりすぎて役柄が理解しにくくなり、読者や観客の手に負えない。一方、特徴がたったひとつ――たとえば外国語訛り――しかないと、キャラクターは脇役へ追いやられる。

個別のキャラクターについて、どの程度の特徴があるのが理想かは、作者にしかわからない。その特徴が必要かどうかは、取り除くことでどの程度の変化があるかで決まる。特徴を足し引きしたい場合は、「取り除いたり付け足したりできるものがあるとしたら、それは何か」と考えてみることだ。

以下に、性格描写における特徴を作り出す際の項目を並べた。ストーリーの中身によって、項目が追加される場合もあれば、削減される場合もある。

名前と呼び名

役柄と同様に、名前はフィクションにおいて現実の世界よりも大きな意味を持つ。たとえば、意図的に「ジョン」や「メアリー」といった平凡な名前をつけることで、実在の「ジョン」や「メアリー」という人にはない、独特のありふれた感じをキャラクターに持たせることができる。

ただし、注意が必要だ。笑いをとりたいのでないかぎり、企業の重役に「ミスター・ビッグマン」のような露骨に象徴的な名前をつけるのは避けたほうがいい。一方、アーサー・ミラーは『セールスマンの死』で、主人公である疲弊したセールスマンをウイリー・ローマンと名づけたが、どういうわけか、この名前が目くじらを立てられることはない〔ウイリーはwill（＝意志）を連想させ、ローマンはlow man（＝負け犬、下っ端）を連想させる〕。

ファンタジーやホラーといった寓話のジャンルでは、象徴的な設定を大胆におこない、すぐにそれとわかる名前をキャラクターにつけることで興を加えている。たとえば、聖書を下敷きとしたC・S・ルイスの寓話『ライオンと魔女』〔『ナルニア国物語』の一作〕では、新しい王国の創設者が、キリスト教教会の礎を築いた聖ペテロにちなんでピーターと名づけられ、キリストを象徴する者を裏切る魔女は、ユダ（Judas）にちなんでジェイディス（Jadis）とされ、横暴な家政婦は、「支度しなさい！（ゲットレディ）」という小言をもじったミセス・マクレディという名前だ。

裸の姿と着衣の姿

自分が書いたキャラクターを裸にして、年齢や見た目、身長や体重、筋肉や脂肪のつき方、頭髪や体毛、肌の色やきめ、姿勢や歩き方など、身体的特徴のチェックリストを作成しよう。そして、想像のなかで買い物に連れていき、どんな服を選ぶかを見る。さらに、クローゼットのなかを見て、実際にどんな服を持っているかを確認しよう。

ジェンダーと性的指向

あなたのキャラクターが性的関心を感じずにはいられないものは何だろうか。どんなジェンダーだろうか。それに関して本人は何か行動を起こしているだろうか。

声の調子とことばづかい

目を閉じて耳を傾けよう。キャラクターの声は、音楽のように読者や観客の無意識の感情に働きかける。キャラクターひとりひとりに、独自の語彙、文体、抑揚、ことばづかい、比喩表現を使った話し方をさせるとよい。［原注9］その総合的な効果によって、形式と内容が一致する――何を言うかだけでなく、どう言うかが重要だ。

表情とジェスチャー

観客や視聴者は、キャラクターの一瞬の表情を二十五分の一秒で読みとっている。だから、キャラクターの目に何が映っているのかを見きわめてから、後ろへさがって、身ぶりの特徴や強弱を観察しよう。ジェスチャーには三種類あり、独自の言語を表現する。（1）手を振る、首をかしげる、肩をすくめる、など、会話を豊かにするもの。（2）中指を立てるなどの象徴的なもの。（3）「携帯電話にメッセージをくれ」の意味で指を動かすなど、実際の動作を真似たもの。

仕事と娯楽

人間は、生活のために何をしているかということに自分の存在意義を求めることが多い。ゴルフ、狩猟、ボディビルなど、娯楽としておこなうものを第二の存在意義とする場合もある。あなたのキャラクターがこの両方に関して何をしているか、そしてそれが本人のなかでどれほどの意味を持つのかを決めよう。

住居と移動手段

十九世紀のフランスの文豪オノレ・ド・バルザックは「所有物を見れば、どんな人間かわかる」と語った。拡張された自己には、所有物のすべてが含まれる。ほとんどの登場人物にとって、拡張された自己のなかで最大のものは家と車だ。そのふたつを思い描いて、中をのぞき見よう。

知識

自分のキャラクターは何を知っていて、何を知らないのか。この質問は、受けた教育の程度と質を問うものだが、それ以上に、人生で何を学んで何を失敗したかが重要だ。

宗教と信念

神は存在するのか、人を信じられるか、など、核となる信念が、対立や葛藤に直面したときにキャラクターが選択するものを決める。だから、価値観について話をしよう。あなたのキャラクターに、人間とは善なのか悪なのかを尋ねて、答えに耳を傾け、さらに話を聞いてみよう。

会話

キャラクターと長い時間を過ごすうちに、繰り返し出てくる話題があるはずだ——金、政治、死、配偶者、子供、健康、最新のテクノロジー、古代史などのどれだろうか。その話題はまさしくそのキャラクターが考えていることだ。

立ち居ふるまい

十八世紀のイギリスの思想家エドマンド・バークは、品行や礼節があらゆる美徳を生み、つまるところ、法律よりも重要であると考えた。二十一世紀のことばで表現すれば、人間が他者に対して示す敬意の質が文明社会におけるあらゆる関係を決めることを、バークは知っていたことになる。あなたのキャラクターは、ほかの人々とどんなふうに接しているだろうか。［原注10］

内なる特徴

すべてのキャラクターは、最初は謎に包まれている。表向きの特徴は、奥にひそんでいるかもしれないものへの手がかりだ。シーンが展開していくなかで、読者や観客は、それぞれのキャラクターの表向きの特徴を、内なる特徴を知るための手がかりとする。したがって、それらを徹底的に探り、掘り起こす必要がある。個性、知性、態度、感情などについての考え方をいくつか紹介しよう。

個性の種類

人間の個性は無限に細分化できるように思われがちだ。紀元前三一九年、アリストテレスの弟子のテオプラストスが、「へつらい」から「噂好き」まで、思いつくかぎりの不品行な個性の類型を提示したが、わずか三十項目にとどまっている。［原注11］過去数世紀のうちに、観察眼がすぐれてユーモアの感覚を具えたマーク・トウェインのような作家たちが現代版の厄介な人間のリストを作り、一方で、高潔なタイプの人間を一覧にした者もいたが、だれもまだ結論を見いだしていない。

この無秩序な状態を理解するために、心理学者は個性という広大な宇宙を五つの大きな銀河系に分類した。以下に記すように、それぞれの銀河はプラスからマイナスまで揺れ動く。あなたが作るキャラクターの個性は、こうした二元的な行動のどこかにあてはまるはずだ。

1　開放的／閉鎖的

開放性は、独立心、好奇心、芸術への愛など、新しい物事すべてを反映する。開放的な性格の人間は、スカイダイビングやギャンブルなど陶酔感のある体験を楽しむが、予測不能で注意散漫に見えることもある。逆に、閉鎖的な性格は、現実主義や忍耐力、ときには独善的な頑固さを連想させる。

2　実直／気まぐれ

実直さは、道義心や自制心、さらには計画性のある行動につながる。実直すぎる性格は、頑固で執着心が強いと受け止められることもある。気まぐれな性格の人間は、おおらかではあるが、信頼性に欠け、ずさんな印象を与えることもある。

3　外向的／内向的

外向的な人間は、社交性があって、しゃべるのが好きで、自己主張が強い傾向にあり、目立ちたがりで高圧的になることも多い。内向的な人間は、静かで思索を好む性格だが、よそよそしく自己陶酔型だと受け止められることもある。

4　人あたりがよい／議論好き

人あたりのよさは、思いやりや寛大さの表れだと言える。笑顔を絶やさず人あたりのよい人間は、しばしば単純で愚かと見なされる。議論好きな人間は、敵対心や競争心や猜疑心が強く、信頼できない場合がある。

5　理性的／神経質

理性的な人間は、穏やかで落ち着いた性格だが、限界まで追いつめられると、冷淡で無情になることもある。一方、神経質な人間は、怒りや不安、悲しみや恐怖などの負の感情に一気に陥る。傷つきやすく、心配性で、安定を強く願っている。〔原注12〕

これら五つの項目の傾向が混ざり合い、融け合うことで、無限の種類の個性が生まれる。だが、わたしの考えでは、こうした類型を超えて、人間の性格がかくも多様である理由は単純である。つまり偶然の所産ということだ。あらゆる人間は、決定論〔すべてのことはあらかじめ決められているとする考え方〕と偶然の組み合わせで成り立っている。日々、何兆個ものヒトゲノムが分裂していて、それらの環境には無数の側面がある。結果はきわめて不規則で、予測不可能であり、よくも悪くも運しだいなので、生み出される自己には無限の種類がある。

さらに、上司と部下、親と子、恋人と友人などの関係しだいで個性は変わる。このことは、声だけでなく、身ぶり、表情、姿勢、ことばづかい、気性などにもあてはまる。個性には一定の限界があるが、社会的、個人的なかかわりのなかで、表現の質が変わっていく。

知性の種類

あなたはキャラクターに、その行動に見合った知性を与えただろうか。もしばかげたことをさせたいのなら、あらゆる点でいかにもばかな人間にすればいいのだろうか。ばかげた台詞？　ばかげた髪型？　それとも逆に、聡明だから聡明なふるまいをさせればいいのだろうか。何より、それは信頼できるキャラクターなのだろうか。

キャラクターのＩＱ（知能指数）だけでなく、ＥＱ（心の知能指数）や、さまざまなＣＩ（創造的知能指数）についても考えよう。ＩＱは、分析的思考、空間認識、問題解決能力を測るものだ。ＥＱは、感情的な知性――自分自身と他者の繊細な感情や情緒を察知する能力だ。ＣＩは、創造的知性（想像力）、知的好奇心（知りたいという欲求）、文化的知性（慣れない環境に適応する能力）の指標だ。

知性の組み合わせを検討するにあたって、あなたのキャラクターの習慣的な考え方はどのようなものだろうか。たとえば、人間はだれしも、人間関係に対する自分なりの戦略を持っている。これまでうまくいった方法であれば、状況によって変化が必要になっても簡単に曲げることはできない。あなたのキャラクターの心には、どれだけの柔軟性があるだろうか。

態度、信念、価値観

あなたのキャラクターはどんな考え方をするのだろうか。好きなもの、きらいなものはなんだろうか。不安や恐怖はあるだろうか。楽観的だろうか、悲観的だろうか。

答えを知るために、キャラクターに問いかけよう。自分自身についての考えが信念を形作るのだから、まずは鍵となる心理的な質問をする。「あなたは何者なのか？」と。その答えは、自分の内なる本質を表現したものだろうか、それとも自分の職業だろうか。どの程度自我を確立し、どれくらい仕事に没頭しているのか。

そして、大きな質問を投げかけてみよう。「将来、達成したいと願うことは何か。自分のために何をしなくてはならないか。ほかの人のためにはどうか。自分自身に対してぜったいにしないことは何か。ほかの人に対してはどうか。人間の本質をどう考えているのか。善なのか。悪なのか。それとも、両方が混じったものなのか」と。

感情、気分、気質

感情は変化の副作用だ。キャラクターの人生を支配する価値要素がプラス（例　富裕）からマイナス（例　貧困）に変わると、キャラクターの感情は暗いものになり、価値要素がマイナス（例　苦痛）からプラス（例　快楽）に変わると、キャラクターの気分は喜びへ変わる。[原注13]だが、こうした経験は、そのキャラクターが自分の人生において何に意味があると考えているか――何がマイナスで何がプラスか――に左右される。

あなたのキャラクターが恋愛関係を築いているとして、もし恋人に捨てられたら、「愛／憎しみ」、「幸せ／悲しみ」、「親密／孤独」という重要な価値要素が変化することで、そのキャラクターの気分はどう変わるだろうか。それはあなたの予想どおりではないかもしれない。

気分はキャラクターの特徴のひとつで、異なる経験から同じ反応を引き出す傾向がある。たとえば、冷静な人間は、フォークダンスやドローン飛行などの興奮をともなう趣味を退屈で面倒なものと考えがちだ。

子供には気質があり、大人には個性がある。気質はキャラクターの脳内作用の副産物であり、個性は社会とのかかわりの副産物だ。子供は世間とふれ合ううちに、気質が少年から青年、そして大人のものへ変化していく。しかし、成熟した大人になっても、子供のころの気質は影のように付きまとう。おおむね陽気なのか、気むずかしいのか。目的意識を持っているのか、夢見がちなのか。冒険心があるのか、引きこもりがちなのか。小学校五年生のときの担任が教えてくれるかもしれない。

たとえば、気質のひとつの価値要素として、「権威主義／反権威主義」がある。あなたのキャラクターは、排他的な集団を支持するのか、他者の集団を受け入れるのか。権威主義者は軍国主義や宗教の原理主義を好み、反権威主義者はそういったものを否定する。権威主義者は芸術家を疑わしげな目で見るが、芸術家、特に漫画家は権威を嘲笑する。権威主義者が擁護するのは、家族の結束と、好きでもない職場に時間どおり出勤して、文句も言わずに八時間働く自制心だ。反権威主義者はつぎつぎと仕事を変え、子供をそこかしこへ連れまわし、いつまでも自己実現を求めつづける。

鏡、世界、作者

キャラクターがいま化粧鏡のなかに見ている姿は、過去によるところが大きい。だが、記憶とは、実際の出来事ではなく、何が起こったかを自分なりに解釈したものであることが多い。ある出来事がキャラクターの人生に起こった瞬間から、心はその内容を書きなおし、大半を削除し、一部を並べ替え、しばしば起こってもいないことをでっちあげる。そんなふうに再構築しながら、その出来事の意味を解釈し、自分にどのような影響を及ぼすかを推測する。

ほかの人間もその出来事を目撃して、第二の解釈をする。それはずいぶん異なったものだ。作家としてのあなたは事実を知っているので、第三の視点を持ち、読者や観客が第四の視点を加える。

作品を書くときには、代わる代わるすべての視点に立ち、明確なものも内なるものも含めて、すべての特徴が性格描写というただひとつの目的につながるようにしよう。

性格描写の技法

性格描写は、それは何か、それは何とちがうか、それは何に似ているか、によって表現することができる。この三つの大まかな考え方をすることで、作家には少なくとも九つの異なった技法が与えられる。

1　直喩　ほかの人や物にたとえて性格描写をおこなうこと。たとえば、アメリカの作家ジェームズ・サーバーは、『ニューヨーカー』誌の上司を「エイブラハム・リンカーンを不誠実にしたようだ」と表現した。

2　隠喩　ほかの人や物をそのまま使って性格描写をおこなうこと。歴史、神話、文学、ポップカルチャーなどから具体例を引き合いに出すことができる。「彼女の自制心はトニー・ソプラノだ」

3　連想　個人的な習慣や持ち物と関連づける性格描写。「彼女がヘアカラーを見つけた場所には、元気のもとがあった……酒の小瓶だ」

4　対比　相違点について、ゆるやかに比較する。「彼女は典型的な大学出身者ではない」

5　対立　矛盾について、鋭く比較する。「彼女は反知性主義の博士号持ちだ」

6　説明　著作の場合は、読者が人物像をイメージするために、「彼女の身長は百八十五センチもある」といった説明が必要な場合がある。一方、舞台や映画では、観客は俳優を見ればすぐに身長がわかる。

7　見せ方　視覚的な表現は、「身長が百八十五センチもある女性が、頭をさげながらわたしの車に乗りこんだ」。聴覚的な表現は、「わたしの車に乗りこんだとき、彼女の脳天がドアフレームにぶつかって、ゴン！　と鈍い音を立て、『ああ、もう！』という声がした」。どちらも想像を掻き立てる。

8　自己評価　人間にはみずからを欺く能力があるので、キャラクターが自分自身について語ることが真実かどうかはわからないが、そう言ったということ、それをだれに向けて言ったかということは、人物像をとらえる重要な手がかりとなる。「わたしは社交的な人間なんですよ」

9　他者からの評価　人間は心に企みを持っているので、ある人物が他者について語ることが真実かどうかはわからないが、そう言われたということ、それをだれが言ったかということは、人物像をとらえる重要な手がかりとなる。「自分では社交的な人間だと言っていたが……」

ヘミングウェイは、短編「フランシス・マカンバーの短い幸福な生涯」で、マーゴット・マカンバーの特徴を要約して紹介したあと、過去のおこないを描いてその実像をたしかなものにしている。

彼女は並みはずれて美しく、スタイルのいい女性だった。つい五年前には、その美貌と社会的地位を生かして、自分が使ってもいない化粧品を勧める広告写真に登場し、五千ドルせしめたことがある。

（『ヘミングウェイ全短編2』所収、高見浩訳、新潮社、１９９６年、２６０頁）

「並みはずれて美しい」や「広告写真に登場し」という表現は、ファッション雑誌をめくっているときにしか見かけないような美貌（表向きの特徴）を連想させ、「スタイルのいい」や「社会的地位」という表現は、特権を持つ人間の雰囲気（内なる特徴）を感じさせる。使ってもいない化粧品を勧めて金をせしめたということは、節操のない道徳観（実像）と、これから起こる暗い出来事を示唆している。

では、ほんとうはどんな人間なのか

「何事も見かけどおりではない」という古くからの格言が、キャラクター作りにも完全にあてはまる。表向きの特徴と内なる特徴は表層を形作り、表層は真実を覆い隠す。つまり、性格描写とは、キャラクターがどんな人間に見えるかを表現するものであり、実際にどんな人間であるかを表現するものではない。

読者や観客は、性格描写に信憑性と好奇心を感じたとき、つぎのように考える。「おもしろい。でも、ほんとうはどんな人間なんだろう。誠実なのか、不誠実なのか。愛情深いのか、冷酷なのか。強いのか、弱いのか。寛大なのか、利己的なのか。善なのか、悪なのか。ほんとうはどんな性格なのか」と。つぎの章では、目には見えない心のなかに住むキャラクターの内面について考えよう。

8 内なるキャラクター

キャラクターの社会的自己と個人的自己が結びついて生み出されるのが、表向きの姿である性格描写だ。一方、内的自己と隠れた自己から生まれるのが、内なる姿である実像だ。あるキャラクターにはじめて出会うとき、われわれはその表向きの顔の奥にある内面へ無意識に目を凝らし、初対面の人間に対してつねにいだく疑問――ほんとうはどういう人間なのか――の答えを探す。キャラクターが対立や葛藤のなかで行動を起こすとき、その答えが見えてくる。

希望に満ちたときにキャラクターが選ぶ行動は、表現するものがほとんどない。何も犠牲にしていないからだ。しかし、絶望的な状態にあるとき、敵対する強大な力に直面したとき、最大の危機にさらされたときにとる行動は、真実を明らかにする。ほんとうはどんな人間なのか。正直なのか、嘘つきなのか。愛情深いのか、冷酷なのか。寛大なのか、利己的なのか。強いのか、弱いのか。衝動的なのか、冷静なのか。善なのか、悪なのか。人に手を差し伸べるのか、邪魔をするのか。励ますのか、懲らしめるのか。自分の命を投げ出すのか、人の命を奪うのか。どれがほんとうの姿なのだろうか。

もちろん、キャラクター本人がそのように自問することはない。他者が自分をどう思っているかと推測することはあるだろう。自分の潜在意識で何が起こっているかと思いをめぐらすこともあるかもしれない。だが、すべてを知っているのは作者だけだ。キャラクターの創造主である作者は、そのキャラクターの社会的自己、個人的自己に精通し、キャラクターが自分自身のなかの直視できないものから身を隠すために使う、あらゆる自己欺瞞の手法も知りつくしている。

「どんな人間なのか」という問いに答えるために、作家はキャラクターの内なる世界の自覚的思考と、潜在意識下の隠れた衝動を融合させる。やがて、試行錯誤と即興を繰り返したのち、ふたつの自己が融合して、これ以上削れない実像が作りあげられる。

こうした複雑なキャラクターを動かす原動力の数々を見てみよう。

動機――キャラクターを行動へと駆り立てるもの

何が人間を行動に至らせるのか。
――すべての心理学者が死に際に思うこと

「動機」は、作家が使うことばのなかでも最も理解されにくく、心理学者にとっても難題である。研究者が被験者に行動の理由を尋ねても、返ってくるのは真相ではなく言いわけだ。キャラクターが行動を起こす理由はそれよりはるかに根深いので、まずその源をたどろう。

人間を駆り立てる力は、過去があと押しするのか、それとも未来が手を引っ張るのか。[原注1] わたしの考えでは、動機と欲求はふたつのまったく異なるエネルギーを発する。動機はキャラクターの過去に足場を置いて、後ろから押すが、欲求は未来に足場を保って、これから訪れる未来へキャラクターを誘う。[原注2]

科学的理論によると、過去から駆り立てる力は、生まれついてのものと、社会的要因によってもたらされたものに分類される。

内から生じる動機

人間はだれでも、生き延びたい、愛したい、人生の意味を知りたいといった、さまざまな欲求を持って生まれてくる。こうした基本的欲求は潜在意識にあり、方向が定まっていない。船の帆をふくらませる風のように、それらは後ろから押してキャラクターを前進させる。つまり、動機とは満たされない欲求だ。

食べるものに困ったとき、人間はたしかにパンのみで生きる。だが、ひとたび満たされると、より高いところをめざす内なる動機が頭をもたげ、それが満たされると、また新たな、さらなる高みをめざして、果てることのない渇望が湧きつづける。人間は永遠に求めつづける生き物だ。

以下に、人間の本質にある内なる動機を、根源的なものから高度なものまで、十二項目あげた。この一覧をよく読み、あなたのキャラクターを動かすものかどうか、そして、いつ、どのように動かすのかを考えるとよい。

1　永遠の命

アメリカの文化人類学者アーネスト・ベッカーによれば、死とは人間活動の最大の推進力である。〔原注3〕いつかかならず死ぬと考えると、墓碑のような、自分が存在したことを象徴する価値あるものを残したいと願うものだ。たしかに、死への恐怖は、人類がみずからの記念碑を建てる動機となっている。都市と高層ビル、宗教と神殿、大学と図書館などの関係がそうで、永遠の命を持つ最も重要なものが芸術作品だ。人類最古の絵画は、氷河時代を生きたわれわれの祖先が洞窟の壁に残した。十万年以上前に最初の埋葬儀式がおこなわれて以来、人類がこの地球上に残したすべてのものは、永遠の命を残すためのひとつの巨大なプロジェクトだと考えられる。

2　生存

生きとし生けるものはすべて、生き延びるために、自分がプラスと判断したほうへ向かう。ネズミが罠にかかるのはこのせいだ。しかし、人間がプラスと判断する感覚は、複雑な主観の上に成り立っている。生き延びるために必要だと考えても、それが不道徳な行為であれば、人間は少し躊躇したすえに最終的には生き延びるための行動を選ぶ。「道徳／不道徳」、「善／悪」、「正／誤」、「生存／絶滅」は、四つのまったく異なる価値要素の組み合わせだ。最初の三組は理想を表し、最後の組は現実を表す。キャラクターの視点から見ると、自分や家族や種族の遺伝子を残すための行動はすべてプラスだ。だからこそ戦争が起こる。

3　バランス

人間の頭のなかには小さな秤があり、周囲のプラスとマイナスを測ってバランスを保っている。極端な不均衡は生命を危機にさらし、正気を失わせるので、心はおのずとその存在の主権を握ろうとする。たとえば、犯罪によって「正義／不正義」の価値要素がマイナスに傾くと、社会はバランスを取りもどすために復讐を求める。ドラマシリーズ『レイ・ドノヴァン　ザ・フィクサー』の三兄弟が、自分たちを性的に虐待した神父を殺害したとき、だれもが安堵のため息をつく。正義が果たされたことで、彼らの人生はようやくバランスを取りもどしたのだ。

4　快楽

快楽への渇望は、それがやがて苦痛をもたらすものであっても、抗しがたいものだ。残酷な記憶に悩まされている虐待の被害者は、快楽が一時的なもので、その先にさらに大きな苦痛が待ち受けていることを知りながらも、薬物に溺れて悪夢を掻き消そうとする。

5　セックス

二十世紀初頭、多くの心理学者が人間の行動をひとつの要因に基づいて理論化した。最も有名なのは、ジークムント・フロイトの「性的本能は人生におけるすべての目的の原動力である」という主張である。

6　権力

「劣等コンプレックス」という概念を提唱したアルフレッド・アドラーは、「権力への欲求はすべての行動の原動力である」と述べた。社会階層のどこにいるとしても、人間はつねに自分の上下にいる者をながめまわし、自分との力関係を測ろうとする。

7　共感

集団に属することへの渇望によって派閥が生まれる。そこに属していれば、仲間のひとりが苦境に陥っても、ほかの仲間もみな共感して苦しみを味わい、どういうわけか気持ちが軽くなる。［原注4］

8　欲望

欲望には際限がない。強欲は三つの段階で進行していく。

A　貪欲　より多くを求める欲求。人間とは欲深く、永遠に失望しつづける存在だ。身の丈に合わない期待をいだくと、空虚な人生を生きることになる。モリス・ウェストの小説『The World is made of Glass（未）』では、アントニア・ウォルフがカール・ユングに向かって「お金を使えば使うほど、どんどん不満が大きくなっていく」と訴える。

B　羨望　自分が持っていないものをほかの者は持っているという、苦痛に似た感情。望むものに永遠に手が届かないと感じると、手に入れたい衝動が裏返しになって、それを破壊したい衝動に変わる。破壊が失敗に終わると、羨望に駆られたキャラクターは自己憐憫に浸る。

シェイクスピアの『オセロ』では、イアーゴがオセロの武勲と名声をうらやみ、オセロを破滅へと追いこむ。ハーマン・メルヴィルの『ビリー・バッド』では、クラガードがビリーの美しい容姿と善良な性格をうらやみ、ビリーを破滅させる。

C　嫉妬

ライバルの登場により、羨望は嫉妬へとエスカレートする。愛する者がライバルを選ぶことへの恐れから、嫉妬は頂点に達する。

『アマデウス』(84)では、サリエリがモーツァルトの才能への嫉妬に身を焦がす。サリエリは神に向かって「なぜモーツァルトを選んだのか。なぜわたしではないのか」と問う。そして憤怒のあまり、壁の十字架を引き剥がして暖炉へ投げこむ。天罰を覚悟の上で、名誉を求めて嫉妬に駆られたサリエリは、ウィーンの音楽界からの称賛を切望するあまり、若きライバルであるモーツァルトを破滅に追いやる。

9　好奇心

「したいこと」と「すべきこと」では、天と地ほどの差がある。給料の額に関係なく、単調な繰り返し作業は最悪の仕事であり、それを救う唯一のものは好奇心だ。人間は、自分のために何かをすることを好む。能力を必要とする仕事、きちんとやれる仕事、解決策を必要とする問題が好まれる。それこそが大切な問題だからだ。そのため、完成したときの成果よりも、生み出す過程のほうが満足度が高い。目的を達成する手段こそが目的である。

10　意味

オーストリアの精神科医ヴィクトール・フランクルは、意味のない人生とは、混沌として制御不能の人生だと考えた。［原注5］人間は、金、名声、企業の幹部の地位など、自分が望んでいたはずのものを手に入れると、鬱状態に陥ることが多い。達成することで、人生に意味を与えていた闘いが終わるからだ。わかりやすい解決策は、新たな、より高い目標を探すことだが、多くの人間は人生の目的を生涯にひとつしか思いつかない。

11　充足感

自分自身を知っている人間は、そのありのままの人間性や、精神面や感情面の潜在能力を理解している。思慮深いキャラクターは、その深みを追い求めて内なる誓いを果たしたいと願う。

12　超越した存在

カール・ユングは、究極の動機とはファウストのような至高の存在への潜在的な憧れであり、人間の手が届く範囲を超えた神のような知恵——現世を超越した完全な存在——への憧れであると考えた。

こうした内なる衝動は、さまざまに結びつき、しばしば無意識のうちに、制御できない力でわれわれを未来へ向かって突き動かす。有史以前の人間のように、われわれはいまも友人にはやさしく、敵には残忍だ。文明の進歩によって、魔術師に代わって医師が、弓矢に代わって核ミサイルがもたらされた。科学によって、人を救うことも殺すことも効率的になったが、本質的な動機はまったく変わらない。［原注6］

外からもたらされる動機

つぎに、視点を変えて動機を外から見てみよう。

作家は、自分が設定として作り出した社会制度——経済、政治、宗教——を検討し、それがキャラクターに及ぼす影響を測る。文化は時代の風潮に影響を与えるが（ソーシャルメディアの圧倒的な影響力を考えるとよい）、作家が大衆の動機づけの理論を特定のキャラクターに押しつけると、条件と原因を取りちがえかねない。たとえば、富と貧困は条件であって、原因ではない。貧困による肉体的、精神的苦痛がキャラクターに影響を及ぼし、指導者となって貧困をなくすために尽くすことも考えられるし、凶悪な犯罪者となって苦痛を増やすことも考えられる。あるいは、ただ歯を食いしばって耐え忍ぶ可能性もある。富も貧困も犯罪を直接引き起こすものではない。重罪犯はどちらの層にもほぼ同じ割合で存在する。

外からの社会的な力（たとえば、テレビＣＭ）がキャラクターに行動を起こさせるためには、まずキャラクターの感覚を刺激し（広告を見る）、つぎに潜在的な動機づけ（食欲が起こる）をしたうえで、最終的に行動（商品を購入する）を選択させる必要がある。巨大な社会的な力はたしかにキャラクターに影響を与えるが、それぞれに特有の個性で行動した先に何があるかはだれにもわからない。

キャラクターは、教育を受けたからといって洗練されているとはかぎらず、無知だからといって粗野だとはかぎらず、使用人だからといって従順だとはかぎらない。同じ悲痛な体験をしても、打ちのめされるキャラクターも発奮するキャラクターもいて、寝て忘れるキャラクターすらいる［原注7］。あるキャラクターがある場面で行動するとき、周囲の文化の影響は唯一無二であり、予測しようがない。

欲求の対象

古典的なストーリーの冒頭で、主人公の人生は、多少の浮き沈みはあるものの、全体的にバランスが保たれている。そこへ事件が発生する。偶然、あるいは何者かの決定によって起こった契機事件によって、主人公の人生のバランスは大きく崩れる。

主人公の人生は、契機事件をきっかけに、プラスの方向へ激しく転換することもあれば（ロミオがジュリエットと恋に落ちる）、マイナスの方向へ暗転することもある（ハムレットが父の殺害を知る）。いずれの場合も、人生の歯車が乱れると、安定した生活への潜在的欲求が意識を目覚めさせる。バランスを求めるこの衝動がキャラクターの究極目標となる。

人生が制御不能になったと感じた主人公は、人生の変化という形の解決策を思い描く。それは、なんらかの状況（情熱的な恋）として、または物理的な出来事（悪役の死）として表現される。プラスの方向への変化をもたらすものを、欲求の対象と呼ぶ。これを手に入れることができれば、自分の人生は安定を取りもどせると主人公は感じている。ほしいものがわかれば、行動できるわけだ。人生のバランスを取りもどすという究極目標と、欲求の対象を追い求めることによって、ストーリーの最終的な危機とクライマックスへ向かっていく。

あらゆるストーリーで、究極目標は主人公の行動を固有の欲求の対象へ向ける。たとえば、アクション・プロットでは、実際に手にとることができるものを狙うことが多い。『ジョーズ』（75）では、サメの死骸がそれにあたる。啓発プロットの欲求の対象は、通常は心のなかにいだくものだ。ラルフ・エリソンの小説『見えない人間』では、主人公は自我のあり方、つまり「自分は何者か」という問いへの答えを探し求めている。

潜在意識に隠れて焦点が定まらない動機（たとえば、権力欲）は、やがて契機事件によって生命を与えられ、欲求に焦点があたる。バランスのとれた未来が必要なので、契機事件によって動機から行動が起こり、欲求の対象を形作って、ストーリーの旅路へ主人公を導いていく。

例をあげよう。

悲劇プロットであるシェイクスピアの『ロミオとジュリエット』では、ロミオの性的衝動（前記の動機5）が刺激要因（美しいジュリエット）に固着し、究極の欲求の対象（ジュリエットを妻とする）を追い求める行動（バルコニーをのぼる）を引き起こす。

アクション・プロットである歴史ドラマ『ヴァイキング～海の覇者たち～』では、若き戦士がはじめて勝利を味わい、これが契機事件となって動機7と8を結びつけて、支配欲を掻き立てる。王位という輝かしい欲求の対象が、主人公を未来へ向かわせる。

ジョン・ケネディ・トゥールの小説『愚か者連合』、ギュンター・グラスの小説『ブリキの太鼓』、パトリック・ジュースキントの小説『香水――ある人殺しの物語』、マーティン・マクドナーの戯曲『ビューティ・クイーン・オブ・リナーン』などの堕落プロットでは、主人公たちがトラウマに苦しみ、潜在的な動機1と2と3に火がつく。彼らの欲求の対象は、ときに殺意を帯びた奇怪な行為となり、最後にはみずから命を絶つか、狂気に陥るか、あるいはその両方に至る。

選択によって明らかになる実像

作家はキャラクターの内面をどのように表現するのか。

性格描写によってではない。キャラクターの表向きの行動が魅力的であればあるほど、読者や観客は対照的な内なる要素を知りたくなるものだ。タフに見える人物がいれば、弱みはないのかを知りたくなる。

他者の発言によってでもない。あるキャラクターが他者について思っていることが真実かどうかはわからないが、そう言ったということ、それをだれが言ったかということは、その先で明らかにされる事実の布石となるかもしれない。

キャラクターがみずからについて語る内容によってでもない。読者や観客は、キャラクターの告白や自慢話を大きな疑いを持ちながら聞く。人間というものは、自分を理解するのと同じくらい、自分を欺きもすると知っているからだ。

読者や観客は、キャラクターの真の姿を明らかにする出来事が起こるのを待っている。信頼できるただひとつの方法は、追いつめられた状況でキャラクターがどんな選択をするかを見ることだ。人間は生涯におこなった無数の選択によって成り立っている。

アメーバから類人猿まで、地球上のすべての生き物は、生命を優先させるという自然の第一法則に従っている。自然はすべての生き物に対して、遺伝子を守るために、プラスと信じたほうへ向かって行動することを命じている。カモシカにとっての無残な死は、ライオンにとっての昼食である。

生を死に優先させるという自然の性向が、人間のすべての選択をプラス（生を豊かにするもの）へ向けさせ、マイナス（死を感じさせるもの）から遠ざける。ソクラテスの教えのとおり、悪いと思うことを故意におこなう人間などいない。ただ、プラスと信じることに向かって行動する。主観の問題だ。生き抜くために必要であれば、心は不道徳を美徳と書き換える。[原注8]

読者や観客がキャラクターの視点を理解し、単純なプラス／マイナスの選択（幸福と不幸、正と誤）に直面するところを見れば、どんな選択をするかは見なくても（おそらくキャラクター自身が知る前に）わかる。マイナスを拒否し、自分がプラスと思うものを選ぶはずだ。中核の自己はつねにそう選択する。それが第一法則だ。そのため、マイナスとプラスを明確に選択する（貧困と富、無知と知恵、醜さと美しさ）のはありふれたことだ。

ジレンマによって明らかになる実像

最も説得力があり、キャラクターの実像が明らかになる決断は、ほぼ同じ重みのあるふたつのものから一方を選ぶことだ。こうしたジレンマには、前向きなものと後ろ向きなものの二種類がある。

前向きなジレンマとは、同じくらい魅力的だが両立しないふたつの選択肢をキャラクターに突きつけるものだ。両方を望んでいるが、事情によってどちらかを選ばざるをえない。たとえば、ロマンティック・コメディの典型的なジレンマでは、やさしく献身的で寛大だが退屈な男と、情熱的で才気にあふれて魅力的だが確実に不幸にさせられる男と、両者のあいだで女性が板ばさみになる。

後ろ向きなジレンマとは、同じくらい魅力のないふたつの選択肢をキャラクターに突きつけるものだ。どちらも望まないが、事情によってどちらかを選ばざるをえない。たとえば、古典的な結婚劇では、家族が勧める男と結婚しなければ、女性は家族から縁を切られるが、家族が選んだ男と結婚すれば、一生退屈な生活を送ることになる。

わかりきった選択は簡単にできて、危険にさらされることもないが、ジレンマはキャラクターに重圧を与え、危機にさらす。わかりきった選択から読者や観客の知らない物事が明らかになることはほとんどない。ジレンマのなかで決断するからこそ、ほかの選択肢がキャラクターの心のなかを駆けめぐる。キャラクターが選択に苦悩するなか、見え隠れする可能性が、読者や観客の好奇心をストーリーのクライマックスへ駆り立てる――この人物は結局どうするのだろうか、と。

どちらを選ぶにせよ、重圧がかかるなかでの行動がキャラクターの実像を明らかにする。

例を三つあげよう。コーマック・マッカーシーの小説をコーエン兄弟が映画化した『ノーカントリー』(07)では、ベトナム帰還兵ルウェリン・モスが、麻薬取引にからむ二百四十万ドルの大金のために生命の危険を冒す。モスはその金を奪うことを選び、自分と妻の命を代償とする。リン・ノッテージの戯曲『SWEAT スウェット』では、工場で働くシンシアが、生涯の友である労働者側の仲間とストライキに参加するか、それとも下っ端の管理職として新しい役職に就くかの選択を迫られる。彼女は仕事を選び、友人関係を犠牲にする。アンドリュー・ショーン・グリアの小説『レス』では、主人公アーサー・レスがジレンマに立ち向かう。作家としての大きな成功を得るために苦闘し、そのために痛みをともなう犠牲を払うのか、それとも、小さいこと（レス）を受け入れて気楽な生活で楽しみを得るのか。レスは後者を選ぶ。

対立によって明らかになる実像

キャラクターがリスクの高いジレンマのなかで行動を起こすと、自分の世界のなかに敵対する力が発生することは避けられない。こうした障害を乗り越えるため、キャラクターはつねに即興で対応していく。選択は、ときに直感的に、ときに注意深くおこなわれるが、つねに重圧にさらされている。何かを得るためには失うものもあるという状況だ。危機をともなう重圧が大きければ大きいほど、キャラクターがおこなう選択は、その真実の姿を強く表すものになる。

人生に影響を与えるような出来事がさらに起こると、キャラクターの進化した本質は、これまで持っていた信念や価値観に従うか反発するか、受け入れるか拒否するかを選択する。深く心に感じた経験があいまいであるはずはなく、選択には偏りが付き物であり、行動には感情がこもる。そのため、選択と行動によって、キャラクターが人間として洗練されるか未熟なままでいるか、成長するか衰えるかが決まる。

つまり、重圧の大きさで実像の深みと本質がわかる。たとえば、あるキャラクターが誠実か不誠実かをたしかめるにはどうすればいいか。何もリスクにさらされていない状況では、重圧は軽く、真実を語るのに苦痛はない。だが、すべてが――人生そのものまでが――危機にさらされたときや、その影響が人間としての忍耐の限界にまで達したとき、真実を語るか嘘をつくかの選択には、耐えがたいほどの重圧がかかる。どちらを選んだとしても、その選択はキャラクターの奥深い中核の自己を明かすものとなる。

キャラクターはひとたび手段を選択すると、行動する自己にいわば演技をまかせ、行動する自己は個人的自己あるいは社会的自己を演じる。演技指導をしていないあいだ、中核の自己はドキュメンタリー映画の撮影班のように、表向きの自己がおこなうことをすべて観察し、記録する。終わったあと、中核の自己はたいがい、もう少しうまくやれればよかったのに、と考える。

複雑なキャラクターを作るときは、その価値要素を、プラス（愛、勇気、希望など）とマイナス（憎しみ、臆病、絶望など）の両極端の振れ幅に沿って想像してみよう。たとえば、自分の命が危機にさらされたとき、勇気と臆病のあいだのどこに立たせるのか。複雑なキャラクターは、その両方の感情を具えている。人生の意味を失ったとき、希望と絶望のあいだのどこでどのように自分の将来を見ているのか。親密な関係にある相手がいるとしたら、愛することができるのか。愛と憎しみのあいだのどこに、あなたはキャラクターを置くだろうか。

「誠実／不実」の価値要素を考えてみよう。誠実そうに見えるキャラクターがいて、ほかの者からも誠実だと言われ、自分でも誠実だと主張する場合、読者や観客は、そのキャラクターが正直なのか、嘘つきなのか、あるいは節操のない道徳観の持ち主なのかを、どうやってたしかめるのだろうか。失うものが何もない状況で真実を語ることを選んだのなら、リスクをともなわないので、その誠実さは底が浅い。だが、重大な脅威にさらされ、嘘をつけば命が助かるであろうときに真実を語ることを選んだとしたら、その誠実さには深みがある。また、そのキャラクターが聖職者であり、危険にさらされながらも信仰を捨てることを拒否した場合は、聖職者としての神への誓いによって選択の自由がせばめられているので、その誠実さはさほど印象に残らないかもしれない。

選択と自己のあいだの相互作用は、作品を導く三つの大原則を作家にもたらす。

1　リスクにさらされ、緊迫した状況にあるキャラクターが欲求を追い求めるとき、その行動の選択は実像を表す。

2　リスクやプレッシャーが大きいほど、選択は深みを増し、真実の姿を明らかにする。

3　選択が自由であるほど、その選択はキャラクターの真の姿をさらに深く表すものになる。

シェイクスピアの四大悲劇の主人公について考えてみよう。オセロ、リア王、マクベス、ハムレットは、どれもみごとなキャラクターだが、最も複雑なのはハムレットだ。その理由は、選択肢の数だ。オセロは嫉妬で目がくらみ、リア王は娘たちに決断を迫られ、マクベスは魔女の予言によって運命の坂を転げ落ちる。一方、ハムレットは多くの選択肢から自由に選択することができる。自殺するかしないか、オフィーリアを愛するか愛さないか、ポローニアスを殺すか殺さないか、復讐するかしないか、人生を無意味と思うか有意義と思うか、正気を保つか失うか……すべてに選択の自由が無限にある。

したがって、選択とキャラクターの成長との関係は、つぎのようになる。ひとつの価値観を中心としてリスクのない選択をいくつかするだけでは、そのキャラクターは立体感がない存在のままだ。しかし、さまざまな価値観を目の前にして、多くのリスクを冒して選択をするうちに、複雑なキャラクターとなり、その内面に読者や観客は深く引きつけられる。

たとえば、『キング・オブ・メディア』の初期のエピソードでは、独裁的なローガン・ロイ（ブライアン・コックス）が、コカイン中毒の息子ケンダル（ジェレミー・ストロング）を支配下に置き、ほとんど選択の機会を与えない。ケンダルの反応は、彼が弱く浅はかで、小心者であることを物語っている。けれども、ケンダルが父親から離れ、みずから危険な選択をするようになると、重厚で複雑な性格が育まれて、共感が持てる人物となる。

実像と感情

キャラクターが行動を起こし、その世界が敵対する力に反応すると、その場面で問題となる価値要素のあり方が変わる。価値要素がマイナスからプラスへ動くと、キャラクターは前向きな感情をいだく。逆もまた真だ。価値要素がプラスからマイナスへ動くと、キャラクターは後ろ向きの感情をいだく。第七章で説明したとおり、感情は変化の副作用だ。

情報によって刺激を受けると、分泌腺が開いて、特定の感情を引き起こす脳内化学物質が血中に流れこむ。美しい光景を目にすれば、ドーパミンやセロトニンが脳内に放出され、快楽の感情が湧きあがる。グロテスクな光景を目にすれば、扁桃体や島皮質に作用する科学物質が放出され、吐き気がするほどの嫌悪感が湧きあがる。だが、すぐに大脳辺縁系が感情を鎮める化学物質を生成し、心と体を平衡状態にもどす。快楽と苦痛の強烈な感情は、ピークに達したあと、薄れていく。

快楽と苦痛は、さまざまな強度や性質に細分化されるが、その種類についての科学的な合意はない。伝統的な心理学では、喜び、恐怖、怒り、悲しみ、嫌悪、驚きの六つを基本的な感情としている（プラスの感情が「喜び」しかないのに注目してもらいたい）。執筆の際の参考となるように、わたしはこの六つに対義語を組み合わせて拡大し、つぎの十二種類の感情のパレットを作成した。「愛／憎しみ」、「友好／怒り」、「喜び／悲しみ」、「驚き／平静」、「愉快／嫌悪」、「勇気／恐怖」である。

「感情」と「感覚」はよく混同して使われることばだが、わたしの考えでは、このふたつは及ぼす影響の質が大きく異なる。感情は突如として強く襲ってきて、ピークに達したあと、時間とともに薄れていく。感覚はゆっくりと訪れ、出来事の背景にあって、長くつづくものだ。喜びは感情で、幸福は感覚だ。悲しみは感情で、失意は感覚だ。

あなたも思いあたるだろう。ある朝、最高の気分で目を覚まし、一日じゅう笑顔で過ごす。特に理由はなく、自分の内なる振り子が楽観的なほうに振れているだけだ。そうかと思えば、一日じゅう、頭の上に雲が垂れこめたような気分で過ごすこともある。やはり理由はなく、振り子が不機嫌なほうに振れているだけだ。

成果をあげた達成感と失敗による屈辱感、明るい未来への希望と災害の兆候への予感、晴れやかな気持ちと不機嫌な気持ち、愛する人への信頼と不貞への疑惑など、感覚は最初に刺激となったものを忘れたあとも人間性を長く色づけし、しばしば役柄の生涯にわたる性格を形作る。

転換点から転換点へと、人生の価値要素のあり方が変わることで、キャラクターは前述の十二の感情のどれかを経験する。たとえばロマンティック・コメディでは、悲しみに暮れていたキャラクターは、恋に落ちれば喜びに輝き、喜びに満ちていたキャラクターは、恋を失えば悲しみに沈む。

とはいえ、シーンを書く際に、内なる感情を知ることは出発点にすぎない。純粋な状態の感情は鈍器のようにキャラクターを襲う。人生において、十二の基本的感情は、その度合いを無限に変化させ、強さにも微妙なちがいがある。それでは、ある場面でキャラクターがどのように感情のちがいを表現するかを決めるものはなんだろうか。答えは性格描写だ。個性的なキャラクターから発せられる雰囲気、印象、気品、質感は、基本的感情を真に独創的なふるまいへと転じさせる。喜びを高らかに歌い踊って表現するキャラクターもいれば、目もとに笑みを浮かべるだけのキャラクターもいる。

実像と反応

現実は人間の基本的な行動を制限する。教育を受けるか、無知のまま生きるか、結婚するか、独身でいるか、働くか、怠惰に過ごすか、腹八分目にするか、むさぼり食うか、人生に立ち向かうか、背を向けるかといった、比較的短いリストのなかから選ぶことになる。一方で、ある行動に対して人間がとりうるそのときどきの反応は無限にあるだろう。

たとえば、あるキャラクターが教育を受けようと奮闘しているとき、勉学にまつわる試練に対して起こすリアクションは、世界じゅうのあらゆる学校のあらゆる学生と同じように多種多様だ。恋愛、仕事、健康など、人生のあらゆる重要な側面でも同じことが言える。否定的な力に行く手を阻まれたときにおこなう選択は、中核の自己の表れであり、どのように反応するかはそのキャラクター独自のものだ。

『カサブランカ』では、リック・ブレイン（ハンフリー・ボガート）が、ヴィクトル・ラズロ（ポール・ヘンリード）に、なぜ生命の危険を冒してまで反ファシスト運動をつづけるのかを尋ねる。

ラズロ　なぜ呼吸をするのかという質問と同じだ。呼吸をやめれば人は死ぬ。闘わなかったら、世界も死ぬんだ。

リック　それがどうした？　惨めさから抜け出せるじゃないか。

ラズロの簡明な宣言は、理想主義者ならだれでも言うであろうことだが、それに対するリックの反応、すなわち、文明の死は慈悲の行為であるという信念は、キャラクター固有のものだ。リックの選択は、彼にしかできないものであり、あとにも先にもアメリカのあらゆるアンチヒーローのなかで際立った存在となっている。

この原則は、キャラクターを作る際の指針となる。緊迫した状況下での行動の選択は実像を表すものであり、丹念に表現された斬新なリアクションは、性格描写を際立たせて、好奇心を掻き立てる。

実像と自由意志

キャラクターの決断と行動は、すべて作者の想像力から生まれたものであり、キャラクターの選択は、実際には作者の選択だ。しかし、読者や観客の立場からすると、逆のように感じられる。架空の世界では、独立したキャラクターが独立した人生を歩み、みずからの意志で行動している。では、現実と架空、それぞれの世界で、人間はどれくらい自由な選択ができるのだろうか。

『マトリックス』（99）はこの疑問を掘りさげる。主人公のネオ（キアヌ・リーブス）は、自分が現実として経験していることが、実はマトリックスと呼ばれる仮想現実であることを知る。この偽りの世界は、全能のＡＩ（人工知能）が作り出したもので、奴隷となった人間を自由であるかのようにだまし、ＡＩを動かすためのエネルギー源として人間の肉体を利用している。ネオは、AIのエージェントを倒してマトリックスから抜け出すべく、それに必要な意志の力を得るために戦う。

自由意志と決定論については古くから議論されてきたが、近年の神経科学や量子論の隆盛により、論争は新たな熱を帯びるようになった。一方は、自由意志は幻想であり、すべての選択は人間が制御できない力によって起こるものだと主張し、〔原注9〕もう一方は、意志は外因か内因かを問わず、あらゆる原因とかかわりなく発動すると考えている。〔原注10〕この論争は、スペキュレイティブ・フィクション〔現実世界とは異なる世界を理性的に構築して作られたフィクション作品〕と写実的なフィクションの両方の作家に影響を与えてきた。どちらの立場をとるかによって、ストーリーと登場人物が決まる。

自由意志否定派

自由意志を否定する人々は、意志が自由であるためには、選択に原因がかかわってはならないと主張する。原因のない決定は、過去のいかなるものとも関係がなく、まったくの自然発生的なものだ。しかし、もちろん、だれもが知るように、物理的宇宙では、人間であれ宇宙であれ、すべての活動に原因がある。ビッグバンにすら原因がある（まだ解明されてはいないが）。否定派は、「原因のない原因」は論理的な誤りであるから、人間は自由意志を持ちえないと主張する。

自由意志肯定派

イギリスのシットコム『フォルティ・タワーズ』（旧題『Mr.チョンボ危機乱発』）で、主人公バジルの車が故障する場面がある。バジルは車にさんざん脅しをかけたあと、三つ数えてから、車に最終警告を与え、大声で言う。

バジル　警告したろう！　何度も何度も言ってやったじゃないか！　わかってるな！　徹底的に叩きのめしてやる！

バジルは近くの木の枝を折り、フェンダーを叩いて塗装を剥がす。バジルは車を責め、視聴者はバジルを責める。

だが、車と同様に、バジルにも選択の余地がなかったとしたらどうだろう。脳内化学物質の不足による奇行の可能性はないだろうか。あるいは、生い立ちに問題があったのかもしれない。そうであれば、両親が責めを負うべきなのだろうか。しかし、両親に自由意志がないとしたら、責めることができるだろうか。それはありえない。責任の所在を追求しつづけると、無限にさかのぼることになるので、われわれはバジルが自由意志で車に悪態をついたと考えることを選ぶ。

自由意志がないと考えることは、選択をしないと考えることとはちがう。［原注11］遺伝子や個人的な経験の影響を心がどれだけ受けていたとしても、選択は現実のものだ。心の奥深いところで、その行動をとったときに何が起こるのか、起こりうる結果を理解して神経伝達がおこなわれ、行動を選択する。人生で経験したことすべてを目前の状況に結びつけ、結果を想像し、選択をおこなう。信念をもって選択したのでなければ、自分の行動に責任を持つことはできない。法は消え失せ、個人を結びつけるものは絶たれて、映画『パージ』（13）の世界〔一年に一度、十二時間のあいだすべての犯罪が合法化される〕が三百六十五日、二十四時間、現実となるだろう。

人間に自由意志がないとしたら、いままでとはちがう人物になるために、自分自身を変えることができるだろうか。人間の意志が、少なくともある程度まで自由でないとしたら、創造や変化は可能だろうか。もしすべての選択が過去によって決まるのだとしたら、どうやって新しいものが世に現れるのだろうか。自由意志がなければ、この世に不要なものは存在しないはずだが、単なる楽しみのために人間が作り出したものが歴史上いくつも存在する。子供が家にあるものを使って新しい遊びを考えるように、芸術家はすでに存在するものを使って、これまで存在しなかったものを作りあげる。子供のころの遊びは、自由な選択の本質であり、成熟した芸術はそれを最大限に表現したものだ。〔原注12〕

先に述べたように、あなたが書くどんなストーリーも、自由意志に対する肯定と否定の両方の証となる。ストーリーがはじまり、まだ結末がわからないときには、あらゆることが可能に思える。だが、クライマックスでは、主人公の心理を深く知り、主人公を取り巻く社会的、個人的、物理的な力のすべてを理解しているので、主人公がとった選択は本人にとって唯一可能だったものであり、主人公が住む世界からの反応は、それ以外に考えられないものだったとわかる。主人公が選んだ道は、唯一とりうる道だったのだ。キャラクターの選択は、契機事件から物語のクライマックスに向かって見ると、自由で予測不可能に感じられるが、クライマックスから契機事件を振り返ると、必然的で運命づけられたものだ。ひとつの方向から見ると自由意志が成り立ち、別の方向から見ると過去にさかのぼって決定論が成り立つ。

われわれの自由意志に対する感覚は、その原因を知らないせいで生じる妄想かもしれないが、そうであったとしても、それはわれわれの妄想であり、受け入れる以外に選択の余地はない。あなたのキャラクターが選択をおこなうとき、決断に至るまでには四つの経路が考えられる。ふたつはキャラクターがコントロールできないもの、ふたつは自由意志によるものだ。

1　周囲の状況がキャラクターの人生を否応なく押し進め、よかれあしかれ、好むと好まざるとにかかわらず、その選択を決定する。

2　潜在意識下の自己が、中核の自己にはけっして考えつかない選択をしたり、正当化したりする。

3　どうすべきかをキャラクターがすばやく考える。いくつか浮かんだ選択肢のなかから、ひとつが心をとらえ、直感的に決断する。

4　キャラクターが自分の選択肢をゆっくりと考え、よい点と悪い点をリストにして、すべての起こりうる結果を検討し、その影響を慎重に熟慮する。そのうえで、最後に自分で選択をおこなう。このように理性的な流れのあとには、たいがいキャラクターの人生最大の失敗が起こる。

最終的に、すべての選択をおこなうのは、作者であるあなた自身だ。

9　多元的なキャラクター

相反するものをひとつにする

ここで復習しよう。性格描写とその陰に隠れた実像は、ともにキャラクターの潜在意識に浮かんでいる。そこは、衝動や欲求、無意識の習慣や気質が渦巻く海だ。三つの側面――表向きの自己、内なる自己、隠れた自己――がひとつになってキャラクターが完成するのだが、この三つがばらばらに飛んでいかないようにしているのはなんだろうか。表層の人格、内なる自己、潜在意識の衝動をまとめて、ひとつの統一されたキャラクターにするものは何か。

答えは、対立や矛盾による力だ。

紀元前五世紀、ギリシャの哲学者ヘラクレイトスは、現実世界は矛盾という仕組みでひとつにまとまっている、と主張し、「冷たいものはあたたまり、熱いものは冷める。湿ったものは乾き、乾いたものは湿る」と語った。「熱い／冷たい」がひとつになって温度を生み出し、「乾いた／湿った」がひとつになって湿度を生み出す。そして「誕生／死」が生命を作り出す。このように、すべての物理的存在の原動力が働いて、「相反するものの結合」が生まれる。

この原則は人類にもあてはまる。人間は生まれた瞬間から少しずつ死んでいく。進化をつづけ、覚醒しながら夢を見、夢を見ながら覚醒している。年齢がどうであれ、若くもあり、老いてもいる。年長者より若く、年少者より老いている。性的指向がどうであれ、女性でも男性でもある。

巧みに設計された役柄の調和した姿のなかには、生き生きとした矛盾が交錯している。つまり、相反するものがひとつになって、キャラクターの複雑さを作りあげるという原則だ。複雑なキャラクターが登場するストーリーでは、醜さと美しさ、抑圧と自由、善と悪、真実と嘘といったものを結びつける本質的な矛盾が、美しく洗練された形で保たれている。

キャラクターの対立要素

人間性の感情を奏でる楽器に弦が張られたのは太古の時代であり、その何十万年ものちにソクラテスや仏陀やキリストが調律しなおした。正直、寛容、勇気といった美徳は、同じ社会、同じ人間のなかで絶えず向きを変えて、裏切り、利己主義、臆病になる。その結果、人類はパラドックスに支配されている――家族を愛しながら憎み、時間を節約しながら無駄にし、真実を求めながら明白なことを否定し、自然を重んじながら穢し、平和を願いながら戦争に突入する。複雑なキャラクターは、まず、ある姿の自己を見せ、つぎにその正反対の姿に変わり、またもとの姿にもどる。

このような変遷にはパターンがある。キャラクターがほかのキャラクターや自分自身とどのような関係を築いているかによって、あるときはプラス、あるときはマイナスへと、両極のあいだを揺れ動く。流行りの服に身を包んだ高級風俗店の常連がいるとしよう。有能だがストレスをかかえた企業幹部で、部下に恥辱(ちじょく)を与える一方、上司を神のように崇める。そして、権力の快楽と屈辱の痛みのバランスをとるために、鞭に身を委ねる。ディオールのスーツを着たこの矛盾した存在を表す完璧な表現として、心理学者は「サドマゾヒスト」ということばを作った。

あるキャラクターの内と外の性質が結びついて、ひとつの機能を形作ると、その役柄は類型的なものになる。看護師、警察官、教師、スーパーヒーロー、悪役、相棒などだ。一方、矛盾によってひとつにまとまった役柄は、完全で複雑さを具えた魅力的なキャラクターとなる。相反するものが**対立要素**を形成するのだ。

多元的なキャラクターがわれわれの好奇心を刺激するのは、ひとりの人間のなかに矛盾したふたつの側面が存在するからだ。それによって、予測不可能で魅力的なキャラクターになる。それは一瞬ごとに、どんな面が現れるのだろうかと思わせる。

六つの矛盾における複雑さ

あるキャラクターの持つ対立要素は、さまざまな表向きの性格描写、内なる自己、隠れた自己のあいだに存在している。さらに、この三つは、互いに矛盾することも多い。そのため、複雑なキャラクターには、六種類の異なる対立要素が存在することもある。

1 性格描写のふたつの側面のあいだにある矛盾

たとえば、毎朝化粧に一時間かけながらも歯を磨かない女性を想像しよう。この女性は、夫に暴言を吐きながら子供を甘やかし、上司にへつらいながら部下に高圧的に接している。この三組の対立要素は、性格描写の本質――彼女の物理的、個人的、社会的な自己――を融合させて興味深い行動を引き起こし、読者や観客は彼女にとって何が重要で何が重要でないのかをよく考えることになる。

性格描写のレベルでは、キャラクターは自分の特徴を自覚していることが多いが、それを矛盾だと認識することはほとんどない。むしろ、それを必要なものとしてみずから正当化する。こうした行動をほかの登場人物も理解し、それに対してどう考えるかをみずから選択する。

2　性格描写と実像のあいだにある矛盾

車椅子でうたた寝をしている老女を想像しよう。目を覚まし、老人ホームにいる男たちを見つめる彼女の目は、突如として、ロマンティックな恋への憧れという永遠に若々しい夢で輝く。

3　性格描写と無意識の欲求のあいだにある矛盾

きわめて活動的で、つねに何かに挑戦しつづけているが、隠れた自己はいつも冷静な女性を想像しよう。この穏やかな自己は、彼女が危機に直面したときにだけ出現する。脅威にさらされたとき、彼女は落ち着きを見せ、集中して力強く行動する。

キャラクターの潜在意識を理解する鍵も、やはり矛盾である。あるキャラクターの発言と行動が一致しないとき、どんな可能性が考えられるだろうか。ひとつは、嘘をついている場合だ。自分がほんとうに望むものを知りながら、表向きは正反対のことを望むふりをしている。もうひとつは、正直者である場合だ。自分が口にすることを心から信じていて、自分がほしいものをほんとうに求めているのだが、それを手に入れようとすると、何かに努力を阻まれる。自分ではなぜだかわからないが、ときおり、そのキャラクターはやや暗い顔を世界に向ける。潜在意識にあるのは矛盾した力だ。

4　自覚したふたつの欲求のあいだにある矛盾

不義を働く者のジレンマ――夫への献身と愛人への情熱のあいだで板ばさみになっている女性。

実像のレベルでは、自己を認識し、自覚した心が、おのれの内なる矛盾を分析し、悩み、どう選択すべきかともがき苦しむ。自分のジレンマを他人に話せば、それは性格描写の一面となる。サブテクストとしての対立や葛藤を自分の心にとどめれば、読者や観客はそれをほのめかしとして感じとることしかできない。だが、ひとたび彼女が行動を選択すると、読者や観客は彼女の心をはっきりと理解し、内なる対立要素を感じとることができる。

ふたつの自覚した欲求のあいだの矛盾を表現するために、サミュエル・ベケット（『ゴドーを待ちながら』）、ジャン・ジュネ（『女中たち』）、スーザン＝ロリ・パークス（『トップドッグ／アンダードッグ』）などの劇作家は、心をふたつに分けて、いがみ合うふたりのキャラクターを内なる矛盾の象徴としている。

5　自覚した欲求と潜在的な欲求のあいだにある矛盾

恋愛のジレンマ――恋人への熱烈な愛情と、深い交際への恐れのあいだで板ばさみになっている男性。

この五番目のタイプの矛盾を象徴する作品である、ロバート・ルイス・スティーヴンソンの『ジキル博士とハイド氏』、フョードル・ドストエフスキーの『分身』、ジョゼ・サラマーゴの『複製された男』などの小説では、意識と潜在意識の矛盾を表現するにあたって、相反する衝動（善への衝動と悪への衝動）を持つふたりの登場人物をそれぞれの鏡像としている。

『ブレイキング・バッド』のショーランナーであるヴィンス・ギリガンは、主人公ウォルター・ホワイトにハイゼンベルクという裏社会での第二の自己を与えた。このドッペルゲンガーがはっきりと現れるのは、第五シーズンの第十四話だ。凶暴なネオナチ集団のリーダーであるジャックが、ウォルターの義弟ハンクを追いつめる。銃を構えたジャックに、ウォルターはハンクを殺さないよう頼む。そのときの彼はまぎれもないウォルターであり、思いやりを持つ男だ。

だが、ジャックがハンクを殺した直後、ウォルターは自分の元教え子であるビジネスパートナーのジェシーを裏切る。そこでは、ウォルターの凶暴な潜在意識の表れであるハイゼンベルクが主導権を握っている。

6　ふたつの無意識の動機のあいだにある矛盾

家族のジレンマ――愛する人のために自分の欲求を犠牲にする必要と、自分の個人的な野望を実現するために他人を犠牲にする必要が対立している場合。

潜在意識下にある対立要素は、ふだんは自覚されず、考えが及ぶことも表現されることもない。読者や観客は、重圧のなかでキャラクターが選択した行動を通してのみ、内なる矛盾を感じとれる。

たとえば、子供は親に対して、恐れと畏敬、愛と憎しみなど、矛盾した潜在意識を持つことが多い。シェイクスピアは『ハムレット』のなかで、息子の矛盾した感情を、高貴な父と卑劣な叔父というふたりの人物に投影した。『ライオンキング』（ハッピーエンド版の『ハムレット』）は、この二面性を演劇と映画で繰り返し表現した。『シンデレラ』に登場するやさしい妖精と意地悪な継母も同様の存在だ。

イングマール・ベルイマンは『仮面／ペルソナ』（66）で、看護師と患者をひとりの女性として融合させたのち、あらためて切り離し、さらに融合と切り離しを繰り返して、分裂した魂を表現した。

ダーレン・アロノフスキー監督の『ブラック・スワン』（10）では、チャイコフスキーの『白鳥の湖』のリハーサルに取り組むバレリーナ、ニナ・セイヤーズ（ナタリー・ポートマン）が、分裂した自我のあいだで葛藤する。このバレエの演目では、白鳥と黒鳥という対照的なふたつの主人公をひとりのバレリーナが演じるので、映画はこの設定を利用して、ニナの二重の自我を劇的に表現する。

白鳥の役には、均整美、優雅さ、冷静なきまじめさ、そして何よりも、完璧を追い求めるニナを特徴づける正確な技術が求められる。一方、黒鳥には、創造性、自発性、性的な奔放さなど、正反対の才能が求められる――ニナのなかにありながら彼女が必死で抑えつけてきた、力強く動物的なエネルギーだ。厳格な「白鳥」と、官能的だが抑圧された「黒鳥」とがニナのなかで戦い、妄想的な幻覚となって現れる。クライマックスでは、ニナのふたつの自己がついにひとつになり、命をかけた完璧な舞いを披露する。ふたつの自己が互いを燃やしつくし、ニナは「完璧よ」とつぶやきながら死んでいく。

相反するものがひとつになった現実世界での例として、小説家、劇作家、脚本家として多元的な活躍を見せたグレアム・グリーンについて考えよう。グリーンには、自己嫌悪と自画自賛、きびしすぎる自制心と自己破壊が同居し、異様なほどロマンティックでありながら冷淡な皮肉屋であり、敬虔なカトリック教徒でありながら生涯にわたって姦通にふけり、ノーベル賞候補になった文豪でありながら大衆小説も書き、厳格な神学者でありながら道徳的相対主義者であり、共産主義者を気どりながらひそかに君主制を支持し、反帝国主義の活動家でありながら旧植民地に寄生し、きわめて高い教養を持ちながら薬物に溺れた。グリーンは並はずれた芸術家であり、その人間性もまた常人とは異なっていた。［原注1］

時間の経過のなかでキャラクターを統一するためには、矛盾が一貫していなくてはならない。ある男性が木からおりられなくなった子猫を助けたとしても、それは矛盾ではなく不要の親切であり、読者や観客の安っぽい共感を得るだけだ。ある女性がストーリーの全編にわたって猫を救ったあと、突然犬を足蹴にしたとしても、それは矛盾ではなくただの苛立ちだ。

矛盾は変動しうるものでなければならない。猫は好きだが犬は苦手なので、子猫は救うが子犬は見捨てるというキャラクターは、心のなかに葛藤がある。読者や聴衆は、この神経質な矛盾をおもしろがり、その根源となるものに興味を持つはずだが、そのパターンが繰り返されるようではまずい。対立要素は予測不能で絶えず変化する必要があり、猫と犬が何度も同じように裏庭で助け出されたり、捨てられたりするのはよくない。

さらに、緊張感を保つために、矛盾は解決不能に感じられるものでなくてはならない。たとえば、永遠なものなどないと主張しながら無意識に永遠に対して憧れをいだく無神論者や、自由意志は幻想だと考えることをみずからの自由意志で選択する神経科学者、予測不能な結果をひそかに喜ぶラスベガスのオッズメーカーなどだ。

キャラクターを特徴づける対立要素

主人公は三組以上の対立要素をかかえていることもあるが、第一のグループの脇役には、通常一組か二組の対立要素しかない。多くの対立要素がその役柄を作りあげるとしても、ひとつひとつの重みや、焦点とするものは同じではない。最も目立つものがキャラクターの本質的な精神を特徴づけ、そのほかのものが人物像を完成させる。

グレアム・グリーンに見られた九つの矛盾のうち、作家としてのアイデンティティにとってきわめて重要で、それが失われたら本人も消えるほどのものはどれだろうか。「文豪／大衆小説家」ではないかとわたしは思う。ほかの対立要素は他者にも見られるかもしれないが、グリーンが自分のなかで繰りひろげた創造的な戦いは本人だけのものだ。それがグリーンを特徴づけている。

もう一度確認しよう。対立要素とは、キャラクターの性質に内包される、あるいは複数の性質のあいだにある一貫した矛盾のことだ。複雑で多元的なキャラクターでは、このうちのひとつが前に出て、独特のアイデンティティを特徴づける。

ケーススタディ――オデュッセウス

最近おこなわれた「世界に影響を与えた百冊の物語」のアンケートで、世界の識者は、古代ギリシャの詩人ホメロスによって三千年近く前に書かれたとされる叙事詩『オデュッセイア』を一位に選んだ。〔原注2〕同じホメロスの『イリアス』も十位にはいっている。ホメロスの描くキャラクターが、悪意に満ちた好色な神々や、凶暴で悪夢のような怪物たちに立ち向かう場面の数々は、まるで熱に浮かされて見る夢のようだ。『イリアス』と『オデュッセイア』はヨーロッパ文化の根幹をなす物語であり、その中心的人物であるイタケーの王オデュッセウスは、人類史上初の多元的なキャラクターだ。

このふたつの物語に登場する苦難の英雄オデュッセウスは、トロイア軍との戦いに十年を費やし（『イリアス』）、さらに故郷への苦しい航海に十年を費やす（『オデュッセイア』）。敵の戦士、怒れる神々、貪欲な女神、血に飢えた獣たちと戦い、最終的には、勇気と運、そして巧妙な作戦によって勝利をおさめる。『イリアス』において、オデュッセウスはまずふたつの対立要素を与えられる。「現実主義／理想主義」と「服従／反抗」だ。しかし『オデュッセイア』の冒頭で「複雑な男」と紹介されてからは、さらに六組の対立要素が加わる。すなわち「正直／嘘つき」、「聡明／浅はか」、「部下を守る／危険にさらす」、「高潔／卑劣」、「冷静／激情」、「誠実／不実」だ。［原注3］

現実主義／理想主義

オデュッセウスは戦場の現実主義者だ。彼にとって、理想主義的な行動規範は、戦争がはじまれば意味をなさない。たとえば、古代の英雄のしきたりでは、毒薬は卑劣で欺瞞的な武器であり、真の戦士は使うことがなかった。ところが、オデュッセウスは鏃（やじり）に砒素（ひそ）を塗る。

捕らえられたトロイア軍の密偵がオデュッセウスに慈悲を請うと、オデュッセウスはその男を操り、軍事機密と引き換えに命を助けると思わせる。だが、男が機密を明かしたとたん、首をはねる。密偵から得た情報をもとに、オデュッセウスと仲間は眠っていた敵軍を殲滅する。

戦いが十年目になり、トロイア軍はギリシャ軍を海に追いつめる。絶体絶命となったギリシャの歩兵たちは、無能な上官たちに反旗を翻す。敗色濃厚のなか、兵士の反乱に遭えば、現実主義者なら故郷へ敗走するだろうが、オデュッセウスは勝利の理想を貫く。力強く説得力のある声で熱弁をふるって、反乱兵を戦士に変え、ふたたび戦いの場へ高らかに送り出す。

服従／反抗

オデュッセウスは、指揮官である王アガメムノンに忠実に従うが、王の戦術が破壊的だと感じ、「あなたのことばは風と同じで意味がない」と言って、公然と反抗する。

正直／嘘つき

オデュッセウスは、アガメムノンの軍事会議の顧問として、つねに真実、洞察力、知恵をもって語る。そのことばを疑う仲間はいない。だが、ひとたび故郷へ向けて出帆すると、地中海を航海しながら多くの嘘をつく。

オデュッセウスは、巧みな嘘によって何度もトラブルを脱する。彼は老人や物乞い、さらには嘘つきで知られたクレタ島からの移民に変装して人々をだます。神聖な守護女神であるアテナまでだまそうとするが、女神はそれを見破って、こう叱る。「邪悪な男よ。なんと巧妙で欺瞞に満ちたことばを好むことか」

聡明／浅はか

トロイア戦争で、敗色濃厚と思われたとき、オデュッセウスは歴史上最も鮮やかな戦術――トロイアの木馬――を即興で考えつき、ギリシャ軍は勝利をおさめる。しかし、帰路の航海中、オデュッセウスは愚かにも略奪を試みて、単眼の人食い巨人キュクロプスのひとり、ポリュペモスの洞窟に忍びこむ。巨人はオデュッセウスを洞窟に閉じこめ、部下の半数を食べてしまう。

その夜、オデュッセウスはポリュペモスを酔いつぶし、ひとつしかない目をつぶす。だが、無事に船にもどったオデュッセウスは、またしても傲慢な衝動に駆られる。盲目になったポリュペモスを愚弄するオデュッセウスは、ポリュペモスだけでなく、その父である海の神ポセイドンの怒りも買う。激怒した海の神は、大嵐を巻き起こしてオデュッセウスの船を破壊し、帰路を阻む。

部下を守る／危険にさらす

トロイア戦争のあいだ、オデュッセウスは兵士たちを守り、じゅうぶんな食事と医療が与えられるよう気を配る。だが、帰路に就いたオデュッセウスの部下たちは、すべてを忘れられるロトスの実の中毒となった部族を発見する。戦争で傷つき、PTSDに苦しむ老兵たちは、悲惨な記憶を忘れるために、ロトスの実に飛びつこうとする。オデュッセウスは部下たちを救うべく、引きずって船に連れもどす。

その後、オデュッセウスの船団がとある島に寄港したとき、彼はふたたび危険を感じたが、こんどは自分の船だけを岩の後ろに隠して、ほかの船は開けた場所に停泊させ、部下の命を危険にさらす。突然、人食い巨人が襲いかかって船を転覆させ、部下を魚のように槍で突いて食べつくす。オデュッセウスが乗った船だけが難を逃れる。

高潔／卑劣

戦争のあいだ、オデュッセウスは勇敢に戦い、戦利品をしっかり分配して、仲間の戦士に敬意を払う。しかし、帰路の航海では海賊となって、平和な町を略奪で荒らし、警護の者たちを殺害して、女性たちを奴隷として連れ去る。

冷静／激情

戦争中も航海中も、敵軍や怪物を前にしたオデュッセウスはつねに落ち着きを保ち、冷静で的確な偏りのない判断で問題を解決する。

一方、故郷のイタケーでは、オデュッセウスの妻ペネロペイアに求婚する騒々しい若者たちが、オデュッセウスの屋敷に居すわり、彼の富を食いつぶしている。彼らは十年間にわたって、ペネロペイアを誘惑しようとしつこく言い寄っていた。故郷にもどったオデュッセウスは、激しい怒りに駆られ、復讐を果たす。百八人の求婚者を皆殺しにし、彼らに仕える召使いや女奴隷もことごとく殺す。

誠実／不実

故郷を離れたオデュッセウスは不義を繰り返し、キルケなどの魔女と関係を持つ。しかし、聖なる美しさを持つ女神カリュプソが、オデュッセウスに不死を与えると約束しても、オデュッセウスは最愛の妻ペネロペイアをけっして忘れない。

オデュッセウスを不朽の存在としているのは、その負の側面だ。ありふれた英雄は、勇気、知性、緊迫した状況下での冷静さなどのプラスの力を行動で示すものだが、オデュッセウスのキャラクターをふくらませているのは、衝動、冷酷、激情、卑劣、利己的、嘘つきといった特徴であり、それによって多くの矛盾がある性質や、予測不可能な力、深みのある人間性が加わり、彼の驚くべき選択を、だれもが納得できる信憑性が高いものにしている。

オデュッセウスを動かす八組の対立要素のなかで、彼を最も特徴づけているのは、比類なき聡明さと一貫性のない衝動だ。オデュッセウスはトロイアの木馬を考案して、十年に及ぶ戦争を終結させたが、その後、ポリュペモスの洞窟に忍びこむという失態を犯す。衝動的な冒険によって何度も命の危険にさらされるが、催眠術並みの巧みな話術によって何度も危機を脱する。聡明でありながら愚かだ。ホメロスにつづく三千年のフィクションの歴史において、オデュッセウスほどの者はいない。

オデュッセウスは、葛藤をかかえながら強い意志を持ち、死の恐怖をかかえながら人生を享受する、永遠の現代人である。オデュッセウスは、複雑な心理や道徳性を持つ後世のキャラクターたちの土台を作った。作者不詳のベオウルフ、シェイクスピアのマクベス、スタンダールのジュリアン・ソレル、F・スコット・

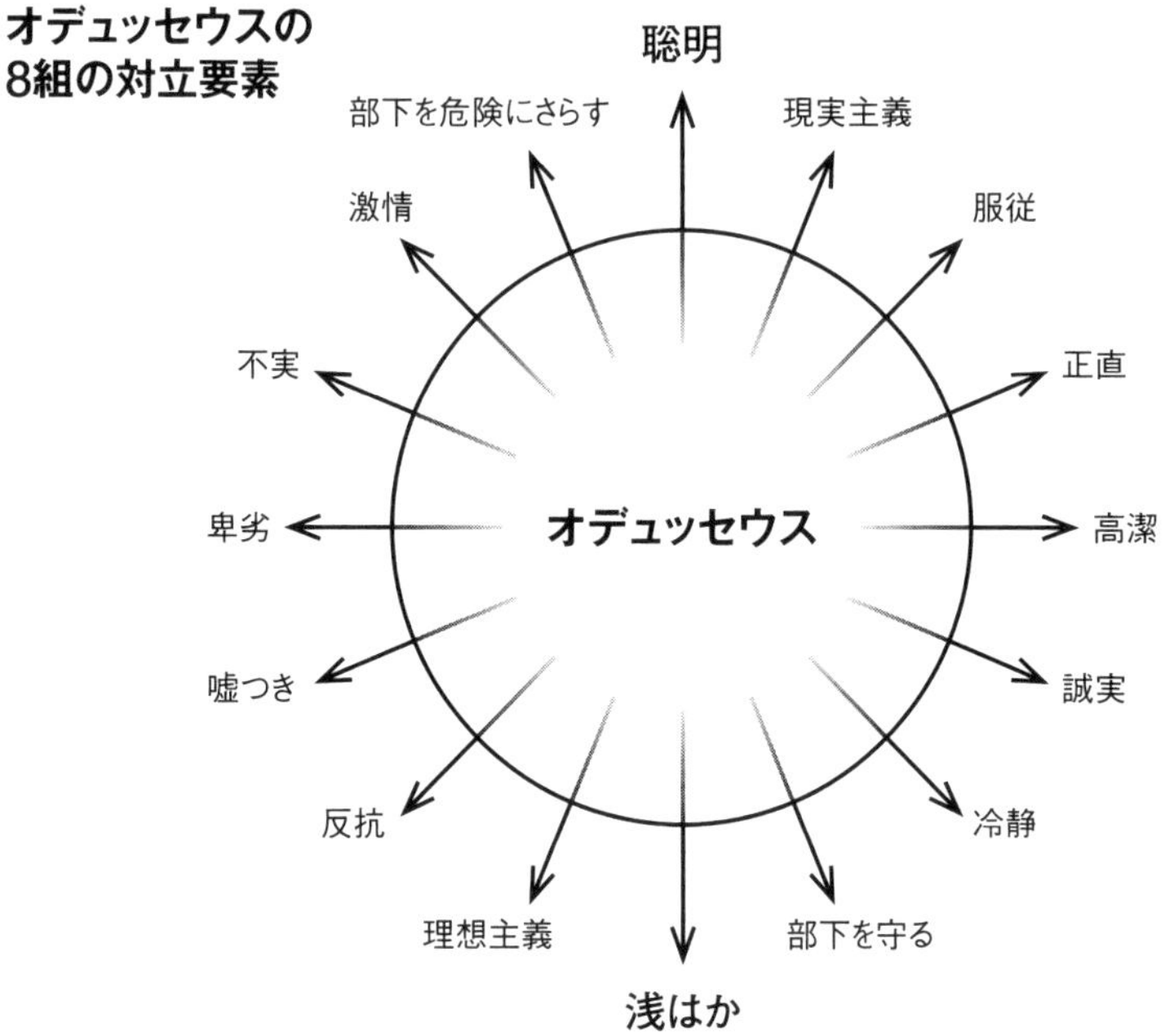

オデュッセウスの8組の対立要素

聡明
現実主義
服従
正直
高潔
誠実
冷静
部下を守る
浅はか
理想主義
反抗
嘘つき
卑劣
不実
激情
部下を危険にさらす
オデュッセウス

フィッツジェラルドのジェイ・ギャツビー、レイモンド・チャンドラーのフィリップ・マーロウ、ウラジーミル・ナボコフのハンバート・ハンバート、マリオ・プーゾのマイケル・コルレオーネ、フィリップ・ロスのアレクサンダー・ポートノイ、ヒラリー・マンテルのトマス・クロムウェルがその例としてあげられる。

ケーススタディ——トニー・ソプラノ

ひとりのキャラクターには、どれほどの対立要素が存在しうるのか。デヴィッド・チェイスが創作した、ニュージャージー州を縄張りとするマフィアのボス、トニー・ソプラノについて考えてみよう。犯罪ドラマ『ザ・ソプラノズ　哀愁のマフィア』は八十六話まで放映され、そのすべてに登場した唯一のキャラクターがトニーだ。

幾重にもからみ合う人間関係に巻きこま

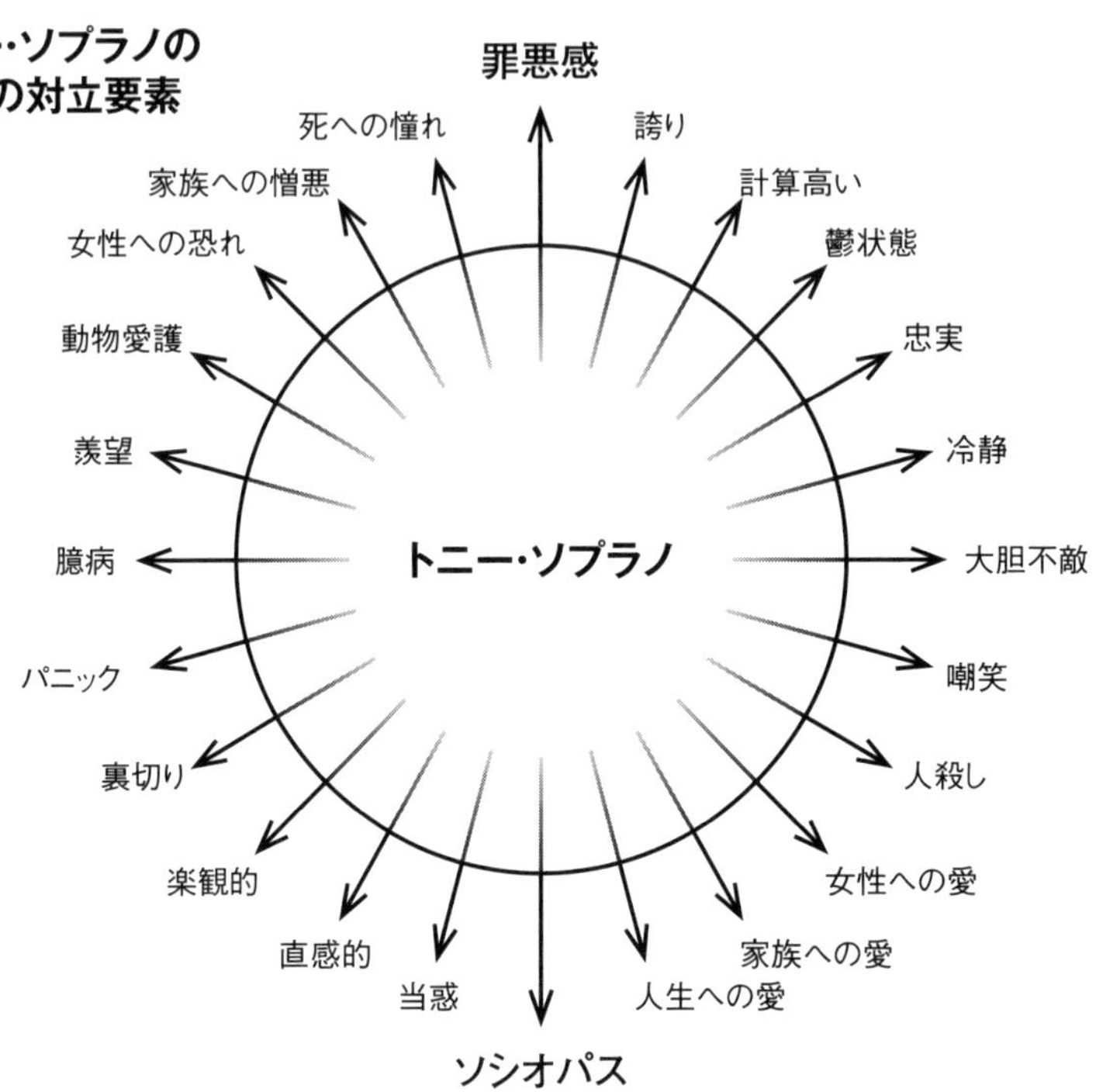

れたトニーの人生には、幼少期までさかのぼる数々のバックストーリーがあった。どんな表現媒体にも登場したことのない複雑なキャラクターを描くには、約八十時間という長さと内容が必要だった。

時計まわりに見ていこう。

1　罪悪感／ソシオパス　ソシオパス（社会病質者）は、良心を持たず、反社会的で自己中心的な性格を持ち、恥や後悔の感覚が欠けている。ときにトニーは明らかなソシオパスだ。

しかし、そうでないときのトニーは、マクベスのごとく罪悪感に苛まれている。付きまとう自責の念に追われ、悩み、苦しむトニーは、パニック障害の発作に見舞われる。

表向きの残酷性と内なる良心というマクベスのような矛盾が、トニー・ソプラノを、小説、演劇、映画、ドラマのジャンルを問わず、これまでで最も魅力的なキャラクターにしている。

人を殺すとなると、トニーは躊躇なく行動する。その強烈な衝動を抑えることはできない。放映されただけで八件の殺人を犯した彼が、画面の外でどれだけの殺しを命じ、手をくだしたかどうかはわからない。ソシオパスであることはまちがいないが、ただ反社会的であるだけなら、たとえマフィアだろうと、大きな組織に加わることはないはずだ。

『ノーカントリー』のアントン・シガー（ハビエル・バルデム）や、カーソン・ウェルズ（ウディ・ハレルソン）のようなプロの殺し屋は、ふたつ返事でマフィアと殺しの契約を結ぶだろうが、組織に加わることはほとんどない。マフィアの世界は法治社会のなかの違法社会だが、伝統的な社会が必要とする善良な市民としての資質が求められる。忠誠心、誠実さ、勤勉さ、安定した家庭生活、節度ある飲酒、一族の掟の遵守、礼儀作法、そして、何より重要なのは、序列のなかで自分より上に立つ権力者への服従だ。

この社会に属する者は、その戒律を破ると、罪悪感が湧き起こり、良心という名の自己嫌悪がうるさく自分を責め立てて蔑む。

もちろん、良心があればの話だが、トニーにはそれがある。良心の絶え間ない呵責に苛まれたトニーは、恐ろしい悪夢に悩まされ、ついには精神科医のもとへかよいはじめる。冷酷な反社会性と、自分を罰する罪悪感という矛盾による根深い対立要素が、トニーの内面の軸であり、ほかのすべての対立要素がその軸から車輪のスポークのように伸びている。

2　誇り／当惑　トニーは息子の愛情深くやさしい性格を誇りに思う一方で、その意志の弱さや自殺願望に当惑している。

3　計算高い／直感的　トニーは何か月ものあいだ、自分の情報をＦＢＩに流している内通者を探して証拠を集めている。ある夜、食あたりでうなされて見た夢のなかで、トニーのもとへ一匹の魚がやってきて、長年の友人であり、組織のメンバーであるサルヴァトーレ・ボンペンシエロ（通称「ビッグ・プッシー」）の声で語りかける。魚はトニーに、ビッグ・プッシーへの疑いは正しいと告げる。ビッグ・プッシーこそＦ

ＢＩのスパイだ。トニーはこの夢を根拠として、友人を殺害する。

4　鬱状態／楽観的　トニーのなかでは絶望と希望が戦っている。

5　忠実／裏切り　トニーは妻を深く愛していながら、多くの愛人を作って妻を裏切る。

6　冷静／パニック　論理的でありながら感情的でもある。緊迫した状況では冷静だが、パニック障害の発作に苦しむ患者でもある。

7　大胆不敵／臆病　ギャングに脅されたときは大胆不敵だが、テロ攻撃の危険性に怯えている。

8　嘲笑／羨望　ふつうの人々の生活をあざ笑う一方、ふつうの人々の生活をうらやむ。

9　人殺し／動物愛護　人を憎んで殺すが、動物は愛護する。

10　女性への愛／女性への恐れ　いかにも男くさいセックス中毒者でありながら、去勢の悪夢に苛まれる。

11　家族への愛／家族への憎悪　母親を憎悪しつつも愛し、「アンクル・ジュニア」を憎悪しつつも愛する。そして何より、自分自身を憎悪しつつも愛する。

12　人生への愛／死への憧れ　トニーは人生の美しさを享受しているが、殺人を犯すたびに死の魅力に取り憑かれる。

トニー・ソプラノはハムレットよりもはるかに多元的だ。シェイクスピアによる四時間の舞台劇で、ハムレットのまわりにはたった十人の登場人物しかいない。一方、デヴィッド・チェイスは、トニーを何十人もの登場人物のなかに置き、約八十時間にわたって、社会的、個人的、内的、意識的、潜在的におこなう選択や行動や反応を描いた。対立要素が全人格を縦横に交差するトニーは、現代における複雑な性格を持つキャラクターの典型である。

だが、ハムレットとは異なり、トニーはどうあがいても変わることができない。このドラマシリーズは大きな疑問を提起する。トニーは道徳的に見て、よい人間に変わるのだろうか、と。答えは「ノー」だ。この世界に生きるトニーたちは、中核の自己を変えることなどできないし、変えるつもりもない。

10　複雑なキャラクター

敵対する力に応じた複雑さ

紀元前三世紀ごろに現れたストア派の哲学者たちは、人生は神々によってあらかじめ定められたものだと説いた。オリュンポスの神々は、人類の未来に起こる出来事をすべて知っているが、実際に起こるまでは身を隠している、と。ストア派はそれを運命と呼ぶが、この考え方は現代にも息づいている。たとえば、不幸な事故で子供の命が奪われたとき、テレビカメラを向けられた親が「神の思し召しです」と言うことは少なくない。

エピクロス派の哲学者たちは、それとは反対の考えを持っていた。われわれが自分の外にある力だと思いこんでいるものは、おのれのなかに隠れている自由意志の働きだという考えだ。人間の力の及ばない偶発的な出来事はわれわれを混乱させるかもしれないが、われわれの意志が引き起こす反応が人生の進む道を決定する。重圧のなかでおこなう選択が未来を形作るというわけだ。ヘラクレイトスは「性格が運命を決める」と表現した。

エピクロス派の考え方のほうがもっともだと思われる。言ってみれば、目に見えない力がキャラクターの人生を形作るのだが、その力は自分自身のなかから出てくる。カール・ユングの教えのように、意識はいまにも爆発しそうな状態にあり、キャラクターが自分の潜在意識の衝動に気づかないかぎり、人生はつねにコントロールできないように感じられ、すべてが予想外の出来事になる。まるで運命に操られているかのように。

大荒れの嵐のなかを行く二隻の船を思い浮かべよう。一隻は沈まず、もう一隻は沈む。二隻を襲うのは同じ海だが、異なるのは運ではなく、だれが舵をとるかだ。シェイクスピアの『ジュリアス・シーザー』で、キャシアスはこう語る。「おれたちがこんなみじめな体（てい）たらくでいるのは、ブルータス、運命の星のせいではない。われわれ自身の罪なのだ」（安西徹雄訳、光文社、２００７年、22頁）

若い主人公が成長するにつれて、外からの要因による破滅的な状況が価値観に影響を及ぼす。追求する価値があるものは何か。追求する価値がないものは何か。潜在意識が主人公の性向を強めると、それは信念となる。実像に根ざすこの強い信念は、つぎのパターンで主人公を導く。

1　自分の信念に基づいて、中核の自己が選択や行動を決定する。逆に言えば、その選択が実像を表す。

2　重圧のなかでの選択は未来を形作り、主人公が何者であるかだけでなく、どのように変化していくかも明らかにする。

3　人生において敵対するものが多様であるほど、選択も多様になる。

4　選択が多様であるほど、性格はより複雑になり、その結果、さらに多元的で、予測不可能で、驚くべきものとなり、ついには主人公の反応や行動を明らかにする。

5　そのため、主人公の性格は、心のなかで戦う敵対する力の複雑さと同じくらい多元的となる。

対立や葛藤のレベルと質は、物理的なもの（宇宙の壮大な力から微細な病気に至るまでの自然の力）から、社会的なもの（雇用や市民権を求めること）、個人的なもの（親密な関係を求めること）、内的なもの（心のなかの相反する欲求）まで、多岐にわたる。

いちばん外側のものから内側へ向かうにしたがって、敵対する力のレベルによって対立要素が増加し、複雑なキャラクターとなっていくのを見ていこう。

物理的葛藤

ストーリーのいちばん外側の葛藤のレベルには、物理的世界の四大構成要素が含まれる。

1　自然環境とその力。人間の視点から見ると、自然は竜巻のように偶発的で、オオカミの群れのように獰猛で、進化のように倫理を無視する。

2　人間が作った環境とそれを制御するシステム。文明は実用的な目的だけでなく、道徳的な目的で生み出された。したがって、われわれ人間は、創造物の美しさはもちろん、汚染、地球温暖化、戦争、その他すべての人為的災害による悪影響にも責任を持つ。

3　肉体環境とさまざまな疾病。脳があるのは、トラブルを起こしやすい生き物の体内だ。この体は、病気、老化、鼻の形の悪さなど、さまざまな問題で心に苦しみを与える。こうした葛藤は、偶発的であり、予測どおりでもあり、無関係でもあり、みずから招いたものでもある。

4　時間環境とその短さ。時間にはこの世に存在するすべてのものが含まれ、時間の経過とともにすべてが消える。

物理的レベルの行動のみに基づいて、性格描写をしてみよう。目もくらむほどの高さからスキージャンプをする、命知らずの若い男がいるとする。ほんとうなら手の届かない最新のスキー用具をひとそろい用意したのは、ロッジで羨望のまなざしを一身に受けたいからだ。夜明けの何時間も前にジャンプの練習に来て、コーチが現れるまでそわそわと時計を見ているのは、時間に対する病的な不安をかかえているからだ。母親に電話で相談ばかりするのは、大人になりきっていないからだ。こうした特徴をまとめると、運動能力は高いが、極度のせっかちで、自己陶酔型で、未熟で、スリルを求める人間ということになる。

多元的な性格描写ではあるが、これだけではせいぜい脇役程度にしかなれない。複雑な主人公へ進化させるためには、その特徴をいくつかの対立要素に変える必要がある。前章で説明したように、ひとつの特徴がほかの特徴とつねに矛盾する場合、そのふたつのあいだの緊張がひとつになって対立要素となる。だから、彼の特徴をひとつずつ取りあげ、その正反対の特徴を想像して、どこへつながるのかを見てみよう。

虚栄心が自信のなさを隠すものだとしたら、運動能力の高さがドーピングによるものだとしたら、命懸けのジャンプへ駆り立てるアドレナリンの放出がマザコン男の亡父への憧れを隠すものだとしたら、ジャンプ台から飛ぶたびに自殺衝動がわずかに満たされるとしたら、空中に浮かんでいるときだけ不安が落ち着くとしたら、その人物はストーリーの主人公になれるかもしれない。

社会的葛藤

つぎに、社会構造と、そのなかでのキャラクターの葛藤について考えよう。

巨大な組織は、時間が経つにつれて頑強となり、中の人間が個人的な責任をまったく、あるいはほとんど感じないほど、規模が大きい階層を作る。こうした階層は、人間を果たすべき役割に見合ったものにし、ピラミッド型のシステムにはめこんでいく。底辺にいる者に権力はなく、頂上にいる者は大きな権力を持ち、その中間にいる者は指揮系統のなかで競い合って、権力をつかみとろうとする。ストレスに満ちた巨大組織は、中にいる人間が自分の役割を喜んで受け入れてこそ存在できる。たしかに、組織は人を育て、教育し、支え、そして果たすべき役割を作りあげる。

ドキュメンタリー映画作家のフレデリック・ワイズマンが、それぞれの組織を描いた四十本を超える作品で明らかにしたように、組織の頂点に立つ者は、有能だが無神経な人間であることが多い。そのため、政府、企業、軍隊から、病院、修道院、家族に至るまで、組織はその構成員を、程度の差こそあれ、人間としての理想から遠ざける。現代社会の壮大な皮肉は、社会構造がある種の苦しみ（餓死など）からわれわれを守る一方で、別の種類の苦痛（不本意ながらの服従）を与えていることだ。[原注1] 人間はこれらに代わる手段を持たない。表向きのレベルで向上するには組織が必要だが、内なるレベルでその代償を払う。

組織を支配するイデオロギーには、「すべての人間に対して責任を持つ」というものから、その対極の「自分のことは自分で守れ」というものまである。「自分のことは自分で守れ」の側にあるのは侵略的資本主義だ。この体制は、人間が生まれながらにして持っている自尊心、富、権力への衝動を都合よく利用する。反社会的な人間はこうした環境で勢いを増す。人口全体で反社会的な人間が占める割合は一パーセントほどだが、ウォール街では十パーセントに達する。[原注2]「すべての人間に対して責任を持つ」側に立つのは、独裁政府や専制君主であり、国民を大事にすると主張しているが、選択の余地を与えることはない。その環境も反社会的な人間には居心地がよいものだ。

このふたつの中間にあるのが、努力や知性や実績に基づいて出世の階段をのぼる能力主義だ。しかし、いったん権力を握ったエリートは、あとから来る者の梯子をはずし、能力主義は少数独裁へ変わる。たとえばアメリカでは、プロテスタントの白人富裕層の男たちが合衆国憲法を制定して、産業や大学を興し、その一方で、奴隷制、黒人差別、反カトリック、反ユダヤ主義、反ヒスパニック、男性優位主義をもとに権力を築いた。[原注3]

組織は人間から個性を奪い、ふだんならしないような行動をさせる。正常な人間が見知らぬ者を愚弄して、自殺に追いこむことなどあるだろうか。ありえない。だが、公衆の面前で発生した自殺について調査したところ、集まった見物人がたちの悪い群衆となり、瞬時に組織として団結して、高所に立つ者が飛びおりるよう、いっせいにけしかけていた。宗教儀式やスポーツイベントでは、パニックを起こして制御不能になった群衆が熱狂的な同好の士を踏みつけて死に至らせる事件が、毎年のように発生する。〔原注4〕

組織で生き抜くために、キャラクターは子供のころからさまざまな社会的自己を身につけて、公共の場で意思の疎通を図る。社会的自己はそれぞれ、自分が対面するさまざまな組織に対処できるように工夫した特徴を持っている。大学の教授と話すときには、ユダヤ教会のラビ、陸運局の試験官、職場の上司、Qアノン〔極右の陰謀論集団〕の仲間、州兵の司令官などと話すときとはちがう態度をとる。

そこで、こうした組織のなかでストレスや緊張に対処する際に演じる役割に基づいて、キャラクターに六つの特徴を与えてみよう。（1）教授と会うときは謙虚になり、（2）ラビに告白するときは恥じ入り、（3）陸運局で免許の更新試験を受けるときはへつらい、（4）上司の問題解決を手伝うときはおおらかになり、（5）インターネットで政治的陰謀を企てるときは懐疑的になり、（6）司令官に怒鳴られたときは怯える。

これらの特徴をまとめると、やさしく、内気で、こわがりの男ができあがる――オンラインのチャットルームでしか友達を見つけられないような人間だ。そんな退屈な性格描写では、せいぜい場面の隅にいる脇役ぐらいにしかならない。繰り返すが、主役になるには矛盾した特徴が必要だ。

教授のオフィスで使う謙虚な言いわけが、クラスメイトをうんざりさせる自慢話になるとしたら。ラビの部屋での恥じ入った態度が、秘められた倒錯的性生活につながるとしたら。陸運局でのへつらった態度から、一転して猛スピードで車で走り去るとしたら。上司にはおおらかさを示し、同僚には正反対の狭量な態度をとるとしたら。陰謀論に基づく斜に構えた態度が、なんでも真に受けることによる思いこみから生じたものだとしたら。軍当局への恐怖が、戦場での殺意に満ちた怒りを解き放つとしたら。こうした対立要素を表現したキャラクターを中心としてストーリーを展開させれば、驚くようなクライマックスへ導くことができるだろう。

個人的葛藤

公的な関係は結果を重んじ、個人的な関係は意思を重んじる。社会的権力のある人間が行動を選択するときは、誠意よりも成果が重要だ。個人的なつながりのある人間が行動を起こすときは、結果よりも誠意が重要になる。われわれは、投資担当者の判断ミスについては、その個人的な意思がどうであろうと非難するが、恋人の暴言については、本気で言ったのではないと信じて大目に見る。

人間は社会的な疎外感には苦しむ一方、密接な関係のなかでは成長する。社会的な関係と個人的な関係のちがいは、親密さだ。公の場ではけっして明かすことのない考えや感情を分かち合うことが、家族同士、友人同士、恋人同士を結びつける。ふたりのあいだの親密さが化学反応を起こして、社会的役割（同僚など）を超えた友情や信頼関係が結ばれる。もちろん、かかわり合う人間の性格によって、親密さは楽しいものにも苦しいものにもなりうる。

中核の自己は、子供時代から大人になるまでのあいだに、寛容で濃密な、愛情に満ちた関係から、侮辱的で冷淡な、奇妙なほど距離のある関係まで、さまざまな経験をこなしてアイデンティティを確立していく。よくある話だが、父と息子のように、ふたりの人間が個人的な関係にありながら、親近感を共有することなく、力関係のバランスを変えるだけで人生を歩むこともありうる。けっして友人にはならないビジネスパートナーや、けっして恋人にはならない見知らぬ人と同じだ。

最も深い感情は、個人的なレベルのものだ。個人的な悲劇が、社会的な対立や葛藤の物語よりも強く心を揺さぶる理由はここにある。シェイクスピアの『マクベス』と『コリオレイナス』、『オセロ』と『冬物語』、『リア王』と『ジュリアス・シーザー』を比べればわかるはずだ。キャラクターは、親しい友人や家族や恋人によって、本人だけでは引き出せない自分の姿を育てていく。親密な関係が終われば、愛する人を失うだけでなく、その人によって見いだされた自分の姿をも失うことになる。

物理的、社会的なレベルでおこなった、キャラクターに深みを持たせる方法をさらに発展させて、矛盾する個人的な行動パターンを性格造形に加えることで、以下の三人を複雑なキャラクターにしてみよう。

寛容／利己的

チップのために働くひとりのウェイターを想像しよう。誕生日や祝日ごとに家族全員に心のこもったカードを贈り、近所の友人たちに分けられるように何十個も余分にクッキーを焼く男だ。そして、理想の恋人を求めて失恋を繰り返す。彼を知るすべての人にとって、理想主義者であり、情愛の深い聖人でもある。そんな男が宝くじにあたる。

聖人なら莫大な当選金を慈善事業に寄付するだろうが、この男はだれにも分け与えない。すべてを銀行に預け、温暖な土地に移り住んで、王族のように暮らす。クッキーを焼いたり、カードを贈ったり、いろんな相手と寝ていたころは、愛に飢えていた。金持ちになったいま、この元ウェイターはずっと求めていたものをついに手に入れた――自分にへつらう取り巻きだ。

協力的／侮蔑的

妻のためならなんでもする夫を想像してみよう。買い物に行き、料理を作り、洗濯物をたたみ、妻の好きな番組を録画する。妻の不平に辛抱強く耳を傾け、自分は不平を言うことはない。妻は自分が愛されていると確信し、当然ながら自分も夫を愛する。

だが、夫はパーティーの席上で酒がはいると、暗に見くだすように、妻のことをおもしろおかしく語る。そして、悪意に満ちた話のあとに「そうだろう、ダーリン」と陽気に締めくくる。話を聞いた者はみな、彼が妻をばかにしていることに気づいている。だが、妻はうなずいて微笑むだけだ。妻を傷つけながらも、「ダーリン」と締めくくることで、彼は妻が愛情を示すよう仕向けている。

罪悪感／許し

仕事熱心で出世第一主義の男が、自分の不満を子供たちにぶつけて、虐待を繰り返しているとしよう。ある日その男は、ストレスから心臓発作を起こす危険があると診断され、そのことを子供たちに伝える。それでも昼夜を問わず働きつづけるので、子供たちは父親の悪意を許し、勇気を称賛せざるをえない。心臓発作の可能性についてだれにも話さないまま仕事中に倒れたとしたら、子供たちは父親のストイックな犠牲的行為を愛さざるをえない。いずれにせよ、彼の病気は残酷な行為を正当化し、子供たちは過去の虐待を許す。

キャラクター作りのさなかに、プラスとマイナスが対になった形容詞が頭に浮かんだら、それが対立要素を考えるヒントになる。簡単な例を三つあげると、「硬い／柔らかい」、「甘い／酸っぱい」、「穏やか／過激な」といったものだ。［原注5］

内なる葛藤

心というものは、それ自身ひとつの独自の世界なのだ、——地獄を天国に変え、天国を地獄に変えうるものなのだ。

——ジョン・ミルトン『失楽園』（平井正穂訳、岩波書店、1981年、上巻21頁）

物理的、社会的、個人的という表向きの特徴はすべて、それを生み出した心に源がある。そのため、複雑なキャラクターは、その内なる葛藤が表向きの葛藤よりも重要で魅力的なものになるまで、ストーリーを自分のなかにとどめる傾向がある。キャラクターの内なる葛藤が最終的に暴力に変わる場合も同様だ。例をふたつあげると、ドストエフスキーの小説『罪と罰』のラスコーリニコフと、アリス・バーチ脚本による『レディ・マクベス』(16)のキャサリン（フローレンス・ピュー）がこれにあたる。

複雑なキャラクターを出来事に、出来事を複雑なキャラクターにあてはめようとするうちに、最も重要な転換点が水面下に現れる。作家はキャラクターのことばや身ぶりの裏側を推し測ったり、瞳の奥を探ったりして、揺れ動く心理に引きつけられながら、表向きの出来事が内面に及ぼす影響を解き明かそうとする。

すると、ストーリーの外の出来事がキャラクターの内なる反応を引き起こし、その性質を変化させて、よい方向、あるいは悪い方向へ導くことがわかる。強くなるか、弱くなるか。子供じみるか、成熟するか。達成感を味わうか、空虚になるか。こうした内なる進化のいきさつや理由に興味を持って、想像力を掻き立てられた作家は、キャラクターの中核の自己にはいりこんで、その主観的な視点から、キャラクターの進化する性質を強調でき、表現できる新しい出来事を考え出す。出来事の設計が変われば、キャラクターの内面をさらに深く掘りさげることになり、キャラクターの内面が変われば、出来事の設計を練りなおすことになり、このプロセスが繰り返されていく。

シェイクスピアによるハムレットや、ヴァージニア・ウルフによるクラリッサ・ダロウェイに見られる深い苦悩は、今日では「認知的不協和」と呼ばれる。ふたりは思考と行動のはざまで苦しむ。その心は、記憶、憧れ、昼夜を問わない空想、意識の流れ、行動するか否かについての半ば無意識の不安など、さまざまな内なる動揺で激しく乱れて、現実と非現実、真実と偽りを選り分けていき、やがて、最終的な選択がひとつの行動となって現れる。

多くの場合、対立要素の発端となる矛盾は人間の負の側面から生まれる。人間が隠したがり、作家が暴きたがる部分だ。キャラクターの複雑さは、ふたつの内なるレベルの源流を持つ。それは、意識のなかでせめぎ合う思考に駆り立てられた矛盾と、潜在意識のなかで争う無言の葛藤である。

意識された葛藤

複雑なキャラクターは、その自己認識の深さに応じて、内面の不一致とそれによって起こる混乱について考えたり、ある程度感じとったりする。自分が物事の真実を見ているときもあれば、明白なことが目にはいらないときもあり、親切なときもあれば、残酷なときもあることを、個人的なレベルでは知っている。ほとんどの場合、こうした矛盾を解決しようとするか、少なくともコントロールしようとする。

個人的な対立要素のなかには思考レベルで動くものがあり、相反するふたつの資質を結びつける。「知的／愚か」、「好奇心／無関心」、「独創的／陳腐」などだ。感覚の対立要素には、役柄に複雑な感情を与える矛盾がある。「衝動的／内省的」、「怒り／冷静」、「勇敢／臆病」などだ。

こうした内なる葛藤に対処するために、特別に作られた社会的組織がたくさんある。アルコール依存症者の心にある「渇望／拒絶」に対処するのが断酒会（アルコホーリクス・アノニマス）だ。仏教は、慢性的に心配をかかえた人間の「過去／未来」への焦燥を落ち着かせる。仏教徒は、抑えがたい煩悩や情欲で乱れた心のことを、騒ぎ立てる猿にたとえて「心猿」と呼ぶ。

それでは、個人的な領域での内なる矛盾の例をいくつかあげよう。ここでも、まずひとつの特徴をあげ、それに矛盾するものをあげて対立要素としていく。

求めるべきか、求めざるべきか

多くを求めず、静かに暮らすキャラクターを想像してみよう。何も求めていないので、主人公としての明確な欲求はない。だが、ある経験に触発されて、多くのものに囲まれたにぎやかな暮らしがしたいと思うようになったとしよう。他人から称賛されたいという願いと人目を避けたい気持ち、自分を表現したい衝動と人前に出ることへの恐れのあいだで、内なる矛盾が生まれる。対立要素があれば、アンドリュー・ショーン・グリアの小説『レス』のアーサー・レスのように、みずからの物語の主役になることができる。

多くを求めない気持ちと多くを求める気持ち、心の内と外のあいだにあるこの矛盾によって支えられているのが、シェイクスピアが生んだ最も複雑なキャラクター、ハムレットだ。自分の外へ目を向けて、社会をよりよくしようとしたハムレットは、目にした腐敗に嫌悪をいだく。心のなかに目を向けて、内なる世界をよいものにしようとしたハムレットは、自分の無力にまた嫌悪をいだく。ハムレットは、内向的でありながらも大げさで、悲しみに打ちひしがれながらも機知にあふれ、内なる自己を過度に意識しながらも他者への影響には気づかず、知恵がありながらも戦略を持たず、不安定な自己がアイデンティティを求めている。内と外の世界がともに無意味に感じられたハムレットは、狂気とのはざまに立つ。

信念と疑念

信念は幻想を真実として扱う。「人間の本性は悪ではなく善である」、「合衆国憲法は完璧な政治体制を体系化したものだ」、「宇宙を支配しているのは神だ」、「わが民族はほかの民族よりもすぐれている」といった通念は社会を団結させる。現実によって幻想が白日のもとにさらされたとき、民衆の信念は揺らぎ、団結は崩れて、人々は反乱を起こす。だが、革命の余波のなかでは、社会はより信頼できる幻想を中心に再編成され、古い信念を新しいものと置き換えるための体制を構築する。

　このサイクルを熟知していた小説家ジョゼフ・コンラッドは、キャラクターをふたつのタイプに分けた。愚か者と囚われ者だ。愚か者は幻想を信じ、その考えに隷属する。コンラッドが描く愚か者は、英雄にも疫病神にもなり、熱烈な愛国者にも大悪人にもなる。

　囚われ者は、幻想は心を慰める欺瞞だと考える。無関心で敵意だらけの混沌たる宇宙から自分たちを守るためのものだ、と。コンラッドが描く囚われ者にとって、行動に意味はない。彼らの多くは、もの悲しい映画、演劇、小説で受動的なキャラクターになる。

　作家にとっての問題はこうだ――信念はおこなう価値のあることを引き出し、ストーリーは信念を行動に移す。信念が欠けたキャラクターは、彫像のようにポーズをとるだけの存在だ。

　たとえば、つねに疑り深い人間がいて、信念を持つことは愚かだと考えているとしよう。だれも信用せず、何も信用しない。行動せずに冷笑するばかりで、人を見くだすウィットだけが特徴だ。このような人物は、相棒としてはおもしろいし、短編小説の題材にはなるかもしれないが、長編の主人公になるには重みがない。ストーリーにおける言動の中核には、その言動に生命を吹きこむ信念の力が必要だ。

　だから、疑り深い人間をストーリーの主人公とするには、信念と、その信念に対する矛盾を持たせて、複雑さを加えればいい。たとえば、超自然現象に対する考え方をみてみよう。その主人公は神の存在を信じているだろうか。ひねくれ者だから、おそらくは不可知論者であり、神の存在については、有神論と無神論をともに疑うことが唯一の論理的な立場であると考えている。その点で信念は揺るぎない。だが、神を信じる者と恋に落ちて、自分の疑念そのものを疑いはじめたらどうなるだろうか。最終的に何を信じ、何を信じないのか。どちらにせよ、主役になる可能性を秘めた興味深い人物となる。

　これらの例は、一組だけの対立要素を掘りさげたものだが、前章で採りあげたオデュッセウスやトニー・ソプラノのように、ひとりのキャラクターのなかに複数の矛盾が共存することは珍しくない。実のところ、現代の脚本家は、百時間にも及ぶ長いシリーズドラマを書くために、無尽蔵と思えるほど多くの対立要素を持つキャラクターを作り出し、初登場から五年経っても、変化に富んだ展開で観客を引きつける。

人間の意識のなかには、対立する矛盾が無限にあるようだ。キャラクターの対立要素を検討するにあたっては、まずひとつの形容語句を思い浮かべ、その対義語を考えてみよう。「独立／依存」、「神経質／安定」、「外向的／内向的」、「愉快／不愉快」、「寛容／閉鎖的」、「注意深い／無頓着」など、無限に考えられる。限界があるとしたら、それはあなたの想像力だ。[原注6]

意識された葛藤と潜在意識の葛藤

心のいちばん奥にある自己について語るとき、わたしは「無意識（unconscious）」よりも「潜在意識（subconscious）」ということばを好んで使う。unconsciousのun-（無）は、岩のように心がなく、生気がない状態を思わせるからだ。この最も深い領域は、むしろ活動的で認識能力を持つ。subconsciousのsub-は、単にconscious（意識）の「下」という意味だ。[原注7]

眠っているあいだ、潜在意識は夢のなかの象徴的な物体や支離滅裂な筋書きとして心のなかに現れる。一方、隠れた自己は一日じゅう知られないままで、意識を行動へ追いやろうとする欲求を駆り立てる。

中核の自己はこの過程に気づかないので、キャラクターは自分の人生を導くのは自分だと信じている。だが実際には、なんの指揮もとっていない。異質な、隠れた自己に支配されているのだ。フロイトはこう語っている――「自分のなかにあると気づきながら、自分の精神生活の残りの部分とどう結びつけていいかわからない感情は、別の人間のもののように思える」。

心のなかの意識と潜在意識は、ふたつの顔を持つ神ヤヌスのように、切り離すことができず、対立し、重なり合っている。どこまでが潜在意識で、どこからが意識なのか。キャラクターはいつ自分の潜在的な欲求を意識するのか。自覚しておこなっていた習慣を、いつから無意識に本能でおこなうようになるのか。両者を明確に分ける境界線はない。この章のあとの部分では、こうした内なる領域を分解して、キャラクター設計の原則を説明していく。作品を書くときに、多元的な役柄を作り出すためには、キャラクターごとにはっきりとした線を描かなくてはならない。

反社会的で、ときに暴力的な潜在意識の衝動に立ち向かうことは、複雑なキャラクターを作る際に、大きな道徳的葛藤となる。隠れた自己の心の闇を光の部分と同様に受け入れることは、自己認識のために欠かせない。言うまでもなく、光を見ることはたやすいが、闇を見つめるには勇気が必要となる。

ストーリーの契機事件によって、複雑なキャラクターの人生のバランスが崩れたとき、ふたつの欲求が同時に現れる。（1）意識的な欲求、つまり、それによってバランスを取りもどせるとキャラクターが考えるものや状況。（2）潜在意識において長いあいだ眠っていた欲求——このふたつだ。

意識的な欲求の対象

だれもが、自分の存在とそれに影響を与える出来事を適度にコントロールしたいと思っている。契機事件によって人生が不安定な状態に陥ったとき、主人公のなかでバランスを取りもどしたいという欲求が自然に生まれる。そのために何をすべきか、最初ははっきりしないかもしれないが、やがて欲求の対象、すなわち、自分の人生を立てなおしてくれるものに思いあたる。

この欲求の対象は、ジャンルによって異なる。『ダスク・オブ・ザ・デッド』（08）のようなホラー映画では死んだ怪物などの物理的なもの、ジョナサン・フランゼンの『コレクションズ』のような家庭内の出来事を描く小説では家族の再会などの状況、サマセット・モームの小説『かみそりの刃』のような進化プロットでは精神的な変化などの経験である。

大多数のストーリーでは、主人公が欲求の対象を意識的に追い求めることで、話は不自由なく進行する。

潜在的な欲求の対象

深い葛藤をかかえた複雑な主人公が欲求の対象を追い求めるようになると、潜在意識によって、相反する欲望が加えられることがある。潜在意識にも独自の欲求があり、どのような手順を踏めばいいのかはわかっている。

その結果、契機事件は潜在的な衝動をも引き起こす。それは欲求の対象を追い求める隠れた飢餓感であり、長いあいだ眠っていて認識されなかった願望や怒りを満足させうるものだ。この潜在的な欲求は、主人公の意識的な欲求と矛盾していて、さまざまな意味でキャラクターを自分自身の最大の敵にする。こうして芽生えた相反する欲求が物理的なものだけに焦点をあてることはほとんどない。相反する欲求の対象もジャンルによって異なる。『ブレイキング・バッド』のスカイラーとマリーの、サブプロットにおける、家族内での年下の者への支配といった状況や、『マディソン郡の橋』のようなラブストーリーでの、生涯心に残る特別な恋といった経験などがそうだ。

キャラクターの意識的な欲求と潜在的な欲求が同じなら（空腹を感じて冷蔵庫をあける、欲情を覚えてマスターベーションをする、気持ちが沈んで友達に電話をする）、複雑さも深みも増すことはない。どちらの欲求も同じなら、わざわざ考える必要などない。いったいだれが気づくだろうか。

しかし、このふたつの欲求が相反するものである場合、つまり、潜在意識の欲求が意識的な欲求をさえぎり、覆すような場合、興味深いことになる。ウィリアム・ジェイムズからジャック・ラカンまで、心理学者たちは、潜在意識は意識を映し出す鏡だと主張してきた。潜在意識は意識の裏返しという考え方は、何世紀も前から作家にとっての常識だ。

潜在的な欲求が読者や観客の興味を引くのは、キャラクターの自覚する希望や憧れと完全に矛盾しているか、際立った対比を見せている場合である。それなら、だれもが気づく——興味津々で。

キャラクターの意識的な自己と潜在的な自己の力関係をどうするかは、作家の腕にかかっている。動物的本能のように軽く扱ったり、機械的に計算して得意げになったりしてはいけない。

愛と憎しみ

愛と憎しみという対立要素を考えてみよう。

ジュールス・ファイファーの脚本による『愛の狩人』(71)は、ジョナサン・ファースト(ジャック・ニコルソン)の大学時代から中年期までの人生を描く。人生に何を求めるのかとジョナサンに尋ねれば、自覚的な答えはこうなるだろう。「わたしは男前で、遊び好きで、経済的に成功している。完璧な女性とめぐり会えれば、人生はパラダイスだ」と。何十年ものあいだ、ジョナサンはさまざまな女性との出会いと別れを繰り返す。みな魅力的で、知的で、愛情深いが、どの関係も同じパターンに陥る。甘美で情熱的にはじまり、やがてほろ苦く退屈なものとなり、険悪で惨めな別れに至る。ロマンスが崩れ去ると、どの女性もジョナサンに捨てられる。

ジョナサンを支配する対立要素は、ドン・ファンやヴァルモン子爵から連綿と受け継がれてきた、女ぎらいと理想主義だ。意識的には、生涯を懸けて女性たちを愛してきたと自分に言い聞かせているが、女性たちはさまざまな理由で彼のもとを去る。潜在意識では、どの女性のことも憎んでいたのだ。毎年のように、彼は女性を誘惑して愛を語り、弱い立場に追いこむと意図的に手を引く。一夫一婦制の成立を機に、愛への意識的な欲求と、憎しみへの潜在的な衝動が共存するようになった。

恐怖と勇気

アクション作家が描く領域には、命懸けのアクションから身のすくむような恐怖まである。対立要素がこの両極端を結ぶと、ヒーローが生まれる。

恐怖とは、死の脅威に対する本能的な反応であり、危険から逃げ出したいという衝動がそれにつづく。勇気とは、命を危険にさらすことを考えたうえでの選択であり、脅威に対する行動がそれにつづく。絶対的な恐怖は潜在意識からはじまり、やがては臆病者を完全に支配する。絶対的な勇気は意識的な選択からはじまり、アクションヒーローを動かす。

スパイダーマンやウルヴァリンなどのスーパーヒーローは、空想の対立要素を中心にキャラクターを構築し、しばしば人間と神話、動物、魔法、疑似科学などを融合させる。『ダイ・ハード』シリーズのジョン・マクレーンや、『ダーティハリー』シリーズのハリー・キャラハンなど、犯罪者と戦うヒーローは実際の人物のようだが、大胆に行動するという性格描写によって、理想化されたタフガイにまとめられている。どちらのタイプも、被害者のために自分を犠牲にし、勇気ある利他主義を発揮するが、内面は表向きの面となんら矛盾しない。

スティーヴン・クレインの小説『勇気の赤い勲章』のヘンリー・フレミングや、『キャプテン・フィリップス』(13)のリチャード・フィリップス船長(トム・ハンクス)のような複雑なヒーローは、意識的な道徳心の強さと、恐怖に怯える潜在意識とを戦わせる。つまり、アクションヒーローの理想的な冷静さとは異なり、現実的なヒーローの心は意識と潜在意識を切り離さない。むしろ、恐怖に囚われながらも、命懸けの行動を決断する。

潜在意識のなかの葛藤

読者や観客は、潜在意識の対立要素をそれとなく感じとる。そしてキャラクターの発言と行動を比較し、他者に話す理由や言いわけと、実際の選択や行動とを照らし合わせる。そこに不一致があったとき、キャラクターの瞳の奥にある力の衝突を感じとる。そこでは、闇にひそむ恐れと、世界へ向けられた怒りが戦っている。奥深い戦いは、共存できないふたつの渇望が争っている。キャラクター本人には見えないが、読者や観客は垣間見ることができる、ことばにできない潜在的な葛藤が、ストーリーを突き進めていく。

このような隠れた根源的葛藤を描くことは、作家にとって最も困難な作業と言えるだろう。長編でも短編でも、作家はしばしば全知の三人称の語り手を使って、キャラクターの精神的緊張を読者にそのまま説明する。脚本家や劇作家がこの手法を使うことはまれだ。説明する語り手とほのめかす語り手――わたしが好むのは後者だ。

自己愛と他者への愛

人間の低次脳はふたつの命令に従う。自分を守ることと、自分の遺伝子を守ることだ。そのバランスのなかで、生命力は前者よりも後者を重んじている。だから、親は子供のために自分を犠牲にし、兵士は国のために死に、信奉者はダイナマイトを仕込んだ服を着て、敵対する者たちを殺す。自分か遺伝子かという選択は、ときに不合理に思えるかもしれないが、そのようにして地球上の生命は進化してきた。そのため、潜在意識のなかで日々繰り返され、終わることなく対立するのは、自己愛と他者への愛だ。［原注8］

よく知られた例として、ロバート・ベントンの『クレイマー、クレイマー』(79)の脚本を考えてみよう。テッド・クレイマー（ダスティン・ホフマン）は自分のことしか考えていない未熟な仕事の虫であり、妻は専業主婦として息子の世話をしながら、クレイマーにとっても母親のような存在だという設定で物語がはじまる。妻が突然その両方の役割を放棄したことで、自己満足に浸っていたクレイマーの人生のバランスは大きく崩れる。このマイナスの転換点は、クレイマーのなかに、それまで抑圧されていて行動に移せなかった欲求、つまり、真っ当な人間、愛情深い人間になりたいという潜在的な願望を呼び起こし、息子の幸せが自分の幸せよりもはるかに重要となる。クライマックスでクレイマーは、息子のために自分の欲求を放棄するという行動を起こす。

錯覚と妄想

潜在意識のなかでは、キャラクターが現実をどう処理するかについても対立や葛藤が生じる。言い換えれば、錯覚と妄想だが、ふたつにはちがいがある。錯覚とは、蜃気楼や幻視など、実際とは異なる知覚を得ることだ。一方、妄想とは、偽りの現実を強く信じることであり、精神障害の典型的な症状だ。

テネシー・ウィリアムズの戯曲『欲望という名の電車』のバックストーリーで、主人公ブランチ・デュボアは、少女時代にいだいたロマンティックな愛の幻想を追い求めたすえに結婚に破れ、実家の財産を使い果たして、ひそかに娼婦として暮らしていた。それでもなお、ブランチはお嬢さま気どりの妄想にしがみつき、理想の人生が訪れることを夢見ていた。だが、酒に溺れ、屈辱にまみれ、性的暴行を受けるという極限状態に達し、自己欺瞞がついに完全な妄想と化したブランチは施設に収容される。

エドワード・オールビーの『デリケート・バランス』などの不条理演劇という例外はあるが、潜在的な矛盾の対立要素に悩まされるキャラクターは、死や狂気に至ることが多い。

ケーススタディ――アントニーとクレオパトラ

複雑なキャラクターのなかで、対立要素が複数のレベルで交差する例として、シェイクスピアが描いた高貴な恋人たち、アントニーとクレオパトラのふたりについて考えてみよう。

アントニーの最も重要な矛盾は、社会的自己と隠れた自己の対立――ローマ帝国の執政官としての立場と、エジプト女王への情欲である。言い換えれば、意識的な理性と潜在的な衝動の対立だ。アントニーの政治的自己はその名声を最大限に高め、内なる自己は情交を激しく求める。

聡明かつ雄弁で、実利的かつ誇り高き将軍アントニーは、ローマ帝国の政治については迷いがなく、何をなすべきかを知っている。その一方で、快楽を愛し、美に執着し、恋に身をやつす愚か者でもある。クレオパトラへの情熱ゆえに、アントニーは欲望のままに行動する。先に述べたとおり、「すべきこと」と「したいこと」では、天と地ほどの差がある。

アントニーの性格をさらに豊かに描くために、その行動の幅広い範囲にシェイクスピアは多くの矛盾を書き加えた。世界の舞台に立つときは、指揮官として豪胆な声で高らかな雄叫びをあげる。クレオパトラとベッドにいるときは、キスの雨を降らせながら詩人のようにやさしい声で語る。軍団を指揮しながらも、個人としてはひとりの女性の奴隷だ。軍を率いるときは成熟した大人であり、愛する女性の足もとにひざまずくときは未熟な青年になる。戦場では意志が固く、クレオパトラのベッドでは意志を失う。

アントニーの心をのぞくと、彼にとって戦争と恋は情熱と快楽のふたつの形にすぎない、とわかるのではないだろうか。戦争を愛する者に言わせれば、殺すことは情熱であり、勝利は深い快楽である。映画『パットン大戦車軍団』（70）では、ジョージ・パットン将軍が、戦場で血を流しながら死んでいく兵士たちの惨状を目のあたりにしながら、「これこそおれが愛するものだ。自分の命よりも」とつぶやく。パットンなら、同じことばを情事のさなかにもささやくかもしれない。

クレオパトラは、シェイクスピア作品のなかでも屈指の複雑なキャラクターだ。絢爛たる王族の血を引きながら、無邪気で魅力的な女性である。敵と向き合ったときは勇敢だが、戦いでは取り乱す。感情がこもった迫真の演技にだれもが惑わされる、生まれながらの女優だ。

それどころか、クレオパトラは男にとってあまりにも魅力的なので、ほかの女性では短所や悪行となるものが、非の打ちどころがない美徳となる。激しい怒りは高貴な命令に、泣きわめく声は悲しみの涙に、子供じみた悪ふざけは魅力的なユーモアに、飲酒は女王らしい祝い事に、口やかましさはアントニーへの気づかいに、哀願や駆け引きは謙遜や合理性に、悪趣味なジョークはウィットに、性的な奔放さはカリスマ的魅力に、際限のない自尊心と虚栄心は愛国心と祖国への愛に解釈される。

クレオパトラの非凡さは、潜在意識から生じた怒りや強欲や情欲を、周囲の人々に届けるよりも前にみずからの敏感な心がとらえ、魅惑的で説得力のある行動に変えているところだ。恋人や敵や家臣たちの目がとらえるのは、彼女の心の闇ではなく壮麗な姿である。中核の対立要素は、アントニーとよく似ていて、賢明で意志が強く、計算高い野心と、それと相反する、愚かで意志が弱く、情熱に屈する姿だ。

悲劇とは、ほしいものが手にはいらないことだという考え方がある。一方、真の悲劇とは、ほしいものを手に入れるために大きな代償を払うことだという見方もある。

深層におけるキャラクターの葛藤

われわれはしばしば、キャラクターを器であるかのように考え、その特質を「まるい」、「平ら」などと、中の形状を修飾する語で表す。好奇心のない者を「固い」、退屈な者を「浅い」、偏屈な者を「せまい」と表現し、新しい考えを受け入れる心を持つ者を「広い」と形容する。そして、人間を器として表現するときに最もよく使われるのが、「深い」ということばだ。

こうした形容詞は会話で簡潔に伝わる。しかし、魅力に満ちた多元的な役柄を作り出すために、作家は人間の魂を測る。ある人物が充足しているのか空虚なのかは、何を尺度にすればいいのか。作家はどのようにしてキャラクターの深さを測ればいいのか。

人間には、持って生まれたソナー装置のようなものがあり、だれかと会った瞬間に発信音が鳴る。この直感は瞬間的で、考える必要がなく、ただ見るだけでわかる。潜在意識にあるソナーは、顔の表情をすばやく追い、声の震えを聞きとって、身ぶりから緊張感を察知し、瞳の奥をのぞいて、その人物の器の内なるエネルギーを測定する。こうして測った深さが、第一印象だ。

第一印象による直感は徐々に発達し、「この人間は信頼できるのか」という問いに答える。その答えは人間が生き延びるための鍵だ。読者や観客が本能的に信頼し、長いあいだ賛美するキャラクターには中核の対立要素があり、個人的自己と隠れた自己に踏みこんでいる。この深みを感じとることによって、共感と信頼を覚える。

以下のページでは、キャラクターの深みにかかわる十の特徴を、演劇、映画、小説における例とともに紹介している。作家としての野心が、複雑で深みのあるキャラクターを求めているなら、このリストはあなたの想像力を刺激するだろう。

1　皮肉な自己認識

そのキャラクターはつねに自己欺瞞に対して警戒し、心のなかの動きにだまされることはほとんどない。ボー・ウィリモン企画のドラマシリーズ『ハウス・オブ・カード　野望の階段』のクレア・アンダーウッド（ロビン・ライト）がその例だ。

2　他人を見抜く力

見せかけの世界をつねに認識し、社会の内側で起こっていることにけっしてだまされない。ヘンリー・ジェイムズの小説『ある婦人の肖像』に登場するマダム・マールがその例だ。

3　知性

思考能力が高く、あらゆる分野から情報を集めて、それをもとに推理をおこなう。アガサ・クリスティの十二の長編と二十の短編に登場するミス・マープルがその例だ。

4　つらい過去

古代ギリシャの悲劇詩人アイスキュロスは『オレステイア』でこう書いた。

眠っているときにも、忘れえない悲しみが、心に一滴、また一滴としたたり落ちる。おのれの意志に反する絶望のなか、やがて荘厳なる神の恵みを通して英知がもたらされる。

キャラクターは幸福を願うが、苦しみを通して深みを身につける。幸福な心は人生がもたらす利益について考えるが、苦しむ心は深く内省する。苦しみはキャラクターに日常の繰り返しの裏にあるものを見せ、自分が考えていたような人間でないことを理解させる。愛する人を失った悲しみは中核の自己の底を突き破り、さらに深いレベルが姿を現す。深い悲しみはその床をも突き破り、さらに深いレベルが現れる。［原注9］

どれだけあがこうとも、痛みを感じずにいることはできない。苦しみは人間に自分の限界を正しく認識させ、自分が何をコントロールできて、何をできないかを教える。苦しみは未熟な心を成熟へ導く。賢明な反応は、苦悩に満ちた経験を道徳に照らし合わせて、悪い経験を貴重な経験として建てなおす。深みを知る魂は、痛みを目撃し、痛みを引き起こし、罪悪感とともに生きてきた。例としては、『ブレイキング・バッド』や『ベター・コール・ソウル』に登場するマイク・エルマントラウト（ジョナサン・バンクス）があげられる。彼は愛する孫娘の将来のために、命懸けで罪を重ねる。

5 長い年月にわたる豊かな経験

若いキャラクターは年齢にかかわらず聡明に見えるかもしれないが、現実には、深みを得るには豊かな経験と、何よりも長い年月が必要となる。ペネロピ・ライヴリーの小説『ムーンタイガー』の主人公クローディア・ハンプトンがその例だ。

6 集中力

人と向き合うときは、熱心に耳を傾け、目を合わせて、サブテクストを読みとる。『ゴッドファーザー』と『ゴッドファーザー PARTⅡ』のドン・ヴィトー・コルレオーネ（マーロン・ブランド／ロバート・デ・ニーロ）がその例だ。

7 美への愛

心の深みが感性を研ぎ澄まし、やがて美が苦痛に感じられる。ラビー・アラメッディンの小説『An Unnecessary Woman（未）』のアーリヤ・ソービがその例だ。

8 落ち着き

脅威やストレスにさらされても、自分の情熱をコントロールすることができる。ラリー・マクマートリーの小説に基づくミニシリーズ『ロンサム・ダブ～モンタナへの夢～』のオーガスタス・〝ガス〟・マックリー大尉（ロバート・デュバル）がその例だ。

9　皮肉屋で疑り深い

希望とは現実を否定することだと考えている。自分自身でたしかめるまでは、だれの言うことも信じない。劇作家リン・ノッテージの戯曲『Ruined（未）』に登場するママ・ナディがその例だ。

10　人生の意味を探る

神のいたずらを理解し、人生に固有の意味などないことを知っている。それゆえ、自分のために生きることと他者のために生きることのあいだに、人生の意味を見いだそうとする。ローリー・ムーアの小説『あなたといた場所』に登場するベンナ・カーペンターがその例だ。

これらの特徴をひとつの役柄にまとめると、アンチヒーローができあがる。つぎのような例が考えられる。つらい過去によって心を閉ざしているが、他人の苦しみには弱い一匹狼。自分の苦しみに当惑しているストイックな人間。人前では機転がきくが、ひとりになると自嘲的な人間。社会のルールを小ばかにするが、個人的な規範にはこだわる人間。恋愛に慎重なロマンティスト、など。

ここにあげた十の特徴は、『マルタの鷹』（41）のサム・スペード、『カサブランカ』のリック・ブレイン、『三つ数えろ』（46）のフィリップ・マーロウにすべて盛りこまれている。ハンフリー・ボガートがその三つの役すべてを完璧に演じあげた。ボガート以降、そこまでの深みがある演技を認められた俳優はほとんどいない。デンゼル・ワシントンはその数少ないひとりだ。

サブテクストに現れる姿

テクストとは、キャラクターの表向きの言動を指す。こうしたことばや身体的表現は、読者の想像力を刺激し、観客の目や耳に印象を与える。これらが一体となって、性格描写が作られる。

サブテクストとは、意識にあるが表現されないキャラクターの思考や感情を指す。潜在意識にあるので表現されないものも含まれる。中核の自己は、このような考えや態度をだれにも見せず、自分のなかだけにとどめる。その一方で、サブテクストの最深部では、ことばにならない気分や欲求が意識の下で脈打っている。〔原注10〕

端役のキャラクターには、テクストしかない。見た目どおりの人物を演じてストーリーに登場する役柄だ。

作家からは、深みや知る価値のある内面はあえて与えられていない。

主要なキャラクターは、見た目とは異なる。その性格描写のテクストは、サブテクストのなかで生きている中核の自己の謎を隠している。内なる正体不明の姿は、読者や観客の好奇心に火をつけ、「このキャラクターはいったい何者なのか」という疑問を引き起こす。読者や観客はサブテクストを手がかりに、この知れざる自己の真実を探り、明るみに出そうとする。つまり、うまく考え抜かれた多元的なキャラクターは、読者や観客を霊能者に変える。

あなた自身がストーリーを追う時間について思い出してみよう。小説のページをめくっているとき、あるいは、劇場の暗がりにすわっているとき、キャラクターの人生を追いかけながら、その心や感情を読みとっている気持ちになることはないだろうか。自分の感覚がキャラクターの行動の裏側にあるように感じられ、こう思う。「このキャラクターのなかで何が起こっているのか、本人よりもよくわかる。ほんとうに考えていること、ほんとうに感じていること、ほんとうに望んでいることが、自覚しているものから潜在意識にあるものまで、表面から中身まですべて見える」

そうした感覚は人それぞれ、ちがうはずだ。人生と同じように、深みというものは直感でしか理解できないからだ。同じキャラクターに対するふたりの人間の解釈がまったく異なることが多いのはこのせいだ。複雑な役柄のなかに住む、サブテクストで表現された人物は、ことばではじゅうぶんに説明できない。それはだれが書いても同じことだ。あるキャラクターについてどう考えるべきかは、だれであれ教えることができない。そのキャラクター自身の切なる告白ですら、答えにはならない。名作と呼ばれる小説の、神のような全知の語り手は、暗示を用いることが少なくなく、語ることよりも語らないままのことのほうがはるかに多い。だからこそ、図書館の書庫には何千冊もの文芸批評の書が積みあげられている。だれもが知りたがる――ハムレットとは何者か、アンナ・カレーニナとは何者か、ウォルター・ホワイトとは何者か、と。

テクストとサブテクスト――世の中から見られている表向きの姿と、瞳の奥に隠れた真実の姿――を分けることは、心の健康を守るために不可欠だ。侵入してくる俗世間から心の安全を守ることができなければ、心は空っぽになる。

読者や観客と同様に、キャラクター同士も、語られることのない互いの心の深層をのぞきこみ、隠された真実を見つけようとする。この男を信じていいのか。何を言いたいのか。何を求めているのか。大切にしているのは自分なのか、他者なのか。こうして、それぞれのキャラクターはほかのキャラクターのサブテクストを読みとる。オセロは妻の貞淑をたしかめようとする。リア王は娘たちのだれが自分を愛しているかを知りたがる。ハムレットは叔父クローディアスが父を殺したかどうかを突き止めようとし、ついに劇中劇の殺人の場面で動揺する叔父を見てそれを確信する。

内省的なキャラクターは、個人的な経験をテレビドラマのように繰り返し再生して、サブテクストを探り、行動を分析し、自分がほんとうは何者なのか、どうしてそうなったのかを知ろうとする。内省的な心は、ときに隠れた本質を明らかにして、失敗から学び、自己認識を高めることがある。一方で、失敗にこだわり、自分の価値を疑い、真実を見失うこともある。

小説での例を三つあげよう。フレデリック・エクスリーの『A Fan's Notes（未）』、アイリス・マードックの『海よ、海』、クレア・メスードの『The Woman Upstairs（未）』には、自分について語る自己陶酔型の主人公が登場する。

11　完成されたキャラクター

キャラクター作りの理想とは、つぎのとおりだ。

まず、説得力がある複雑な性質を持つキャラクターを考える。人間として明るい望みがあるが、かぎりある命を生きるあらゆる者と同様に、不完全な存在だ。つぎに、ストーリーの展開のなかでそのキャラクターに重圧のかかる決断や行動をさせ、まだ発揮していない潜在的な能力を少しずつ理解する。最後に、ストーリーのクライマックスとなる場面で、感情的にも精神的にも、人としての絶対的な限界へ駆り立てられる経験をさせる。そこでは、明らかになっていないもの、掘り起こされていないもの、まだ使っていないもの、感じていないもの、表現していないものは残っていない。潜在的な力を出しつくし、できることをしつくし、すべてをさらけ出し、隠れていたものを表に出し、感情を出しつくす。こうして、キャラクターは完成する。

この理想を実現するために、キャラクターの設計は大きく四つの段階を踏んでおこなう。準備、発覚、変化、完成だ。

キャラクター設計の四つの段階

1　準備

原則――契機事件が起こる段階では、主要なキャラクターは未完成である。

ストーリーがはじまるとき、その主要なキャラクターは、ほとんどの人間と同じように、自分の精神的、感情的、道徳的な可能性に極限まで挑んだことはない。感情や思考はある程度の深さを具えているが、それまでの人生においては不要だったので、情熱や洞察力を最大限に発揮したことはない。未完成だが、それに気づいてはいない。これからはじまるストーリーが、いままで知らなかった経験をもたらし、予想もしなかった形で影響を与えることになる。何が心に芽生えているのか、どんな経験をすることになるのかは、作者だけが知っている。

わたしの定義では、キャラクターの欲求とは、その人物に欠けているものを指す。じゅうぶん活用していない知性、深く感じたことのない感情、使われていない才能、満足していない人生だ。作りかけのものは完成させる必要があり、行方不明のものは見つけられるのを待っている。欲求とはそういうものだ。

あなたのストーリーに登場するとき、複雑なキャラクターはまだ作りかけの存在だ。理想の姿に到達するためには、キャラクターを精神的にも感情的にもその人間性の最も深いところ、はるか遠くめざすところへ導くような出会いをさせなくてはならない。

一方、キャラクターの潜在能力はどれくらいあるだろうか。主人公をストーリーに登場させる前に、その力を見定めよう。ＩＱとＥＱはどれくらいだろうか。意志の強さ、想像力、感情移入の深さはどうだろうか。どれほどの勇気を持っているだろうか。これまでの人生でキャラクターが歩んできた道のりと、これからの人生で到達するであろう深みを考えよう。

つぎに、鍵となる問いかけをしよう。どんな出来事であれば、言動の中核に基づいて主人公を動かし、感情に訴え、心を開かせる力を持つクライマックスへつながり、そこで自分の可能性を限界まで試し、よくも悪くも自分自身を完成させられるだろうか。その答えが見つかれば、それがストーリーの契機事件となる。主人公の要求にぴったりと合った契機事件を選択することで、すぐれた作品を書くことが可能になる。

例を四つあげよう。

デイモン・リンデロフとトム・ペロッタの脚本によるドラマシリーズ『LEFTOVERS／残された世界』の契機事件では、世界人口の二パーセントが突如消える。それをきっかけに、ふたりの主人公ケヴィン・ガーヴィ（ジャスティン・セロー）とノラ・ダースト（キャリー・クーン）が、人生は無意味だと気づく。

ソフィー・トレドウェルの戯曲『マシナル』の契機事件では、親や社会からの圧力に負けた主人公ヘレンが、安定した生活が送れると考えて、好きでもない男と結婚する。

チャック・パラニュークの小説『ファイト・クラブ』の契機事件では、一人称の語り手としてのみ登場する主人公が、タイラー・ダーデンと共同生活をはじめ、殴り合いをするファイト・クラブをふたりで設立する。

ロン・ナイスワーナー脚本の『燃えつきるまで』（84）の契機事件では、刑務所長の妻であるケイト・ソッフル（ダイアン・キートン）が、死刑囚の魂を救うことを決心する。

2　発覚

原則——ストーリーが進展するなかで、性格描写と対照的な、もしくは矛盾した実像が明らかになる。

大多数のジャンルでは、キャラクターの内なる真実を明らかにするが、キャラクターそのものを変化させることはない。イギリスの小説家サミュエル・バトラーは「ある人間が過去の自分から変わろうとするとき、立ちはだかるものはあまりに多い」と表現した。キャラクターを大きく変えることはむずかしく、それはまれにしか起こらない。ストーリーの進展のなかで主人公が変化をとげるジャンルは六つあり、それについては第14章でくわしく説明する。

アクション・冒険、戦争、ホラー、ファンタジー、犯罪などのジャンルや、物理的・政治的な対立や葛藤、家庭や恋愛における奮闘を描いたシリアスドラマとコメディの多くは、信憑性があって好奇心をあおる性格描写という表層の下に、中核の自己を覆い隠している。そして、この内なる本質を明らかにしていくとき、キャラクターの心理や道徳観を暴くが、それらを変えることはない。変わるのは、読者や観客の洞察力だ。

最も強烈な発覚が生じるのは、それ以上ないほど大きなリスクにキャラクターがさらされたときだ。たとえば、生か死かの選択は単純で、それによって得られるものにあまり深みはない。だが、長く壮絶な闘病のすえの死と自殺による瞬時の死のように、二種類の死から選択することは、キャラクターの社会的、個人的な自己を剥ぎとって、中核の自己をさらすことになる。同様に、もしキャラクターが大きな価値のあるものを捨てようとする理由が、同じ価値のある別のものを手にすることだとしたら、その選択はキャラクターの真実の姿をあらわにする。

マーティン・マクドナーの戯曲『ビューティ・クイーン・オブ・リーナン』で、かつて精神科病院に入院していた四十歳のモーリーン・フォランは、従順で臆病な、精神的に未熟な大きな子供のように見える。やがて、モーリーンは母親を殺害し、母親の服を着て、母親の代わりに居間のロッキングチェアにすわる。統合失調症のモーリーンの心のなかで、彼女はつねに自分の母親であり、娘を演じたのはひとときの見せかけにすぎなかったのだ。

J・D・サリンジャーの小説『ライ麦畑でつかまえて』では、皮肉屋で孤独なホールデン・コールフィールドが、自分のセクシュアリティに困惑し、理想化した恋愛を切望している。ホールデンは他者から疎外されていると感じ、自分自身も他者を疎外する。彼の心境はさまざまに変化するが、その中核の自己は、最初から最後まで根本的に変わることがない。

ウディ・アレン監督の『アニー・ホール』では、主人公アルビー・シンガーの少年時代の不安が、大人になってからの彼に影を落としている。アルビーは真実をきらい、現実よりも空想を選ぶ。幸福にはなじめず、喜びよりも苦痛を選ぶ。自分自身への執着のせいで、愛することができない。アルビーの選択は、ウィットに富んだ魅力の下にひそむ、変わることのない屈折した神経症的な姿をしだいに露呈させていく。

まとめよう。人生の表向きの状況が変化するなか、主人公の選択や行動によって中核の自己がゆっくりと明かされていく。ことばや身ぶりによって性格描写が剥がされ、クライマックスでは真の自己がありのままの姿をむき出しにする。一度明かされた実像はそれ以上進化しないが、読者や観客の認識はそれにとどまらず、理解がさらに深まる。繰り返しになるが、実像を暴かれてもキャラクターは変わらないという典型的なパターンは、これまでに世に出た大多数のストーリーの大多数の主要キャラクターの根底にあるものだ。

この原則を自分の作品にあてはめるために、キャラクターに関するふたつの簡単な質問をしてみよう。ストーリーの冒頭でそのキャラクターは何者だと感じられるか。クライマックスでは何者だとわかるか。あなたが出す答えは、読者や観客の認識の変化を明らかにするはずだ。

3　変化

原則――キャラクターの変化は、対立要素をアクションに変える。

「テセウスの船」と呼ばれる、古くから議論されてきた問題がある。「ある船が、長い年月のあいだに少しずつ修理され、やがてすべての部品が交換されたとしたら、それを同じ船として、同じ名前で呼ぶことができるのか。一方、船が海難で失われ、まったく同じ仕様で新たに船を造りなおしたとしたら、新しい名前が必要なのか、それともそれは同じ船と言えるのか」というものだ。

どちらの船も、もとの船板や止め具や帆などはひとつも残っていない。にもかかわらず、この二隻の船は正反対の結論を導き出す。多くの人間が、少しずつ修理された船はもとの船のままであり、名前を変える必要はないと考える。一方、作りなおされた船は新しいものなので、名前をつけなおさなくてはならないと考える。

もちろん、この古典的な問題は船舶の命名についての話ではない。これは人間の変化についての隠喩だ。「船」を「自己認識」と置き換えれば、寓話としてつぎのような疑問を投げかける。「自分はだれなのか。だれだったのか。だれになっていくのか。運命によって自分は変わらずにいられるのか、それとも新しい自分に変わるのか」と。未知の海を航行する船のように、複雑なキャラクターは人生を揺るがす不規則で予想外の出来事という荒波に揉まれるが、その本質は変わることもあれば、変わらないこともある。

作家のなかには、キャラクターの変化について、人々が「テセウスの船のパラドックス」について考えるのと同じように考える者もいる。少しずつ修正してもキャラクターの中核の自己は変わらないが、重大な出来事の衝撃と爪跡によって形が変わってしまうという考えだ。その逆の考え方をする作家もいる。強烈な出来事でもキャラクターが傷つくことはないが、時間の経過によってゆっくりと進化することはある。

第3章で説明したように、どんな作家も、人間の本質について独自の理論を持ち、つぎの問いに答えることができなくてはならない。「キャラクターが人生で受けたダメージによって、中核の自己は変わるのか、変わらないのか」

あなたの考えはどちらだろうか。キャラクターの自己は、テセウスの船のように、時間の経過とともに、本質的には変わらないが、より濃縮されたものになっていくのだろうか。それとも、過去の自分として認識すらできないような、まったく別の自己に変わるのだろうか。言い換えれば、キャラクターが考えるあらゆることによって、一瞬ごとにわずかに異なる自己へと進化していくのだろうか。他者と過ごす時間のなかで、少しずつその人間と似てくるのだろうか。それとも、こうした変化はとるに足りないことで、キャラクターの核心はずっと変わらないままだと考えるだろうか。

恒久的な自己

生まれたときの子供は白紙の状態で、どんなものにでもなれる可能性があるが、人生で経験を積むうちに、独自の行動（アクション）や反応（リアクション）のパターンが生まれ、それが心を安定させて恒久的な自己が作られるという考え方がある。性格の変化は、この安定した心の周囲で起こる。ひとたびパターンが決まれば、ストーリーで起こる出来事でのキャラクターの選択や行動は、そのキャラクター固有のもの、自分らしいものとなる。

ジョージ・エリオットは小説『ミドルマーチ』で、恒久的な自己についてこう表現している。「ひとりの自分がのぼせ上がって、高いところで大声を張り上げている間に、それを越えて広い平原を見渡し、そこで立ち止まって待ち受けているもう一人の変わらない自分が見えるのだ」（廣野由美子訳、光文社、２０１９年、第1巻、３３５頁）

ジョン・オズボーンの戯曲『怒りをこめてふり返れ』のジミー・ポーターや、ジェイムズ・マクブライドが回想録『母の色は水の色――12人の子を育てた母の秘密』で記した自分自身のように、主人公がアイデンティティを模索する物語では、自分の表向きの変化を認識すると同時に、過去の自分もまた自分の一部であり、ある意味では自分そのものだと主人公は感じる。実のところ、過去を振り返るという行為自体が、恒久的な自己が存在することを示唆している。キャラクターの核となる自己が時を超えて生きつづけることがなければ、現在に生きて過去を振り返ることはできない。

多くの作家は、中核の自己は表向きの生活の絶え間ない変化から自分自身を守ると考えている。肉体の変化、人間関係や社会の変化、転職、転居といったことだ。絶えず変化する状況のなかでも、自己の本質、特に倫理観はけっして変わらない。〔原注1〕例をあげると、スタンリー・キューブリックの『時計じかけのオレンジ』（原作はアンソニー・バージェスの同名小説）で、主人公アレックス（マルコム・マクダウェル）は、他人に恐ろしい苦しみを与え、自分も同じ目に遭いながらも、断固として変わることはなく、幸福すら感じている。

変わりゆく自己

動物は本能に従い、人間は本能を分析する。オオカミは、オオカミであることの意味を考えることはなく、ただオオカミである。だが、自己を認識する人間の心は、衝動や直感に悩まされ、本能と理性のせめぎ合いを記録し、よりよい自分、あるいは少なくとも別の自分になろうともがく。この理由から、多くの作家は、変化はありうるというより不可欠なものだと考える。

変化は、キャラクターを特徴づける対立要素を軸として生じる。ジョン・ミルトンの叙事詩『失楽園』では、主人公の核となる矛盾は「善／悪」だ。誇りを傷つけられた光の天使ルシファー（善）が、同じ考えを持つ多くの天使を率いて神に反逆し、物語はプラスからマイナスへ変化する。三日間の戦いののち、ルシファーは天国から追放されて地獄に落ち、そこで闇の天使サタン（悪）と名乗るようになる。

さらに例をあげよう。ビリー・ワイルダーの『地獄の英雄』（51）のチャック・テイタム（カーク・ダグラス）は、「やさしさ／残酷」の対立要素がプラスからマイナスへ動くが、カーレド・ホッセイニの小説『君のためなら千回でも』のアミールの場合は、逆の方向に動く。「寛大／貪欲」の対立要素は、チャールズ・ディケンズの小説『クリスマス・キャロル』のエベニーザ・スクルージではマイナスからプラスへ動くが、ドラマシリーズ『ビリオンズ』のボビー・アクセルロッド（ダミアン・ルイス）では逆になる。複数の対立要素が二面性を持って交差することもある。アラヴィンド・アディガの小説『グローバリズム出づる処の殺人者より』では、主人公バルラム・ハルワイが法を守る一市民から殺人者となる（プラスからマイナスへ）一方で、貧しい労働者から起業家となって成功する（マイナスからプラスへ）。
変化する自己の価値要素は、プラスかマイナスのどちらかの方向へ向かう。

プラスへの変化

プラスへの変化とは、その名が示すように、価値要素がプラスで終わるものだ。キャラクターがプラスまたはマイナスにある状態で幕があき、プラスとマイナスを周期的に繰り返した結果、クライマックスではキャラクターの欲求が満たされる。

したがって、プラスへの変化がはじまるのは、キャラクターが自分のなかのマイナスの状態を感じるときからだ。最初は変化に抵抗を示すが、さらにきびしい真実が明らかになることで抵抗を乗り越え、最後は道徳的に成長する。

例をあげよう。

ジョン・パトリック・シャンリーの戯曲『ダウト　疑いをめぐる寓話』で、主人公シスター・アロイシアスは、独善的な考えにとらわれた支配者（傲慢）から、自分の疑念を恥じる女性（屈辱）へ変化する。

ダニー・ルービン脚本による『恋はデジャ・ブ』（93）では、主人公フィル・コナーズ（ビル・マーレイ）が、未熟で自己中心的な、人を愛することのできないエゴイスト（利己的）から、やさしい心と愛情を持った恋をする成熟した男（献身的）へ進化をとげる。

J・M・クッツェーの小説『恥辱』では、人を巧みに口説く気どったインテリ（自己欺瞞）である主人公デヴィッド・ルーリーが、自分の人生をゆっくりと解体し、ついには自分の力の及ばない世界での自分の立場を受け入れる（自己認識）。

ドラマシリーズ『セックス・アンド・ザ・シティ』とその映画版（08、10）では、プラスへの変化によって四人のキャラクターが不完全な状態から完全な状態へ導かれた。くわしく見てみよう。

キャリー・ブラッドショー

キャリー（サラ・ジェシカ・パーカー）は、ニューヨークのセックス事情や恋愛事情について連載を持つコラムニストだ。コラムの題材について知性を使って研究し、慎重に観察してはいるが、その選択と行動を支配しているのは本人の感情だ。シリーズ開始当初、自意識過剰で不安定だったキャリーは、六シーズンと二本の映画のあいだに、精神的に安定した揺るぎない存在へ変化する。

シリーズがはじまったころ、キャリーは友人や男たち、特にミスター・ビッグ（クリス・ノース）から認められ、安心感を得ることを求めていた。そして、恋人のアパートメントの鍵を手に入れたい、彼の浴室のキャビネットに自分のスペースを確保したい、といった執着心を持つようになる。自分の行動を自覚し、それを「夢中になりやすい」という性格のせいにしている。第一シーズンの最後では「わたしを選んで」とビッグに訴える。キャリーの性格は不完全だが、自虐的なユーモアが共感を呼ぶ。

キャリーはほんとうの恋を求めているが、自分が結婚して家庭を持つタイプかどうかには疑問を持っている。シリーズの第一話で出会ったミスター・ビッグは、彼女がはじめて、そしてただひとり、真剣に愛した相手だ。キャリーは多くの男たちと付き合ってきたが、ビッグこそ運命の人だと感じている。ファイナルシーズンの最後で、ビッグはキャリーと過ごすためにカリフォルニアからニューヨークにもどると告げる。映画第一作のクライマックスでふたりは結婚する。さて、ここでひとつ問題がある。キャリーは自分の力で精神的安定を手に入れたのか、それとも結婚によってそうなったのだろうか。

サマンサ・ジョーンズ

セックスに奔放なサマンサ（キム・キャトラル）は、四人のなかではいちばん年上で、ＰＲ会社の経営者だ。自称「セックスはお試し（トライ・セクシュアル）タイプ」（だれでも一度はトライするという意味）で、サマンサのストーリーのほとんどは彼女の性的遍歴を中心に展開する。ロマンティックな手順のあるなしにかかわらず、セックスこそサマンサが情熱を傾けるものだが、自分以外の人間を愛することはない。愛することができない彼女の変化を、このシリーズは贖罪プロットとして描く。

セックスに関しては自己愛が強いが、四人のなかではサマンサがいちばん友情に厚く、一方的に批判することはない。いくつかまじめな交際もし、女性同士のものも一度あるが、同じ相手とはだいたい二回までしか会わない。だが、第六シーズンではふたつのことが起こる。スミス（ジェイソン・ルイス）との恋、そして乳癌と診断されることだ。

サマンサは大きな勇気とウィットで癌に立ち向かう。治療でどんなに見苦しい姿を見せても、最悪の状況にあるサマンサにスミスは寄り添う。テレビシリーズから四年後となる映画版第一作では、彼女はロサンゼルスでスミスと暮らし、献身的な関係を守るために精いっぱい尽くしている。

だが、スミスを思いやる気持ちとは裏腹に、彼女はセクシーな隣人に強く惹かれている自分に気づく。ついに自分の気持ちをたしかめた彼女は、スミスよりも自分自身を愛しているという結論に至り、ふたりは別れる。映画第二作目では、サマンサはかつての自分にもどり、男のベンツのボンネットでセックスを楽しむ。

サマンサは、愛情抜きのセックスへの執着（ほんとうの自分）から、セックス抜きの献身的な愛情（偽りの自分）へ、そしてまた愛情抜きのセックスへの執着（ほんとうの自分）へと、二度の変化をとげる。

シャーロット・ヨーク

シャーロット（クリスティン・デイビス）は、コネチカット州の名家の出身で、プロムクイーン、チアリーダー、陸上部のスター、ティーンモデル、乗馬選手という華やかな過去を持つ、名門スミス大学を卒業した美術商だ。絵に描いたような世間知らずのお嬢さまから、人の世の哀歓を知った女性への変化は、啓発プロットとして描かれる。

シャーロットは見境もないロマンティストで、いつも白馬の王子を探している。四人のなかではいちばん素直な性格で、愛はすべてに勝つと考えている。デートにはルールがあると信じているので、友人たちの奔放な行動を軽蔑している。友人たちはシャーロットの楽観的な恋愛観をうらやましく思い、畏敬の念すらいだいている。そんなシャーロットも、ときに下ネタやオーラル・セックスの話題で友人たちを驚かせる。

ロマンスを信じる彼女は、婚約者とは新婚旅行までセックスしないと決めていたが、完璧に見えた夫は性的不能者だった。夫と母親とのゆがんだ関係も一因となり、結局は離婚する。

シャーロットは、離婚のために雇った弁護士ハリー（エヴァン・ハンドラー）が汗かきで食べ方が汚いこと、禿げ頭で体毛が濃いことに最初は嫌悪感を持っていたが、熱烈な愛の告白を受けてベッドをともにする。ハリーとのセックスは人生で最高のものだった。ぜったいにセックスだけの関係にとどめようと心に決めたシャーロットだったが、ハリーの愛情の深さに、いつしか恋に落ちていた。

シャーロットは、自分の理想とする男性像に少しでも近づけるためにハリーを変えようとしたが、それがハリーにとってどれだけ苦痛だったかに気づき、ありのままの姿を受け入れる。それどころか、ユダヤ教の女性としか結婚しないと公言していたハリーのために、ユダヤ教に改宗する。

ロマンティックな理想を捨てて、ありのままのハリーを受け入れなくてはならないと気づいたとき、はじめてシャーロットはロマンティックな理想をかなえる愛を手に入れる。完璧な男性の対極にある男性が、彼女の理想の伴侶となる。理想の男性との悲惨な現実を経て、理想と正反対の男性との理想の恋に出会うのだ。

ミランダ・ホッブズ

ウォール街の弁護士であるミランダ（シンシア・ニクソン）は、仕事に重きを置き、男たちを軽んじる。どちらに対する態度も、ふたつの啓発プロットを経て変わっていく。初期のシーズンでは、ミランダは男性に対して不信感と怒りをいだき、男たちは未熟で非現実的な恋愛観を持っていると考えていた。

そんなミランダが、バーテンダーのスティーブ（デビッド・エイゲンバーグ）と出会う。一夜かぎりの関係だったはずが、同棲するまでの仲になる。結局は経済的な格差からいさかいになり、別居することになるが、親しい性的関係は継続する。スティーブが癌で片方の睾丸を失ったとき、ミランダは彼とベッドをともにし、睾丸がひとつしかなくても変わらず魅力的だと慰める。

そのとき妊娠したミランダは、産むことを決める。妊娠したことで彼女の性格は穏やかになり、自分がすべての責任を負って育てるとスティーブに告げて、好きなときに息子に会わせることにする。子育ては仕事人間の彼女にとってストレスだが、やがて仕事と両立できるようになる。ミランダとスティーブは、プラトニックなパートナーとして息子を育てる。

息子の一歳の誕生パーティーで、ミランダはスティーブへの愛を口走り、スティーブも自分にはミランダしかいないと答える。ふたりは結婚する。

映画版二作目で、ミランダは仕事に追われ、息子の学校行事に参加できずにいる。さらに職場では、女性ぎらいの上司から軽く扱われる。ミランダはスティーブから、いまの事務所を辞めて、やりがいのある仕事ができてきちんと評価される職場を探すよう説得される。仕事と恋の両方において、ミランダの不安定な状態はバランスがとれた状態へ変化する。

マイナスへの変化

マイナスへの変化とは、キャラクターがプラスまたはマイナスの状態で幕があき、プラスとマイナスを周期的に繰り返した結果、最後は悲劇で終わるというものだ。言うまでもなく、シェイクスピアの悲劇のキャラクターたちの生と死は、これに沿って形作られている。アントニーとクレオパトラ、マクベスとマクベス夫人、ブルータスとキャシアス、コリオレイナス、リチャード三世、ハムレット、オセロ、リア王――いずれも悲劇的なクライマックスで完成に至るキャラクターだ。

マイナスへの変化は、キャラクターの持つ若者らしい空想や純朴さからはじまることが多い。現実に夢を邪魔されても、自分の信念に固執するが、やがて痛みに満ちた抗えない現実に屈する。ヘンリック・イプセンの『ヘッダ・ガーブレル』、ヨハン・アウグスト・ストリンドベリの『令嬢ジュリー』、そしてテネシー・ウィリアムズのほぼすべての戯曲の主人公がこれにあてはまる。

善から悪への変化は、やさしい少女が連続殺人犯になる（マクスウェル・アンダーソンの戯曲『悪い種子』）、勤勉なホワイトカラーの技術者が精神崩壊を起こして暴力に走る（ジョエル・シューマッカー監督の映画『フォーリング・ダウン』［93］）、理想主義者が大量殺人者になる（デヴィッド・トーマス〔トム・ケインの別名〕の小説『Ostland（未）』）などの例がある。

トマス・ハーディの小説『日陰者ジュード』では、肉体労働者のジュード・フォーリーが大学で学者になることをめざして（空想）、古代ギリシャ語とラテン語を独力で学ぶ。しかし、下層階級の窮乏と上流階級からの偏見が夢を砕く。彼は石工として生涯働き、貧しい苦境のなかで死ぬ（現実）。

ジョージ・ルーカスの『スター・ウォーズ』シリーズは、ルシファーの堕落を下敷きとした物語だ。ジェダイの騎士アナキン・スカイウォーカー（善）は、愛する女性を救うために生と死を超える力を求めて、光の世界から悪名高きダークサイドへ落ちていく。戦いで四肢を失い、身を焼かれたアナキンは銀河帝国に加わり、ダース・ベイダー（悪）と名乗る。

パトリック・マーバーの戯曲『クローサー』では、ダン、アンナ、ラリー、アリスの四人が愛に満ちた親密な関係（有意義）を求めている。四人は出会い、惹かれ合い、恋人同士になり、別れるという繰り返しの日々を送り、最後には孤独と不満（無意味）で終わる。

プラスの方向かマイナスの方向かを問わず、キャラクターの変化がまっすぐに進むことはまれであり、ジグザグに激しく動く傾向が強い。価値要素が変化しなければ、ストーリーは肖像写真のように凍りつく。すべての出来事が延々とプラス方向にばかり進行し、最後にキャラクターたちが喜びにむせぶストーリーなど考えられるだろうか。あるいは、恐ろしい場面ばかりがどんどん重苦しさを増していき、最後には登場人物がどん底で打ちのめされるストーリーも同様だ。単調な繰り返しは作家にとって大敵だ。

キャラクターの視点から見た変化

キャラクターが自分の人生を振り返るとき、だれを見るのだろうか。自分自身だろうか、それともほかのだれかだろうか。キャラクターは以前と変わっただろうか。よくなっただろうか。悪くなっただろうか。だれだかわからなくなっているだろうか。過去の自分、現在の自分、将来の自分を憎むのか、好きになるのか、無視するのか。

自分自身に対する感じ方は、自己陶酔から、自己愛、自尊心、自己への無関心、自己批判、自己嫌悪、そして自殺願望まで、多岐に及ぶ。この両端には、ふたつの相反する見方がある。運命にまかせた人生と自由意志による人生だ。

運命にまかせた人生　あなたのキャラクターが後ろを向いていて、ほとんど前を見ないのなら、自分では変えられない運命にとらわれていると感じているのだろう。自分の欲求を満たすことはできず、他人の要望ばかりをかなえることになるのかもしれない。潜在意識のどこかに隠れている真の自己とのつながりが断たれ、途方に暮れている。

こうした人生では、過去を振り返ったとき、自分は進化したのではなく、自分の知らない何者かに変わったと感じるだろう。かつての信念、価値観、目的は失われたように見える。かつての欲求や行動にキャラクターは困惑する。以前はどうしてあのようなことができたのかと考える。過去の行為が理解できたとしても、矛盾したものに思える。変化があまりにも大きすぎて、かつての自分がどうだったか想像できない。言い換えれば、キャラクターは自分自身を孤立させているのではないだろうか。

自由意志による人生　もしあなたのキャラクターが前を向いていて、ほとんど後ろを見ないのなら、自分の思うがままに生き、自分の道を自由に選んでいるということだ。自分が中核の自己そのものであると信じて疑わない。未来の達成すべき目標が、キャラクターを引き寄せる。

こうした人生では、成長するにつれて、変化した自分に共感するだろう。十代の怒りは満ち足りた中年期に向かって和らぎ、仕事への情熱が少しずつ失われて、ゆっくりと老いが進む。肉体的、感情的には進化したが、心は本質的に同じなのだろうか。もとの心の構造から自然と進化したのだろうか。かつての欲求は現在の行動に影響を与えているのだろうか。言い換えれば、キャラクターは自分に共感するだろうか。そして、成長した自分自身をどのように見るだろうか。

キャラクターのなかには、変化によって真実を知る者もいる。フランク・ダラボン脚本の『ショーシャンクの空に』(94)で、レッド(モーガン・フリーマン)は自分の過去を歪曲も正当化もせずに見るようになり、若き日にもどって恐ろしい罪を働いた自分に説教をしたいと考える。

変化によって混乱をきたすキャラクターもいる。D・H・ロレンスの小説『虹』では、アーシュラ・ブラングウィンが自分の人生を振り返って困惑する。つねに自分自身であるはずのすべての局面が、あまりにも異なって見えるからだ。「だが、アーシュラ・ブラングウィンとは、いったい何だ？　自分が何であるか、彼女は知らない。ただわかっていることは、彼女が常に拒絶と反発に終始していたということだけに過ぎない。たえず幻滅と、そして虚偽との灰と砂を、ペッぺと口から吐き出して来た」(『現代世界文学全集8』所収、中野好夫訳、新潮社、1954年、504頁)

変化が怒りをもたらすキャラクターもいる。サミュエル・ベケットの戯曲『クラップの最後のテープ』では、六十九歳になったクラップが、何十年にもわたって自分が録音してきたテープを聴く。若いころは、自己は生涯変わらないと信じていたが、いまはちがう。自分の過去の声を聴くと、かつての自分だとわかるが、クラップはそれをすべてあざ笑い、どれにも共感しない。脱皮した蛇の抜け殻のように、年を追うごとに以前の自分を脱ぎ捨て、あとにはくたびれた老人――最後のクラップ――が残る。

変化が急激なものでもゆっくり訪れるものでも、内からのものでも外からのものでも、偶発的でも意図的でも、キャラクターはみな変化を独自に解釈し、受け入れる者もあれば、否定する者や気づかない者もいる。

一般に、変化がもたらす反応として、つぎの四つが考えられる。

1　変化はうわべだけのものであり、すぐにもとの自己にもどると感じる。
2　よりよい自己に変わったと感じる。
3　過去を、かつての自分、いまよりよい人間だった自分の墓場と見なす。
4　子供のころから抑えこんできた自分のほんとうの姿を発見する。ようやく、よくも悪くもほんとうの自分として生きることができる。

作者の視点から見た変化

キャラクターの変化について、あなたはどのように解釈するだろうか。あなたのキャラクターはそれに対してどのように反応するだろうか。自己は永遠に変わらないと考える作家もいれば、大きく変化すると考える作家もいる。キャラクターの実像を明らかにする作家もいれば、謎のままにする作家もいる。キャラクターを変化させる作家もいれば、そうでない作家もいる。どの場合も、作家がキャラクターと過去をどう結びつけるかによって、そのキャラクターが進む方向が決まる。

健全な過去は、過去と現在のつながりを強め、自己を無傷のままに保つが、衝撃的な過去は、自己を衰弱させ、崩壊させる。裏切られて傷ついた中核の自己は、記憶にすがり、それを真実だと思うことで正気を保つ。この場合、過去はキャラクターにさまざまな影響をもたらす。四つの例を紹介しよう。

1　強迫観念　過去のつらい体験がトラウマとなり、月日が経っても薄れることのない強い衝撃が絶えず心によみがえる――ＰＴＳＤがそれにあたる。心の傷は目に見えず、記憶がよみがえるたびに同じ傷口が開く。

2　抑圧　潜在意識に追いやったはずのつらい記憶が、わだかまりとなってノイローゼを起こしたり、自己をゆがめたりする。

3　幻想　トラウマが消えないとき、心は痛みを乗り越えるために、実際には起こっていない空想の出来事を過去と置き換える。

4　平静　乱暴になることもゆがめることもなく、心が勇気を持って真実と向き合う。

変化の原因やタイミングによって、キャラクターの自意識は変わるだろうか。変化が突然訪れた場合（キッチンでの事故で顔と手にやけどを負う）、美しい容姿が損なわれることはキャラクターの自己を切り裂くだろうか。慎重な選択によってゆっくりと変化した場合（侮辱された仕返しとして、気分が悪くなる程度の毒を毎日夫に盛っていたが、時間が経つにつれて、夫は生きている価値がないという結論にたどり着く）、ほんとうの自分をさらけ出すのだろうか、それとも変化した自分がかつての自分と入れ替わるのだろうか。すぐれた作家たちは、キャラクターの変化に対して、ほかとはちがう独特の見方をする。

読者や観客の視点から見た変化

ストーリーの冒頭では、説明が重ねられるにつれて、読者や観客は表向きの面を理解し、キャラクターが何者なのかをつかむ。キャラクターにまつわる真実と変化という二点への好奇心は、最後の瞬間まで興味を引きつける。このキャラクターは、ほんとうはどんな人間なのか。どう変わっていくのだろうか。

読者や観客の興味を掻き立てながらペース配分をするためには、最初は複雑なキャラクターの姿が見えないようにしておいて、やがて明らかにし、さらに変化させ、最終的に完成させるように、ストーリーの出来事のタイミングを計算しなくてはならない。

4　完成

原則――すぐれたストーリーを持つ作品は、人間が経験できる限界において、主人公の要求と欲求を満たす。

要求と欲求は同義語のように思えるかもしれないが、わたしの考えでは、ふたつの異なる視点から見た、キャラクターのふたつの異なる側面を指すものだ。

欲求とは、登場人物が持ちつづける目的、まだ達成できていない目標のことだ。ストーリーを通して、自分の人生に均衡を取りもどそうと苦悩する主人公は、感情や精神力の及ぶかぎり欲求の対象を追い求める。

要求とは、心のなかにある満たされない空間であり、実現の機会を切望する潜在能力のことだ。契機事件において、作家は主人公のなかにある未完成な部分を認識する。主人公はすぐれたキャラクターとなりうる原石だが、たぐいまれな潜在能力を発揮できるような特異な経験をしていない。だから、人間性を完成させる必要がある。

ストーリーのクライマックスにおいて、キャラクターはそれを実現する。最終的な転換点で、主人公の感情と精神力は大きな重圧を受ける。キャラクターはその決定的な行動によって、限界まで自分を試す。このとき作者は、キャラクターの中核の自己を感情と精神の最深部まで掘りさげて表現している。こうしてキャラクターは完成に至る。すべてが明かされ、それ以上変わることはない。

キャラクターが自分の要求に気づくことはない。それは作者にしか見えない。作者だけがキャラクターの性格にひそむものを知っていて、キャラクターの完全な状態を思い描くことができる。

アクションヒーロー、漫画のキャラクター、滑稽な役柄など、変化しないキャラクターには要求がない。不変でありながら魅力的だ。『ラリーのミッドライフ★クライシス』のラリー・デイヴィッドは、どのシーズンでも、はじめから終わりまで同じ執着心を持っている。あらゆるエピソードで、彼は度を超したこだわりをやみくもに追求し、堅苦しいがとてつもなくおもしろい姿を演じている。同じパターンを、マーベル映画の数々のスーパーヒーローたちも引き継いでいる。

一方、キャラクター主導のジャンル（第14章参照）のストーリーでは、主要なキャラクター（特に主人公）の内面が未完成の状態ではじまる。それまでの人生では、彼らの能力（知性、道徳性、才能、意志の力、そして愛や憎しみや勇気や狡猾さなどの感情の力）が最大限まで求められることはなかった。しかし、ストーリー内での衝突において、キャラクターたちの行動や反応がそれを果たす。クライマックスでは、自分の人間性を完成させたいという本能からの要求によって、人間が経験できる限界である終着点へ向かう。

完成したキャラクターの例をあげよう。

古代ギリシャの三大悲劇詩人のひとり、エウリピデスの戯曲『メディア』で、王女メディアは、息子ふたりの父親でもある夫のイアソンが、ほかの女性と結婚するために自分を捨てたことを知る。メディアは、相手の女性とその父親を毒殺したうえに、イアソンへの復讐のために、ふたりのあいだの息子たちも手にかける。メディアは息子たちの死体を持って逃げ、イアソンが墓前で祈ることができないように、隠れて埋葬する。この復讐によって、メディアは自分自身を驚くべき極限へと駆り立てる。

同じく三大悲劇詩人のひとり、ソポクレスの『オイディプス王』のクライマックスで、オイディプスは自分が知らずに父を殺して、母を妻としていたことに戦慄し、狂乱のうちにみずからの両目をえぐり出す。ほとばしる激情はすべての思考を麻痺させ、衝撃を受けたオイディプスは未完成のままの存在となる。

だが、その十九年後、九十歳になったソポクレスは自分のキャラクターを完成させた。『コロノスのオイディプス』で、オイディプスは自分が犯した罪の核心について考え、おのれのプライドの高さと自己認識の欠如がみずからの運命を形作ったことを悟る。もっと早く気づくべきだった、と。罪を受け入れたオイディプスは、自分自身を完成させて、安らかに死んでいく。

キム・ギドク監督の『春夏秋冬そして春』（03）では、見習いの少年僧が、残酷な子供から煩悩に満ちた十代を経て、妻殺しの重罪犯、罪を悔いる囚人、そして仏教の師へ変わっていく。真の変化を経て、人生で英知を培い、自己を完成するという変遷の弧は、厳粛な心境へと至る。

アイリス・マードックの小説『海よ、海』では、劇作家で演出家の主人公チャールズ・アロービーが、生涯をかけてロマンスを追い求めるが、最初の恋も、真実の恋も、唯一の恋も本来の自分であり、これまでもずっとそうだったことを理解していない。ついには、わずかな人間性も失われ、自分自身をまったく理解できないまま、自己欺瞞の袋小路に迷いこむ。

パディ・チャイエフスキー原作の映画『ネットワーク』（76）をリー・ホールが脚色した舞台化作品では、ニュースキャスターのハワード・ビール（映画ではピーター・フィンチ、舞台ではブライアン・クランストンが演じた）が、「現代社会はでたらめだ」と言い放って大ニュースになる。ゴールデンタイムの番組で放言を重ねるビール見たさに、視聴率はうなぎのぼりになるが、その一方で、ビールはどんどん狂気に陥っていく。最後には、ビールによる無意味についてのメッセージすら無意味になる。視聴率が急落すると、テレビ局はカメラの前でビールを殺させる。あらゆる側面が暴露され、使い果たされたビールは死ぬ。

マイケル・コルレオーネが完成するのはいつだろうか。『ゴッドファーザー　PARTⅡ』の最後だという意見もあるが、わたしはそう思わない。最初の二作品で、マイケルは他人に苦しみを与える存在だが、『ゴッドファーザー　PARTⅢ』で地獄の苦しみを味わうことによってはじめて、彼は完成する。

『LEFTOVERS／残された世界』のフィナーレでは、ノラとケヴィンがテーブル越しに手を取り合い、ふたりのラブストーリーは静かにクライマックスを迎える。三シーズンずっと、皮肉屋のノラはケヴィンを信じることができず、親しい関係を避けているケヴィンも、自分がノラにふさわしいと思えない。ふたりの個人的なエピソードの合間に、ノラは失われた家族を求めてパラレル・ワールドへ向かい、ケヴィンは死後の世界とのあいだを行き来する。無意味さの意味を理解する唯一の方法は、自分たちの愛を信じることだと気づいたとき、ふたりは完成に至る。

キャラクターを完成させる

まとめよう。世界で名を成したいという激しい願望や、目的を見つけたいという飽くなき欲望に駆り立てられて、自分自身を完成させるキャラクターがいる。また、崩壊することへの恐れや、自分の本質に対する強烈な好奇心に導かれるキャラクターもいる。どちらの場合も、未完成のキャラクターは、外に向かって自分を試すことで、内に向かって自分を構築していく。重大なリスクを冒して、自分にとって何よりも価値のあるものを追い求めるが、たとえ手が届いたとしても、完全に支配することはできない。［原注2］

だが、大多数のキャラクターは、自分がどれだけ深く人生に取り組んでいるのか、最大限に力を尽くしたらどれほどの経験ができるのか、といった疑問を持つことがほとんどない。その代わりに、作家がキャラクターに代わって、鍵となる気質を探り、鍵となる問いかけをする。

ひとりのキャラクターを完成させるために、まず認識すべきことがある。人はみな、あり余る能力を持って生まれてくること、人生で必要となるよりもはるかに多くの思考や感情を持っていること、けっして使われることのない力を持っていることだ。ストーリーがはじまる直前のキャラクターの姿をよく考え、つぎのように問いかけよう。人生のその時点でのキャラクターのあり方と、精神的、感情的な気質のほんの一部しかこれまでに発揮できていないことと、いつかふれることになる人生の深みと広さ――それらすべてを考え合わせると、その人間性に欠けているものはなんだろうか。

その答えが出たら、さらに問いかけよう。キャラクターが自分を完成させるために必要なものはなんだろうか。具体的にどんな出来事が起これば、みずからの誓いの実現に向けて走り出すのか。その転換点こそ、あなたのストーリーの契機事件になる。

最後に、つぎの問いかけをしよう。思考の限界にある、自分の心の奥底へキャラクターを導くのは、どのような出来事だろうか。その人間性を最大限に引き出すのは、どんな重圧、葛藤、選択、行動、反応だろうか。その答えがあなたのストーリーになる。

完成に至ったキャラクターは、自分の人間性を傷つけながらも充足させた人生の二面性にしばしば思いをめぐらす。そうしたキャラクターたちのことばでこの章を締めくくろう。

明日、また明日、また明日と、小刻みに一日一日が過ぎ去って行き、定められた時の最後の一行にたどりつく。（木下順二訳、岩波書店、1997年、130頁）

——シェイクスピア『マクベス』のマクベス

極度の疲労で筆を置いた、そうよ、私は構想（ヴィジョン）をとらえました。（伊吹千勢訳、みすず書房、1976年、277頁）

——ヴァージニア・ウルフ『燈台へ』のリリー

今はほどなくその家を出て動揺する世の中へはいり、歴史から出て歴史と時間という荘厳な責任の中へはいっていくことになるだろう。（鈴木重吉訳、白水社、1966年、537頁）

——ロバート・ペン・ウォーレン『すべて王の臣』のジャック・バーデン

いま私の頭の中にあるのは、絶滅したオーロクスや天使たち、色あせない絵具の秘法、預言的なソネット、そして芸術という避難所である。そしてこれこそ、おまえと私が共にしうる、唯一の永遠の命なのだ、我がロリータ。（『ナボコフ・コレクション』所収、若島正訳、新潮社、2019年、426頁）

アーメン。

すべての凡庸なる者たちよ――いまいる者、そして生まれくる者も――おまえたちすべてを赦そう。

――ウラジーミル・ナボコフ『ロリータ』のハンバート・ハンバート

それははるか昔から届いた光、だから、それほど明るく照らしはしない。しかし、それによってものを見るには十分な光ではある。（松田雅子・松田寿一・柴田千秋訳、開文社出版、２０１６年、５７２頁）

――ピーター・シェイファーの戯曲『アマデウス』のサリエリ

――マーガレット・アトウッド『キャッツアイ』のイレイン

これも運命のようだな。

――映画『カサブランカ』のリック・ブレイン

12 象徴的なキャラクター

完成されているか、未完成であるかにかかわらず、すべてのキャラクターは自分自身を超えた意味を持つ。あなたが作り出すキャラクターはすべて、社会的アイデンティティ（母、子供、上司、従業員など）と内的アイデンティティ（善、悪、賢明、純真など）のどちらか、またはその両方を組み合わせたものの隠喩だ。こうしたものが形作るキャラクターの性質は、大きくふたつに分類できる。現実主義と象徴主義だ。日常を観察することから着想を得てキャラクターを作りあげ、地獄のような毎日に立ち向かわせる作家もいれば、DCコミックスやマーベルコミックスの世界を描くクリエーターのように、キャラクターの象徴的な対立要素を意識して、想像上の性格描写で飾る作者もいる。

スペキュレイティブ・フィクション――ファンタジー、SF、ホラー、スーパーヒーローもの、超常現象、マジックリアリズム、およびそれぞれのサブジャンル――の作者にとっては、象徴は擬人化よりも重要だ。一方、家族、人間関係、社会的組織、法律制度、道徳的心理などの現実的な問題をテーマとしたシリアスドラマやコメディなど、様式化された現実主義の作者にとっては、象徴よりも擬人化のほうが重要となる。〔原注1〕

象徴は、書いているあいだに意図せず進化していくものだ。才能の有無にかかわらず、何もないところからまったく新しい象徴を意図的に作り出すことはできない。象徴は時代を超越したものであり、借用するしかない。

　象徴はつぎのようにして生まれる。何かを見たり、聞いたり、ふれたりすると、心は本能的に問いを発する。「これはなんだろう。なぜそのような姿なんだろう」と。そして、知性や想像力がその表面下をのぞきこみ、内在する構造や隠れた原因を探す。やがて得たひらめきが理想化されて、豊かな意味を持ち、大きな力を秘めた象徴（イコン）となる。

　例をあげよう。人間は自然界に見られる曲面から着想を得て、幾何学的に完全な円を思い浮かべ、その抽象的概念を「生命の循環」という象徴へと高めた。子を宿した女性から発散される、ＤＮＡを複製するエネルギーを、われわれの祖先は「母性」として神聖視してきた。荒れた海は船乗りにとって、怒りに燃え、罰を与える父親の姿を思い出させるものであり、ギリシャ神話ではポセイドンとして描かれた。食用の動植物は儀式としての食事になり、前衛的なシェフによる高級料理（オートキュイジーヌ）へ進化した。このように、特殊なものが一般的なもの、そして理想的なものへと変化することで、象徴としての光を放つ幻想的なイメージが生まれる。作家はこの幻をどこで見つけるのだろうか。それは夢のなかだ。

　象徴的な夢を見ることは、何十万年、あるいは何百万年も前の人類誕生以前の精神が獲得した進化的適応である。適応の目的は安らかな眠りを守ることだ。

　眠れない夜、あなたの脳裏をよぎるものはなんだろうか。希望や欲望、恐怖や畏怖、情熱や怒り、憧れや愛情など、頭のなかを駆けめぐる思いは、疲れた心ではコントロールできない未解決の葛藤だ。

　仏教では、騒ぎ立てる猿を人間の心の象徴としている。昼夜を問わず、絶え間なく脳内で騒ぎ立てる思考は、脳内の松果体が睡眠ホルモンであるメラトニンを分泌するまで人間を眠らせない。象徴的な夢のなかに思考の流れが圧縮されたとき、知能を休ませて身体を癒す機会が与えられる。

　ピストンがシリンダー内の容積を減らすことで熱を集めるように、象徴は複数の意味をひとつのイメージにまとめることで力を生み出す。たとえば、ひげを生やしてローブを身にまとい、大きな椅子にすわって上から見おろしている人物は、父親の象徴だ。このイメージは、判断力、知恵、洞察力、絶対的権威、罰への恐れ、規則を破ったことへの罪悪感、守り育てられたことへの感謝、尊敬と畏怖に根ざした敬愛など、複雑な概念を伝える。こうした多くの意味と感情が渾然となって、ひとつのイメージに凝縮されている。

象徴的なキャラクターの領域

キャラクター創作において、象徴は明るいものから暗いものまでさまざまだ。まず、元型キャラクターが強い光を放ち、つぎに寓意キャラクターの輝きがあり、そのあとに類型キャラクターの控えめな影、最後に定型キャラクターの灰色の輪郭がつづく。

原則――元型キャラクターは人間の本質を象徴する

鳥や蜘蛛が巣を作るように、人間は本能的に元型を作り出した。元型的イメージが持つ象徴的な力は普遍であり、その細部はさまざまであるが、基本的なパターンが失われることはない。元型は文化によってアニメーションから実写まで外観のちがいはあるものの、その存在は魅力的だ。

元型は、ストーリーの四つの主要な要素である出来事、設定、事物、登場人物に存在する。

1　出来事――聖なる誕生、栄光からの転落、善と悪の戦いなど。
2　設定――瞑想の場としての砂漠、豊穣の驚異としての庭園、権威の座としての城など。
3　事物――希望の象徴としての光、情熱の色としての赤、愛の象徴としてのハート形など。
4　登場人物――悲運の恋人たち、亡命生活を送る追放者、魔法の杖を振る魔術師など。

元型キャラクターは、石像のように内も外も同じだ。たとえば、母性的な女性は、命をもたらし、無垢な心を育み、失敗を許すという、母であることのすべての側面を、ひとつの揺るぎないアイデンティティに集約している。その女性にはサブテクストがない。けっして自分を偽らず、冗談も言わず、皮肉な考え方もしない。発言と矛盾するようなひそかな願いもなく、秘めた感情によって行動が複雑になることもない。ただただ、母親だということだ。

元型キャラクターはさまざまな形をとる。女魔法使い、老婆、女占い師はすべて母性的な女性のバリエーションだ。魔法の力や超能力がある場合も、ない場合もある。気むずかしかったり、意地悪だったり、悪意があったりする場合も、そうでない場合もある。手を貸す場合も、貸さない場合もある。児童文学『オズの魔法使い』の「西の悪い魔女」と「北のよい魔女」を比べてみるといい。

程度の差はあるが、現実のものであれ、空想上のものであれ、キャラクターにはなんらかの起源がある。元型に根ざしているとはいえ、ひとたび舞台や小説や映画に登場すると、そのキャラクターは理想の姿から遠ざかることになる。完璧なものは、想像することはできても、成しとげることはできない。こうした繰り返しを新鮮なものにするために、作家は独創的な性格造形を新たに考え出す必要がある。

キャラクターの元型は数がかぎられているが、プラトンからカール・ユング、そして今日のスペキュレイティブ・フィクションの作家に至るまで、数については意見の一致を見ない。多くは、神、悪魔、天使、悪霊など、宗教的な背景を持つものだが、「母親／女王」、「父親／王」、「子供／王子／王女」、召使いなど、家庭内での役割に基づくものもある。ヒーロー、反逆者、モンスター（悪役）、ペテン師（道化）、協力者（賢者、指導者、魔法使い）など、社会的な対立や葛藤から着想を得たものもある。

最後にあげた「協力者」の例としては、『指輪物語』のガンダルフ、『スター・ウォーズ　エピソード4／新たなる希望』（77）のオビ＝ワン・ケノービ、アーサー王伝説に登場する魔術師マーリン、多くの物語で主人公を助けるやさしい魔法使いなどがある。もちろん、ひとつの役が複数の元型を兼ねることもある。シェイクスピアの『テンペスト』の主人公プロスペローは、魔法使い、指導者、支配者、英雄、悪役をひとつにした存在だ。

スペキュレイティブ・フィクションに登場する元型キャラクターには対立要素がないため、変化することができない。スーパーヒーローは、任務に抵抗を感じることがあっても、やがてマントをつけて救助に飛んでいく。そのため、元型が純粋であるほど、その過去や未来にはだれも気にかけなくなり、登場シーン以外を想像することや、その内面を理解することもなく、行動は予測がつくものになる。

現実主義の作品に登場する複雑なキャラクターは、多元的でさまざまに変化するので、頼りとする元型の役割や神話の重要性は低くなる。とはいえ、現実のものでも空想上のものでも、読者や観客の潜在意識にある元型的なものと共鳴すれば、キャラクターは強い反響を起こす。一方、読者や観客が「ああ、このキャラクターは〇〇〇の象徴だ」と意識してしまうと、その登場人物は立体感を失い、印象が薄れる。そのため、象徴性はこれまで見たことがないような性格描写の陰に隠すほうがよい。そのキャラクターがどんなふうに見えるかで読者や観客を引きつけたら、元型を読者や観客の意識下にそっと送りこんで、その存在は感じていても、なぜそこにあるのかを気にも留めないように、潜在意識のなかに滑りこませる。

原則――寓意キャラクターは価値要素を象徴する

元型キャラクターと同様に、寓意キャラクターもただひとつの実体を表すものだが、複雑さはない。元型キャラクターは普遍的な役割（ヒーロー、母、指導者）のすべての面をひとつの人格（ペルソナ）に集約しているが、寓意キャラクターはプラスかマイナスかの一方だけを体現している。寓意的な設定の道徳的世界では、キャラクターは価値要素のパターンを擬人化している。中世イギリスの道徳劇『エブリマン』には、「知識」、「美」、「強さ」、「死」といった人間のさまざまな面を擬人化したキャラクターが登場する。

ジョナサン・スウィフトが風刺小説『ガリヴァー旅行記』で描いた異世界に登場する種族は、それぞれ、狭量さ、官僚主義、科学の滑稽さ、権威への服従などの価値観を象徴している。ウィリアム・ゴールディングが小説『蝿の王』の舞台とした無人島では、少年たち全体が人類を象徴し、個々の少年は民主政治と専制政治、礼節と野蛮、論理的思考と非論理思考といった価値観を象徴している。ピクサー・アニメーション・スタジオ製作の『インサイド・ヘッド』(15)では、主人公の潜在意識を寓話の舞台とし、五つの感情を「ヨロコビ」、「カナシミ」、「イカリ」、「ビビリ」、「ムカムカ」というキャラクターとして登場させた。

さらに例をあげよう。ライオンは、『ナルニア国物語』では英知、『オズの魔法使い』では臆病の象徴である。『LEGOムービー』(14)では「おしごと大王」が企業の独裁体制を、クラスナホルカイ・ラースローの小説『The Melancholy of Resistance(未)』では巨大なクジラの剥製が世界の終わりを、『鏡の国のアリス』ではトゥイードルダムとトゥイードルディーが無意味な相違を象徴している。テレビアニメ『スティーブン・ユニバース』(カートゥーンネットワーク製作)では、宝石が寓意キャラクターとして登場する。

原則——類型キャラクターは行動を象徴する

現実主義のジャンルに属するストーリーは、元型キャラクターや寓意キャラクターを登場させる必要はないが、多少の類型キャラクターは登場するものだ。

類型キャラクターとは、ひとつの特徴をふくらませたものだ。ディズニーの『白雪姫』(37)(原作はグリム童話)には、特徴を表すことばがそのままキャラクターになったこびとが登場する。スリーピー(ねぼすけ)、バシュフル(てれすけ)、グランピー(おこりんぼ)、ハッピー(ごきげん)、スニージー(くしゃみ)、ドーピー(おとぼけ)、ドック(先生)の七人だ。

対立要素を持たないこうした脇役は、混乱、思いやり、非難、苛立ち、孤高、内気、嫉妬、怯え、残酷といった態度の特徴をひとつだけ演じるか、あるいは、無愛想な店員、おしゃべりなタクシー運転手、不幸せな金持ちの少女といった気質の特徴をひとつだけ演じる。幸福と悲惨、油断と警戒、泣き言と我慢など、特徴を表すことばにはすべて対立する価値要素があるため、類型キャラクターの数は二倍になる。［原注2］

最初期のストーリーテラーたちは、王、女王、戦士、召使い、牧童など、社会的役割にしたがってキャラクターを類型化していた。その後、アリストテレスは『ニコマコス倫理学』で、人間を個性に基づいて考察し、「虚栄心がある」、「志が高い」、「癇癪持ち」、「温和」、「世話好き」、「口やかましい」などと形容した。

アリストテレスの弟子テオプラストスは、『人さまざま』でこの考え方を進展させた。テオプラストスは、簡潔ではっきりとした三十の類型をあげて、当時の時代と人類全体について本質を突いた描写をおこなっている。だが、この三十の類型は、「迷信」、「ほら吹き」、「疑い深い」、「虚栄」、「無駄口」、「へつらい」、「退屈」、「自慢」、「臆病」など、悪い面ばかりを採りあげている。「理性的」、「正直」、「温和」、「謙虚」、「聡明」、「誠実」、「愉快」、「独立心」、「勇敢」など、それに対応するよい見本をあげてもよかったのではないかと思うが、読者にとっては悪い見本を読むほうが楽しいのだろう。古代ギリシャの喜劇作家メナンドロスは、テオプラストスの類型を『人間ぎらい』、『女ぎらい』、『憎まれ者』といったタイトルの笑劇に多く登場させた。

エキストラを類型キャラクターに昇格させるには、独特の行動をさせるだけでいい。なんの特徴もないティーンエイジャーが、懸命に自分を抑えようとしながら、きまり悪そうな笑いをずっと浮かべていたら、おおぜいのなかから抜け出して役をもらうことになる。

よく知られた例を三つあげよう。

狂信者

狂信者には、退屈した社会不適合者、才能のない芸術家、つねに不満をかかえた人間などがいるが、いずれも自分の意味のない人生を拒否し、思いどおりの自分ではない自分を憎む。新たな自我を求めて活動に加わり、新しい名前、新しいユニフォーム、新しいことばづかいを手に入れる。こうして態勢を整えて、自分が愛するものの狂信者となり、それに敵対するすべてをきらうようになる。怒りに燃える狂信者は、自分自身を憎む気持ちを、心の奥底で無関係な何かに投影しているのだ。［原注3］

ヘンリー・ビーン監督の『The Believer（未）』（01）の主人公ダニエル・バリント（ライアン・ゴズリング）、ポール・トーマス・アンダーソン監督の『ザ・マスター』（12）の主人公フレディ・クエル（ホアキン・フェニックス）、ブラッド・バード監督によるアニメーション映画『Mr. インクレディブル』（04）のシンドローム（英語版の声、ジェイソン・リー）が示唆に富んだ例と言える。

ヒップスター

ヒップスター〔体制に抗する徹底した「オタク」〕は狂信者とは反対の存在だ。自分が愛する唯一のもの、つまり自分自身に執着する。時代遅れのファッション（ハワイアン・シャツ）を身につけて、古くさい品物（ポータブル・レコード・プレーヤー）を収集し、わけのわからない趣味（ビールの自家醸造）をはじめる。ヒップスターは自分で新しいことを考えるわけではなく、人が見向きもしないものを使って、ユニークな存在でありたいと考える。嘲笑をかわすために、有意義なことをしていないことを鼻にかける。批判を先まわりして、ほんの冗談だと言うようなうすら笑いを浮かべ、人目を避けて生きる。

『ビッグ・リボウスキ』（98）のジェフ・ブリッジス、『ナポレオン・ダイナマイト』（04）のジョン・ヘダー、『インサイド・ルーウィン・デイヴィス 名もなき男の歌』（13）のオスカー・アイザックの役柄がその例だ。

クールな人物

クールな人物は、感情をコントロールし、高ぶることがなく、他者とは距離を置いてけっして頼らず、落ち着いている。大きな動きはなく、もの静かで不可解なところがあり、読者や観客に本心を見せない。秘められた過去のにおいがするが、はっきりとはわからない。すぐれた能力があり、独自の方法で生計を立てているが、それが何であるかは本人にしかわからない。あいまいな倫理観を持つ現実主義者であり、不条理な世界で自分の規範に従って生きている。自分の価値は知っているので、称賛は求めない。奥深さが感じられるが、その瞳の奥にあるものは推測するしかない。[原注4]

『ずっとあなたを愛してる』（08）の謎めいた殺人者ジュリエット・フォンテーヌは、自分の秘密を何十年も守っている。『ゴーン・ガール』（14）のエイミーは、複数の破壊的な自己を演じるが、そのどれもがほんとうの彼女ではない。クリント・イーストウッドは『恐怖のメロディ』（71）や『荒野のストレンジャー』（73）でクールな人間を演じた。

原則——定型キャラクターは仕事を象徴する

類型キャラクターはなんらかの行動を象徴し、定型キャラクターはなんらかの仕事を象徴する。架空の社会では、仕事をすることで社会的役割を果たす市民が必要だ。

ウェイターとして働く大学院生、ウォルマートで働く高齢の受付係、芸術以外の仕事をしている芸術家など、不安定な短期労働をおこなう人間は、自分の将来をコントロールすることができない。自分が人生に求めるものと矛盾した仕事をしているので、定型キャラクターにするには魅力的すぎる多元的な存在だ。

一方、安定した職業に就いている人間は、自分が組織をコントロールできる程度のせまい範囲で働くことが多い。弁護士、塗装業者、医師、カントリークラブのレッスンプロなどだ。仕事が安定していると、内なる創造性が弱くなり、依頼人、家主、患者、クラブの会員への共感も鈍くなることが考えられるが、こうした専門職の人物は、主役のまわりに配置することで定型キャラクターとなる。

最初期の定型キャラクターは、観客がわかりやすいように舞台上で小道具を持たされた。羊飼いは柄の曲がった杖を、神々の使者は翼がついた杖を、王は笏を、英雄は剣を、老人は杖を持った。

古代ローマの風刺作家プラウトゥスは、滑稽な定型キャラクターを使いまわした。金持ちの守銭奴、聡明な奴隷、愚かな奴隷、奴隷商人、娼婦、ほら吹きの兵士、そして現代では「追っかけ」と呼ばれる、有名人に寄生する取り巻きなどだ。

任務をおこなうとき、定型キャラクターに選択の幅はない。医師は家族に悪い知らせを伝え、弁護士は遺言書の内容を説明し、物乞いは物をねだる。クリシェであっても、斬新な手法で描かれたものであっても、定型キャラクターは、その目的がすぐにわかるので、説明を少なくできるのが大きな長所だ。読者や観客は、そのキャラクターが登場した理由と、ストーリーでの役割を知っている。だが、自分の仕事をするときの定型キャラクターが退屈な存在である必要はない。ほかにはない性格描写、つまり、任務遂行のユニークなやり方があれば、定型キャラクターはスポットライトを浴びる存在となる。

定型キャラクターは時代の流れを反映する。ヒッピーの教祖に代わって福音派の伝道師が、ロシアのスパイに代わって中東のテロリストが、人間の手による怪物に代わって遺伝子が突然変異した人間が、宇宙人に代わってゾンビの大群が、いまや主流となっている。

定型キャラクターは自分の仕事のなかで、類型キャラクターは類型のなかで行動しなくてはならないので、選択の余地はほとんどない。そのため、クリシェになる恐れがつねにある。クリシェとは、かつてはすぐれたアイディアだったものが模倣されつくして、独創性が失われたいまも使われているものだ。

ヘンリー・ジェイムズが指摘したように、クリシェと呼べるキャラクターは使い古されているとはいえ、使われなくなることはけっしてない。老いた守銭奴、若い浪費家、小銭稼ぎ、博打打ち、酔っ払い、禁酒家などは、過去に登場したからといって二度と登場させないものだろうか。もちろん、そんなことはない。想像力豊かな作家の手にかかれば、定型キャラクターも唯一無二の存在になる。『ターミネーター』（84）でアーノルド・シュワルツェネッガーが演じた暗殺者は、恐ろしい悪役であり、類型かつ定型キャラクターと言えるものだが、機械と人間を融合させたことによって、類を見ない性格描写がされている。

実のところ、ここ数十年で作られたスーパーヒーローの誕生ストーリーでは、ヒーローたちが自分の仕事をしているだけの定型キャラクターのように感じられる。二十世紀型のキャラクターは、北欧の神であるソー、ギリシャの女神であるワンダーウーマン、神のごときスーパーマンなど、生まれつき超人的能力を持っているが、二十一世紀型のヒーローは偶然（シルクは放射線を浴びた蜘蛛に噛まれ、ミズ・マーベルは突然変異を起こす霧を浴びる）、あるいは科学の力で（アイアンマンは自分でパワードスーツを開発する）ヒーローになる。『ギャラクシー・クエスト』（99）では、売れない俳優たちが本物のエイリアンのために元型キャラクターとなって、この傾向を風刺している。

原則——固定観念は偏見を象徴する

固定観念は、「すべてのXはYである」という誤った考えが発端になる。たとえば、富裕層は貧困層を怠惰という固定観念でとらえ、貧困層は富裕層を冷淡という固定観念でとらえる。だから、偏見はクリシェよりもたちが悪い。クリシェは、大昔に何者かが考えたすぐれたアイディアだ。作家たちが繰り返し使ってきたので、クリシェになったとはいえ、そのなかにはいまも真実がある。一方、固定観念は真実をゆがめるものだ。

固定観念にはモデルとなる元型があるが、その深遠さは弱まって、偏見に満ちている。母性的な女性は過保護な母親に、聡明な王は意地悪な上司に、戦場の英雄は路上の売人に、女神は娼婦に、魔術師はマッドサイエンティストになってしまう。

では、なぜ固定観念は根強いのだろうか。たやすく使えるというのがその理由だ。現実主義のキャラクターに取り組むのは、作者にとっても読者や観客にとっても、楽な仕事ではない。

現実的なキャラクターと象徴的なキャラクター

現実主義が生み出すキャラクターは事実に根ざし、象徴主義が生み出すキャラクターはその対極にある抽象的概念に根ざす。この両極のあいだでは、さまざまな資質が混ざり合い、融合して、想像が及ぶかぎりのキャラクターを作り出すことができる。そこで、対極をなすこのふたつを分けて、それぞれがどのようなものので、キャラクターの創作にどのような影響を与えるのかを見ていこう。

象徴主義の歴史は、有史以前の神話からはじまった。人類の最初期のストーリーは、大自然の力（太陽、月、稲妻、雷鳴、海、山）を象徴する神々や半神半人、その他の超自然的な存在を描いた。これらの神話では、神々が宇宙を創造し、そこに人間を作り出す。時代から時代へ、文化から文化へ、口伝えで語り継がれていくうちに、神話は文字で記されていないので、少しずつ意味を失う。神話においては、ことばはほとんど意味を持たず、象徴的なキャラクターや行為がすべてだ。

現実主義の歴史は、ホメロスが『イリアス』で戦士の心理や血みどろの戦いを鮮やかに描いたことにさかのぼる。現実主義は、誤った信念や感傷による美化でゆがめられることなく、ありのままの人生を描く。その直接的な描写は、象徴的な夢の世界を避け、現実を見据えることを強調する。キャラクターは願望の世界ではなく、現実を生きる。

現実的なキャラクターと象徴的なキャラクターのおもな相違点を十項目あげよう。

1　真実──現実か、願望成就か

現実主義が立ち向かうのは、願いがほぼかなえられることのない社会だ。一方、スペキュレイティブ・フィクションの象徴的なジャンルである神話やファンタジーでは、昔もいまも、願望を成就させるために行動を起こさせる。今日のヒーローやスーパーヒーローは、魔法を使えるかどうかにかかわらず、厳格な道徳的世界に住む。そこでは、善はかならず悪に勝利し、愛はすべてに打ち勝ち、死は人生を終わらせない。

寓話や伝説などの象徴的なジャンルでは、願望を暗く危険なものとして扱い、道徳的な教訓を語る。イソップ物語の「キツネとぶどう」、グリム童話の「ヘンゼルとグレーテル」、ギリシャ神話のアトレウス家伝説はその古典的な例だ。現代の寓話は、ディストピア的未来について警告を発する。ジョージ・オーウェルの『一九八四年』、マーガレット・アトウッドの『侍女の物語』、ナオミ・オルダーマンの『パワー』などの小説がその好例だ。

2 実像──複雑な心理か、力強い個性か

象徴的なストーリーは、キャラクターのなかにある矛盾ではなく、キャラクター同士の対立を引き起こす。その結果、象徴的なキャラクターは堂々とした力強い個性となり、現実的なキャラクターは複雑な心理を持つことになる。バットマン（別名ブルース・ウェイン）とソウル・グッドマン（別名ジミー・マッギル）を比べるといい。

3 対立や葛藤のレベル──外からのものか、内なるものか

象徴的なキャラクターは、外からの社会的、物理的な敵対する力に対抗して行動を起こし、現実的なキャラクターは、自己不信、自己欺瞞、自己批判といった内なる混乱や邪念と戦うことが多い。

4 複雑さ──一様か、多様か

現代の神話的キャラクターは、その着想のもとになった元型と同様に、特徴はあるが対立要素はなく、欲求はあるが矛盾はなく、テクストはあるがサブテクストはない。象徴はひとまとまりになっていて、内側も

外側も一様だ。

一方、多くの対立要素を持つ現実的なキャラクターは、社会的自己、個人的自己、内的自己、隠れた自己のあいだに大きな矛盾をかかえている。

5 描写——淡泊か、濃密か

象徴主義の作家は、寓話や伝説や神話などの本質的な部分に焦点をあてる。特徴の細部に至る性格描写は避け、濃密な現実を単純化する。

一方、現実主義の作家は、自分のキャラクターを飾り立て、具体的に描くための詳細な情報を寄せ集める。たとえば、『Ｍｒ．インクレディブル』であっさり描かれる家族と、ドラマシリーズ『シックス・フィート・アンダー』で事細かく綿密に描かれる家族を比べてみよう。

6 わかりやすさ——難解か、容易か

現実主義には集中力と理解力が必要だ。キャラクターが現実に即して見えるかどうかは、そのすべての自己をわれわれがどれだけ深く考えるかに比例する。矛盾しつつも一貫性があり、変化しつつも統一されていて、予測できないが信頼でき、明確でありながら謎めいたキャラクターは、それらの度合いが増すほど現実味を帯び、より魅力的で好奇心を掻き立てる存在になる。理解するのはむずかしいが、ひとたび理解できれば、その厚みを楽しむことができる。ヴァルモン子爵（小説『危険な関係』）、トマス・サトペン（小説『アブサロム、アブサロム！』）、ジミー・マッギル（ドラマ『ベター・コール・ソウル』）がその例だ。

神話や伝説や寓話の象徴的なキャラクターは、たやすく理解できる。定型化され、意外性がなく、テクストに縛られた役柄であるほど、驚きはなく、好奇心は掻き立てられず、現実味は薄くなる。アルバス・ダンブルドア（『ハリー・ポッター』）、マックス（映画『マッドマックス』［79］）、スーパーマンがその例だ。

7　世界観——懐疑的か感傷的か

現実主義は強靱な情動でキャラクターを見るように仕向け、象徴主義は感傷でキャラクターを美化しがちだ。

情動とは、たしかな動機によって確固とした行動を強いられたときに生まれる感覚のことだ。劇作家ヘンリック・イプセンの『幽霊』や、アルヴィン・サージェント脚本による『普通の人々』（80）で、親が子供のためにすべてをなげうつ場面で生じるものがこれにあたる。

一方、感傷とは、偽りの原因を用いて偽りの結果を引き起こし、それによって感情を操るものだ。たとえば、押しつけのハッピーエンドは、古くはハンス・クリスチャン・アンデルセンの童話『人魚姫』、最近ではスティーヴン・スピルバーグの『宇宙戦争』（05）で使われた技法だ。

8　結末——二面性があるか、単純か

現実主義の作家たちは、人生の変わらない二面性に立ち向かう。何かを手にするための行動は、それがけっして手にはいらないと知るための行動であり、何かを避けるための行動は、まっすぐにそこへ向かう行動である。クライマックスが悲しみのなかにあっても、喜びのなかにあっても、現実主義は二重の影響をもたらす。明るい結末を得るには大きな犠牲を必要とし、悲劇的な結末は深い知恵と分別をもたらす。現実は残酷なまでの二面性を持つものであり、キャラクターはそれに苦しむ。

フィリップ・K・ディックのような作家を除いて、神話や寓話や伝説は二面性に抵抗し、純粋でまわりくどくない前向きなストーリーをキャラクターに演じさせる。

9　キャラクターの動き――流動的か固定的か

現実主義は、キャラクターのなかの隠れた真実を明かしたうえで、しばしばその内なる本質を変化させる。象徴的な登場人物はひとつの一貫した資質を持ちつづけるので、明かされるものも変化するものもない。

現実主義は疑念に基づき、神話は希望に基づく。神話を現実と照らし合わせると、その元型はつねに願望の成就だったことが明らかになる。

二十世紀はじめ、カール・ユングは、神話からとった元型に基づいて集合的無意識という概念を提唱した。アメリカの神話学者ジョーゼフ・キャンベルはユングの説を展開させ、キリスト教に代わる精神主義として「英雄の旅」と呼ばれる単一神話論を唱えた。ハリウッドでは、英雄の冒険の旅に関するキャンベルのこの理論を、夏休み向けのアクション大作を大量生産するための雛型としている。［原注5］

10　社会の動き――流動的か固定的か

象徴主義のジャンルにおける階級構造は、頂点に支配者を、底辺に農民を、残りをその中間に置くという傾向がある。現実主義では、たとえ舞台が王政や独裁国家であっても、権力を登場人物のあいだで流動的に動かす。

ケーススタディ――『ゲーム・オブ・スローンズ』

デイヴィッド・ベニオフとD・B・ワイスによる長編ドラマシリーズ『ゲーム・オブ・スローンズ』（ジョージ・R・R・マーティンの「氷と炎の歌」シリーズを原作とする）は、壮大なファンタジーに過酷な現実主義を持ちこんだ作品だ。象徴主義のモノクロの輪郭のなかに、ありとあらゆるグレーの濃淡でキャラクターが描かれている。神話的な独裁政治の世界と奔放なフィクションが融合し、百六十ものキャラクターが登場して、現実主義と象徴主義のすべての要素と、あらゆる政治的駆け引きの問題を表現する。最も保守的なキャラクターは、七王国でいちばん裕福なラニスター家の残虐非道なサーセイだ。一方、最も革新的なキャラクターは、「ドラゴンの母」と呼ばれるターガリエン家の優美なデナーリスだ。

サーセイは弟と肉体関係を結ぶ退行的な女家長であり、君主制の独裁を体現している。その気質は封建的で、変化を求めない。デナーリスは未来志向で、正義と進歩を尊ぶ人道主義精神を体現している。その気質は反封建主義で、変化を恐れない。デナーリスは神話を否定し、サーセイは神話に生きる。

対極をなす存在が住むこの世界に、作者は「冥夜の守人（ナイツ・ウォッチ）」の能力主義、「穢れなき軍団（アンサリード）」の平等主義、「雀（スパロー）」の狂信主義、小評議会の民主主義を配置している。だが、死には政治的駆け引きがないので、夜の王（ナイト・キング）に導かれた「ホワイト・ウォーカー」の大群が押し寄せると、象徴主義と現実主義のあいだの緊張感は消え、だれが生き残ってだれが死ぬかが大きな問題となっていく。

使い古されたものを新しいものにするために

だれも見たことがないようなキャラクターを書きたいと思っても、何千年にもわたって数々の作者が生み出し、作りなおし、再生させてきたキャラクターが、文字どおり何百万と存在する。この伝統を受け継いで書くことになるので、あなたのキャラクターの中核のアイデンティティは、これまでに書かれた元型、寓意、類型、定型キャラクターに追随したものになる。あなたがすべきことは、既知のものから作り（さもないと、あなたの作品にどう反応すべきか、だれもわからない）、なおかつ、ユニークで新鮮で、これまで出会ったことがないキャラクターを書くことだ。以下の四つの方法を試そう。

1　スペキュレイティブ・フィクションのジャンルでは、ありそうもない行動に説得力のある動機を作りあげる。

2　現実主義のジャンルでは、常軌を逸した生き方のキャラクターを作り出し、常軌を逸した見方で他人の行動を観察させる。

3　どんな作品でも、キャラクターに大きな体験をさせ、その衝撃によって古い考えが新しい考えへ変わるようにする。

4　どんな作品でも、キャラクターになりきって書くことで、臨場感を出す。小説では、出来事を過去に体験した人物の視点から書く。映画や演劇では、いまを生きるキャラクターの視点に立つ。

13　過激なキャラクター
――現実主義／非現実主義／過激主義が形作る三角形

　フィクションにおける現実の扱い方によって、異なるキャラクターの三角形を作ることができる。第一の頂点には、現実主義がふつうの人生で持ちうる力を与えたキャラクター。第二の頂点には、非現実主義が通常をはるかに超えた力を与えたキャラクター。そして第三の頂点では、過激主義がほかのふたつの力をゆがめている。この三角形の内側では、三つの極端なものがぶつかり、重なり合うことで、さまざまなキャラクターが無限に生まれる。

現実主義――型どおりの世界に生きる、型どおりのキャラクター

　現実主義（リアリズム）と呼ばれる文学運動は、二百年ほど前に、ロマン主義の芝居がかった過剰な表現への反発からはじまった。現実主義は土台から作りあげていくものだが、実のところ、その無造作で飾りのないスタイルはロマン主義の過剰演出と同様に人工的なものだ。

　現実主義の作家は、つぶさに観察した人間の行動を想像力のなかで混ぜ合わせ、調合したものを心のなかでふるいにかける。最終的に結晶化させたものが、われわれの現実を思わせる世界に生きるキャラクターだ。

そのキャラクターは、統一された自己、道徳的なバランス、理にかなった現実認識、ほかのキャラクターとの交流、みずからの意志による欲求の探求、目的を持って選択や行動をおこなう能力、変化に柔軟に対応できる力を持っている。こうした主人公は、同じような役割の登場人物に囲まれて、文化的な慣習によって読者や観客が日々の現実として受け入れられるストーリーを演じる。あなたにとって最もなじみ深い作品だ。

非現実主義——型にはまらない世界に生きる、型どおりのキャラクター

非現実主義では、現実主義と同様の型どおりのキャラクターが、ある力によって現実の外に置かれる。その力とは、『パイレーツ・オブ・カリビアン／呪われた海賊たち』(03)では超自然的な力、『ハリー・ポッターと賢者の石』では魔法、『1Q84』では偶然、『ベイブ』では隠喩、『デッドゾーン』(83)では超常現象、『作者を探す六人の登場人物』では特異な力、『審判』では不明瞭な官僚制度、『不思議の国のアリス』では夢、『アンドロイドは電気羊の夢を見るか』では未来科学、『ある日どこかで』(80)では時間旅行、『LOOPER／ルーパー』(12)ではタイムワープだ。

こうした拡張された現実のなかには、歌うキャラクター(オペラの『椿姫』)や踊るキャラクター(『眠れる森の美女』)、歌って踊るキャラクター(『ブック・オブ・モルモン』)が登場するものもある。非現実主義では、しばしば「第四の壁」〔作品の世界と、鑑賞する者のあいだにある想像上の壁〕を破り、キャラクターが劇場の観客(『ヘアー』)や映画の観客(『ウェインズ・ワールド』[92])、テレビの視聴者(『Fleabag フリーバッグ』)に語りかける。

非現実主義は、昼間の意識的な空想や夜の潜在的な夢から育っていく。想像上の設定や登場人物からひとたびストーリーの着想が得られれば、それらは理想の世界の壮大な隠喩となって、人間の願望達成を表現する。

現実主義と非現実主義のフィクションの世界はまったく異なるが、共通点がふたつあげられる。（1）設定が奇抜に見えるものでも現実的に見えるものでも、フィクションに折りこまれると、物事がなぜ、どのように起こるのかという因果関係のルールが生まれ、物理学の法則のように、起こりうること、起こりえないことが決まる。（2）現実主義と非現実主義のどちらの世界に住むキャラクターも、その世界を信じている。キャラクターの視点では、見るもの聞くものすべてが、痛みのように現実として感じられる。

キャラクターたちは、はじめは『恋はデジャ・ブ』のフィル・コナーズのように、自分たちの世界を疑い、そこでの掟に挑むかもしれないが、やがて架空の現実が自分たちの現実となり、それなりに正常な行動をとるようになる。これがストーリーの本質だ。ホメロスの『オデュッセイア』の世界にはさまざまな神や怪物が登場するが、オデュッセウスの戦い方はあらゆる英雄と同じだ。

型どおりのキャラクターが存在する社会的、文化的、物理的な設定は、現実主義による現実の模倣か、非現実主義が改造した想像上の現実のいずれかだ。型どおりのキャラクターの行動や動機には信頼性が求められる。ストーリーの意味は最終的に明らかになって、感情に強く訴えかける。そこでの台詞は即座に理解されることが目標となり、みずみずしい視点による観察や人間の本質についての洞察をもたらす。

ここで注目すべきなのは、整合性のある造形を軸として完璧に表現されたキャラクターは、現実主義でも非現実主義でも広く使われているということだ。小説、舞台、映画のヒット作やベストセラーに登場するのは、こうしたキャラクターだ。

だから、読者や観客の好みや、どちらを求めているかを注意深く考えることが必要だ——現実主義だろうか、非現実主義だろうか、と。読者や観客が過激主義を望んでいないのはほぼまちがいないからだ。

過激主義——型にはまらない世界に生きる、型にはまらないキャラクター

人生の意味に対して不信感をいだくにつれて、作家は過激主義へ傾倒していく。

かつて哲学者たちは、人生には意味があり、その意味を理解することが人間の最大の目的であると考えた。何世紀ものあいだ、その追求が道を切り開いたが、十九世紀にはいると、ニーチェやキルケゴールをはじめとする思想家たちがそうした考えに警鐘を鳴らし、人生は無意味だという潮流が勢いを増した。この流れは、フロイト、ユング、アドラーが主導した精神分析において、自己の不統一が指摘されたことによってさらに強まった。自分の真の姿を知ることも、それを導く意味を理解することもほぼ不可能であることが明らかになったからだ。その後、二度の世界大戦と数々の大量虐殺を経て、ポストモダンの演劇、映画、不条理文学の作品に虚無主義(ニヒリズム)が現れ、ストーリー作りとキャラクターに革命をもたらした。

過激主義では、人生は内も外も無意味であると考え、すべてを逆転させる。継続ではなく中断、明快ではなく曲解、感情没入ではなく知的分析、介入ではなく静観、進歩ではなく反復、という具合だ。

過激主義では、型にはまらないことこそが型どおりだと考える。正統なものに対して過激主義者たちはすべてその逆を唱えるが、皮肉なことに、それで自由になれるわけではない。ドイツの哲学者マルティン・ハイデガーはこう指摘した。「対立とは、例外なく、しばしば危険ですらある、まぎれもない依存から成り立つものだ」と。[原注1]

過激主義によって表現されたキャラクターは、キュビズムによって表現された肖像画のようなものだ。ピカソ風の肖像画を描くように、作者はキャラクターの自己を誇張し、粉砕し、縮め、ゆがめ、配置を変えるが、それでも読者や観客にはキャラクターの姿が見えている。

過激主義のこうした設定はきわめて象徴的なものだが、その因果関係のルールは過激なまでに一貫性がない。ジャン＝リュック・ゴダール監督の『ウイークエンド』（67）では、理由もなくあらゆることが起こり

うる。サミュエル・ベケットの戯曲『ゴドーを待ちながら』では、何も起こらないが、やはり理由はない。こうした新しい概念を作るには、言うまでもなく、斬新できわめて過激なキャラクターが必要だった。

過激なキャラクターは、自分以外のものとほとんど関係を持たない。神や社会、家族や恋人も例外ではない。それは孤立した動きのない存在（トム・ストッパードの戯曲『ローゼンクランツとギルデンスターンは死んだ』）や、群れをなした狂乱の存在（マーロン・ジェイムズの小説『七つの殺人に関する簡潔な記録』）だ。その台詞は、しばしば意味のないたわごとになる（デヴィッド・リンチ監督の映画『インランド・エンパイア』〔06〕）。

過激なキャラクターを比較的容易に表現できる媒体は小説である。小説家は一人称あるいは三人称を使って、登場人物の心のなかにはいりこみ、その分裂した飛び石のような思考を模倣して、ひどく主観的な、ときに偏執的な不安や考え方、瞬間的な衝動、断片的な欲望、分裂した人格を描くことができる。サミュエル・ベケットはこの手法を用いて、すべての小説と戯曲を書いた。

小説家のドン・デリーロが『ホワイト・ノイズ』で作り出したキャラクターは、正体が疑わしいだけでなく、完全に不安定だ。トマス・ピンチョンの小説『重力の虹』で、四百人近いキャラクターの中心となるのはタイロン・スロースロップだが、彼が自分自身やほかの登場人物、あるいは作者が言うとおりの人物であるのかどうかはわからない。

劇作家や脚本家にとっては、俳優の肉体の存在が役柄に安定感を与えるので、過激なキャラクターを表現することはややむずかしくなる。

サミュエル・ベケットは『しあわせな日々』で、ふたりしかいない登場人物のウィニーとウィリーを首まで地中に埋めて、俳優の存在感に対抗した。

レオス・カラックスは『ホーリー・モーターズ』（12）で、主人公オスカーに、物乞いの老婆、中国人のギャング、チンパンジーの妻子を持つ男など、十一個の異なる人格を演じさせている。

過激なキャラクターを作り出す

キャラクターを過激なものにするには、様式化された側面を消し去るだけでいい。キャラクターを極端な方向へ導くために排除できそうな九つの項目をあげよう。

1　自己認識を排除する

自己認識を持ったシリアスドラマのキャラクターは、争いから一歩引いて「これはほんとうに困ったことになりそうだ」と考え、その危険をよそに前進することができる。だが、その自己認識を排除すれば、シリアスなキャラクターは、執着心に取り憑かれた喜劇的キャラクターになる。

喜劇的キャラクターの心は病的な執着心に支配されている。石のように動じず、海のように揺るぎなく、雨のようにうっとうしい。笑劇を書くために、喜劇作家はキャラクターを執着の対象に縛りつけ、あらゆる場面でそれを利用する。例をあげよう。

『ワンダとダイヤと優しい奴ら』(88)では、弁護士のアーチー・リーチが異常なまでに恥をかくことを恐れているが、つぎからつぎへと赤面するほど恥ずかしい目に遭う。

「ピンク・パンサー」シリーズの主役、ジャック・クルーゾー警部は、刑事として完璧であることに執着しながらも、つぎつぎと捜査上のへまを重ね、失態を演じる。

『ラリーのミッドライフ★クライシス』では、プロデューサーでコメディアンのラリー・デイヴィッドが正しい社会的マナーに執着しているが、まわりの人間は些細なルールを破ってばかりいる。

『ブライズメイズ　史上最悪のウェディングプラン』(11)では、主人公アニー・ウォーカーがたったひとりの友人との仲に執着しながら、何かにつけて友情を台なしにする行動をとる。

ここであげたような、型どおりの執着心に取り憑かれた喜劇的キャラクターは、自分の性格をまるくできるような常識的な関心をひとつやふたつは持っている。だが、過激なキャラクターはちがう。過激なキャラクターは、執着心を超えて、不条理な偏執の域まで突き進む。喜劇的キャラクターを過激なキャラクターにするには、執着心以外のすべてを取り除き、その執着心のなかに閉じこめて、けっして外へ出さないことだ。

ジャン・ジュネは戯曲『女中たち』で、ふたりの女中をサドマゾ的なゲームに閉じこめている。

ウジェーヌ・イヨネスコは戯曲『瀕死の王』で、老王ベランジェを死の恐怖に閉じこめている。

トム・ストッパードは戯曲『ローゼンクランツとギルデンスターンは死んだ』で、ハムレットの物語のなかにローゼンクランツとギルデンスターンを閉じこめている。

マーティン・マクドナーは戯曲『スポケーンの左手』で、カーマイケルという男に、失った片手をただ永遠に探させる。

2　深みを排除する

完成され、複雑で満ち足りていて、すべてが明かされたキャラクターの対極にあるのは、空虚なキャラクターだ。人間性が縮んで心のなかの空洞に閉じこもり、爆発寸前の状態になっている。

エブ・ロー・スミス脚本の『フォーリング・ダウン』（93）では、ウィリアム・フォスター（マイケル・ダグラス）の正気が奪われる。

ダン・ファターマン脚本の『カポーティ』（05）では、トルーマン・カポーティ（フィリップ・シーモア・ホフマン）からモラルが抜きとられる。

グレアム・ムーア脚本の『イミテーション・ゲーム／エニグマと天才数学者の秘密』（14）では、アラン・チューリング（ベネディクト・カンバーバッチ）の中核の自己が切り離される。

三人の人間性は絶望に飲みこまれ、その人生は不条理の一歩手前まで導かれる。

3　変化を排除する

複雑で多元的な主人公はさまざまに変化するが、平板なキャラクターはそうではない。平板なキャラクターは、他者とのつながりを捨てて、自分の殻に閉じこもる。

現実主義のジャンルに登場する平板なキャラクターは、すべてを明かされても変化することができない。唯一の変化は、希望に満ちた状態から希望を失った状態へ滑り落ちていくことだ。トマス・ハーディの小説に登場するジュード（『日陰者ジュード』）やテス（『テス』）がその例だ。［原注2］

非現実主義のジャンルでは、超人的能力の有無にかかわらず、ヒーローや悪役も平板なキャラクターだ。アクション満載のスペキュレイティブ・フィクションに登場するキャラクターは、世界を変えることはあっても、自分自身を変えることはけっしてない。善と悪を擬人化し、古代からのストーリーの伝統に従って、死ぬまで善か悪のどちらかでありつづける。

非現実主義であれ現実主義であれ、変化しないキャラクターには、変わりゆく可能性がわずかながら存在する。もしジュードの古典学者になる夢をトマス・ハーディがかなえていたら、ジュードの願望成就への道のりは深遠で感動的なものになっていただろう。ブルース・ウェインがバットマンに対する世間からの敬意のなさに耐えかね、自分の能力を生かして悪の帝国を築くことを決意したとしたら、その変化は衝撃的だが魅力的なものになるだろう。わたしもそのつづきを見たい。

つまり、様式化されたジャンルの平板なキャラクターが変化をとげた場合、その変化に驚かされながらも、信憑性があって有意義なものに感じられる。一方で、過激な世界に生きる過激なキャラクターが、平板な存在から複雑な存在へ変化した場合、その変化は見せかけのように感じられるだろう。

サミュエル・ベケットの『ゴドーを待ちながら』では、これといった目的のないふたりのキャラクター、ウラジミールとエストラゴンが、自分たちの平板な本質を表すことば——「どうにもならん」——を繰り返す。だが、一方がもうひとりに向かって「もう待つのはうんざりだ。ゴドーなんか来るわけない。仕事を見つけて、ひとかどの人間になろうじゃないか」と言って、変化の機会に胸を躍らせて出発したとしたら、この実存主義の傑作は駄作に成り果てるだろう。〔原注3〕

小説家ウィル・セルフの『Umbrella』、『Shark』、『Phone』の三部作（いずれも未邦訳）では、平板なキャラクターたちが五つの異なる視点に分断されている。思考の断片が表現するのは、解離性同一性障害、薬物による幻覚、自閉スペクトラム障害が形を変えたものだ。もし作者が思考を断片化せず、ひとりひとりのキャラクターにまとめていたら、作者の大胆な発想は台なしになったことだろう。

4　アイデンティティを排除する

十九世紀までの作家は、性別、階級、家族、年齢、宗教、国籍、教育、職業、言語、人種、芸術的嗜好など、キャラクターを取り巻く文化的な要素をもとに、そのアイデンティティを形作っていた。キャラクターが「わたしは〇〇〇だ」と言うとき、そこにあてはまるのは身近な世界から引き出した名詞だ。この古くからの慣習は、アイデンティティ・ポリティクス〔社会的不公正の犠牲になっているジェンダー、人種、民族、性的指向、障害などの特定のアイデンティティに基づく集団の利益を代弁しておこなう政治活動〕にあと押しされ、今日も残っている。

しかし、モダニズムの出現により、こうした手法は否定された。モダニズムは、キャラクター同士の対立から離れて、キャラクターの内面に目を向け、ほかからはわからない永続的な真実を追求した。モダニズム作品のキャラクターは、世界に背を向け、果てしなく自由な思考と独創性の美に囲まれて、自分のなかで静かに待つ中核の自己を見つけようとする。

二十世紀の終わりまでに、ポストモダニストたちは、人間の内面にはそのような逃げ場所はないと悟った。表向きの世界と内なる世界は、どちらも地獄だ。サミュエル・ベケットの小説『名づけられないもの』で、主人公は「わたしは彼らを避けて閉じこもった、わたしのドアは彼らがはいらないように閉じられる」と断言するが、これには自分自身も含まれる。自分のなかに居場所を失ったキャラクターは、現実感の喪失か、自我感の喪失、あるいはその両方に陥る。現実感の喪失とは、世界が突然非現実的なものとして認識されることであり、自我感の喪失とは、自分自身が突然非現実的なものとして認識されることだ。

現実感の喪失は絶望によって起こり、しばしば薬物や飲酒によって悪化する。自我感の喪失は身体的、心理的なトラウマや極度の孤独感によって起こる。独房に監禁された囚人は、時間が経つにつれ、必然的にアイデンティティを失う。拘束服を脱いで、やっと外に出されたとき、（まだ話すことができるのであれば）最初にこう言うだろう。「わたしはいったいだれなんだ」と。

現実感の喪失は他者に共感する力、他者の人間性を見抜く力をキャラクターから奪い、自我感の喪失は自分自身に対する共感、自分自身の人間性を感じとる力をキャラクターから奪う。

キャラクターが自分自身に対する共感を失い、それとともにアイデンティティを失うのはどんな場合があるだろうか。例をあげていこう。

(A) 出自の喪失

キャラクターの周囲の文化から、性格と実像の描写はなされる。外からの力にアイデンティティの源を破壊されたら、キャラクターもともに消えてしまう。

ジーン・リースの小説『サルガッソーの広い海』では、ジャマイカ出身の裕福なクレオール女性アントワネット・コズウェイがイギリス人男性と結婚する。アントワネットをジャマイカからイギリスへ連れ帰った夫は、彼女の出自を侮辱し、不義によって結婚生活を破綻させる。屋根裏に監禁され、自我を奪われた彼女は狂気へ追いこまれる。

チヌア・アチェベの小説『崩れゆく絆』では、ナイジェリアの部族の長がイギリスの植民者や宣教師と戦うが、部族はキリスト教に改宗し、族長に反旗を翻す。先祖伝来のアイデンティティを奪われた族長はみずから命を絶つ。

(B) 出自の拒絶

もしキャラクターが自分の出自を憎み、宗教、民族、性別など、人格形成に影響を与えるものに背を向ける場合、そのアイデンティティは完全に消え去ることはないとしても、改竄されることになる。

ジョン・オズボーンの戯曲『怒りをこめてふり返れ』で、主人公ジミー・ポーターは、自分のなかに脈打つ英雄的な気力を感じているが、大英帝国が崩壊したいま、壮大な人生を生きる機会が失われたことを悟る。ジミーは平凡な労働者であり、大事業をなすことも、みずから切望する勇敢な姿で生きることもできない。

アダム・シルヴェラの小説『More Happy Than Not（未）』では、十六歳のアーロン・ソトが、記憶を操作できる会社に、自分のゲイとしてのアイデンティティを消すよう依頼する。いくつかの記憶は削除されるが、ゲイであることはひとつの記憶ではなく、生まれつきのことだ。

(C) トラウマ

過酷な体験による心の傷や、統合失調症などにより、キャラクターのアイデンティティが崩壊することがある。

『ボーン・アイデンティティー』（02）では、外傷性の記憶喪失に陥ったジェイソン・ボーンが自分のアイデンティティを探し求める。

『イブの三つの顔』（57）やドラマ『またの名をグレイス』では、ドッペルゲンガーや多重人格によって主人公がさまざまな人格を持つが、どれもほんとうのものではない。

『ブルージャスミン』（13）のジャスミン・フランシスは、不倫行為への復讐のため、夫の詐欺行為をＦＢＩに通報する。一文なしになった彼女は精神のバランスを崩し、病的な妄想をいだく。

(D) アイデンティティの盗難

なりすまし犯が、ある人物のアイデンティティを徐々に乗っとり、やがてほんとうの自分の姿をだれも信じなくなる。

『ルームメイト』(92)のヘディ・カールソンは、魂が抜けたような、心に深く根ざす空虚感に悩んでいる。満たされた自分になるために、ヘディはルームメイトの真似をして、彼女のアイデンティティを盗む。

(E) 執着心

執着心に取り憑かれた人物は、ふだんの性格からは考えられない行動をとる。そして、自分の行動に驚き、一歩引いて「ほんとうの自分じゃなかった」と言いわけをする。実際には、緊迫した状況での選択がほんとうの自分らしさをあらわにしたにすぎない。

『ラスト、コーション』(07)では、日本軍に占領されていた一九四二年の上海で、若く美しい抗日工作員が、暗殺の機会をうかがって、敵対する特務機関のリーダーの男を誘惑する。だが、関係を重ねるうち、その男との性愛に執着していく。暗殺の機会を得た彼女は、自分でも驚く行動に出る。男の命を奪うのではなく、救うことを選んだのだ。

5　目的を排除する

過激なキャラクターの多くは、世界に背を向ける。混沌とした人間関係から逃れるために精神生活に引きこもり、そこでならば自由や創造性や、落ち着いた自己認識を得られると考える。しかし、その想念はむなしく迷走し、創造性はただのうぬぼれで、自己を知ることは苦痛だと感じるようになる。過去の不本意な記憶が浮かんでも、事実を否定するか、はっきり思い出すことができない。内と外の生活の板ばさみになって、その両方から逃れようとし、どちらも拒絶する。過激なキャラクターが仲間を求めるのは、現代病や人間の存在に関する些細な事柄、意味のない退屈など、差し迫った不安から逃れるためだ。彼らに目的はない。サミュエル・ベケットの戯曲『クラップの最後のテープ』で、クラップは、バナナは健康に悪いと医者から言われる。そこでクラップはバナナの皮をむいてくわえ、噛みもせず噛もうともせず、口からバナナを突き出したまま、宙を見つめて数分間立ちつくす。〔原注4〕

過激なキャラクターは目的を持たないので、そんなふうに囚われている。キャラクターを縛るものは、ルイジ・ピランデッロの『作者を探す六人の登場人物』では未完成の演劇、イヨネスコの『椅子』では単調な繰り返し、マックス・フリッシュの『ビーダーマンと放火犯たち』では狂った政治、ハロルド・ピンターの『バースデイ・パーティ』では未知の脅威、イヨネスコの『犀』では体制への順応、『瀕死の王』では死、トム・ストッパードの『ローゼンクランツとギルデンスターンは死んだ』ではシェイクスピアの戯曲、カフカの『審判』では官僚主義、マーティン・マクドナーの『ピローマン』では警察国家、アニー・ベイカーの『フリック』ではありふれた日常、サイモン・マクバーニーの『The Encounter』（日本未上演）ではアマゾンのジャングル、キャリル・チャーチルの『Escaped Alone』（日本未上演）では隣人の裏庭だ。『Whose Line Is It Anyway』〔イギリスの即興コメディ番組〕の俳優のように、こうしたキャラクターたちは舞台から抜け出せず、劇作家による設定から逃れることができない。

二十一世紀の作家の多くは、政治の不条理によって目的意識があいまいになっている。作家の心にある閉塞感は、作り出すキャラクターの感覚も麻痺させることになる。動きのないキャラクターは、人生を救済するものは何もないと感じる――愛も、芸術も、知識も、神も、そしてセックスさえも。現代の目的喪失感を表す完璧な隠喩はゾンビだ。過激なキャラクターはゾンビのごとく、どんな人生も生きたくないと願っている。可能であれば、何もないゾンビの国に住むだろう。

6　統一性を排除する

複雑なキャラクターとは、方向が異なるふたつの行動をとるひとりの人間のことだ。愛すると同時に憎み、真実を述べながら嘘をつく。このような確固たる矛盾がキャラクターを統一するのに対し、過激な役柄の不安定な要素はキャラクターを分裂させる。

現代の体験型演劇を例にとると、演者が観客と対話するとき、その役割はキャラクターとパフォーマーに分かれる。『Brute Force』、『Sleep No More』、『66 Minutes in Damascus』（いずれも日本未上演）などがこれにあたる。

イザベル・ウェイドナーの実験小説『Gaudy Bauble（未）』では、物がキャラクターと化し、増殖していく。スウェットシャツにプリントされた顔が、性転換者の大群へと増殖する。

7　成熟を排除する

成熟した人間が日々自分に課するのは、自分を取り巻く世界と自分の本能の仲立ちをして、対立するふたつの力のバランスをとり、心に平和をもたらすことだ。[原注5]

過激なキャラクターは永遠の子供であり、世界に屈する（服従）か、自分の衝動に屈する（暴力）か、あるいはその両方に同時に屈する（体制に服従する暴力的な野蛮人）。

村上春樹の『ねじまき鳥クロニクル』では、大人になりきれない主人公トオルが、飼い猫や妻を探すはずの井戸の底であれこれと思いをめぐらす。

ウィスコンシン州マディソンにある実験劇場ブルーム・ストリート・シアターが上演する『Oklahomo!』や『The Ballerina and the Economist』（いずれも日本未上演）などのきわどいコメディ作品は、成熟することを拒んでいるかのようだ。

ブルーム・ストリート・シアターの出身者であるチャーリー・カウフマンの脚本も同様である。たとえば『ヒューマンネイチュア』（01）では、ネズミにテーブルマナーを教える心理学者が主人公だ。

8 良心を排除する

悪のキャラクターは自分を抑える良心を持たないので、後悔することもなく残忍な行為をおこなう。良心のない悪のキャラクターは、犯罪、戦争、アクション・冒険はもちろん、政治劇やホームドラマなど、幅広いジャンルの権力争いの種を蒔く。賭け金が大きくなれば、人間は良心を明け渡す。わかりきったことだ。過激な悪は残虐性をさらに高みへ引きあげる。マルキ・ド・サドは「残酷さを通して、人は超人的な意識と感性の高みに到達し、ほかのいかなる方法でも到達できない新たな形態となる」という趣旨のことを語ったという。

過激な悪の核心となる心理はサディズムだ。拷問の本来の目的（情報や自白を引き出す）は、拷問者が経験する名状しがたい喜びや超越的な純粋さから目をそらさせるが、過激な悪はグロテスクな悦楽を求める。

過激な悪の行為は、吐き気を催すほどの嫌悪感を起こさせる。嫌悪感とは、腐敗物、ひどい味、悪臭、糞便、血糊、腐肉、嘔吐物などに対する本能的な反応だ。身体的な嫌悪感は、毒物から体を守るために、悪臭のする動物の排泄物に反応し、社会的な嫌悪感は、悪から魂を守るために、道徳的な腐敗に反応する。極悪のキャラクターは文字どおり吐き気を催させる。

『指輪物語』の冥王サウロンは、過激なまでの悪ではない。それどころか、気品があるとすら言える存在だ。権力を維持するために戦いはするが、サディスティックではないので、嫌悪感をいだかせない。

対照的に、ジョージ・オーウェルのディストピア小説『一九八四年』に登場する高級官僚オブライエンは、巨大なネズミを閉じこめた金網のかごを主人公ウィンストン・スミスの頭に据えつける。腹をすかせたネズミたちはウィンストンの顔に食いつこうとする。この恐ろしい精神的拷問がウィンストンの心を引き裂くのを、オブライエンは満足げにながめる。オブライエンは過激な悪だ。

9 信念を排除する

型どおりのものであれ、過激なものであれ、自分が作り出したあらゆるキャラクターに対して、つぎの問いかけをするとよいだろう。自分が書いたキャラクターはどんな狂気の持ち主なのか。まともな世界で正気でいるのか。まともな世界で狂気をかかえているのか。異常な世界で正気でいるのか。異常な世界で狂気をかかえているのか。最初の三つには、現実主義と非現実主義の作品に登場するキャラクターがあてはまり、過激なキャラクターは四番目にあたる。

パトリシア・ハイスミスの小説『太陽がいっぱい』のトム・リプリーは、二番目にあてはまる。まわりの世界はまともだが、リプリーはそうではなく、必要に応じて人を殺すソシオパスだ。リプリーにとって、必要とは、他人の命と引き換えに自分のほしいものを手に入れることだ。

ルイス・キャロルが描くアリスは、三番目にあてはまる。アリス自身は正気だが、彼女を取り巻く世界はまともではない。育ちがよく、小賢しげなこの少女は、家へ帰り着くために異常な世界を理解しなくてはならない。

リプリーやアリスを型どおりのキャラクターにしているのは、世界には意味があると信じる心だ。過激なキャラクターには、そんな信念はない。過激なキャラクターは、自分の内にも外にも意味を見いだすことができず、宗教的なことをけっして信じない。

信念とは、現実に対する個人的な解釈である。宗教的信念とは、神が現実世界を創造し、そこに道徳的な義務を与えたと信じることだ。愛国的信念とは、国民国家という正当で伝統に縛られた現実を信じることだ。科学的信念とは、因果関係を数学的に定式化することが現実をつなぎ合わせると信じることだ。ロマンティックな信念とは、愛こそが究極の価値だと信じることで、型どおりのキャラクターは自分の人生に目的を見いだす。

信念というものを持たない過激なキャラクターは、不条理に直面して絶望する。

パトリック・ジュースキントの小説『香水　ある人殺しの物語』の主人公ジャン＝バティスト・グルヌイユは、人間とは自分も含めて穢らわしく無意味な存在だと感じている。信念を持たない彼は、不条理からの究極の逃避として、飢えた暴徒を引きつけて自分の体を八つ裂きにさせる。暴徒たちは路上でグルヌイユを跡形もなく食べつくす。

未来——型どおりの世界に生きる、型にはまらないキャラクター

ポストモダンの前衛主義（アバンギャルド）は数十年前に絶滅し、懐古主義（レトロギャルド）がそれに代わった。今日のポスト・ポストモダンの演劇、映画、小説は、二十世紀をただ再生産し、程度の差こそあれ、そのあらゆる手法をうんざりするほど利用しているだけだ。サミュエル・ベケットのキャラクターなら「どうにもならん」と言うだろう。そう、二十一世紀の最先端のストーリーは、過去を模倣する代わりに現在を風刺している。

古典的な風刺作品では、頭脳明晰な語り手が社会の愚かさをあざ笑った。ジョナサン・スウィフトは『ガリヴァー旅行記』でこの手法を完璧なものにした。七十年前、サミュエル・ベケットは不条理な設定に過激なキャラクターを登場させ、現実そのものをあざ笑った。今日の作家たちは、スウィフトとベケットによる設定を置き換えている。過激なキャラクターをありきたりの設定に置き、良心とは裏腹の共感を引き出す。

アラヴィンド・アディガの小説『グローバリズム出づる処の殺人者より』、マーティン・マクドナーの戯曲『スポケーンの左手』、アレハンドロ・ゴンサレス・イニャリトゥの『バードマン　あるいは（無知がもたらす予期せぬ奇跡）』(14)、ポール・ビーティの小説『The Sell Out（未）』、ジャミ・アッテンバーグの小説『All Grown Up（未）』などのブラック・コメディの主人公は、犯罪者か異常者、あるいは異常な犯罪者

だ。

極端に過激なキャラクターは、実際にドラマシリーズに登場している。『ミスター・ロボット』の不安障害で鬱状態の主人公、『サンタクラリータ・ダイエット』のチャーミングな人食い、『マニアック』の統合失調症と診断された治験参加者、『I'm Dying Up Here（未）』の暗い強迫観念に取り憑かれたコメディアンたち、『キリング・イヴ　Killing Eve』の愛すべき連続殺人犯ヴィラネル、『バリー』の俳優で殺し屋のバリー、『ベター・コール・ソウル』の前科者の刑事専門弁護士ジミー・マッギルがその例だ。

作家は共感の限界を押しあげながら、いっそう狂気を帯びた危険なキャラクターへの共感を読者や観客に求める。「現代の読者や観客にとって、どこまで暗くすれば暗すぎると言えるのか」という問いに対する答えは、ますます遠ざかっていくようだ。

第3部
キャラクターの世界

ここからは三章にわたって、さまざまな種類のストーリーにおけるキャラクター、ストーリーのなかでキャラクターが起こすアクション、読者や観客の視点から見たキャラクターという三つの異なる角度から、キャラクターを考察する。

14 ジャンルのなかのキャラクター

ストーリーテリングの技巧には、作家にルールを強いるものはない。ジャンルは指示を押しつけるものではなく、伝統の慣例どおりの型にただ従っている。音楽や絵画と同様に、読者や観客は気に入ったジャンルを見つけ出し、その型を期待して楽しむようになる。もちろん、同じ体験をまた味わいたいのだが、毎回変化を求めてもいる。

たとえば、そうした出来事が起こりうるジャンルはこの三つだ。

1　犯罪ストーリー（a）犯罪が実行される。（b）犯行が発覚する。（c）主人公が犯人の特定、拘束、処罰をめざす。（d）犯人が罪の発覚と処罰に抗う。（e）主人公が正義を取りもどす場合も、取りもどさない場合もある。

2　ラブストーリー（a）恋人同士が出会う。（b）ふたりが恋に落ちる。（c）強い力がふたりの恋路を邪魔する。（d）ふたりがその力に立ち向かう。（e）ふたりの愛が勝利する、あるいは破綻する。

3　啓発プロット（a）主人公が実りのない人生を送っている。（b）むなしさと無意味さがのしかかるが、なす術もない。（c）主人公が「指導者キャラクター」と出会う。（d）そのキャラクターが主人公を導いたり励ましたりする。（e）主人公が新たな理解を得て、人生に意味と目的がもたらされる。

法廷がどのように犯罪を定義づけるか、家族がどうやって恋愛を応援したり邪魔したりするか、知性ある人々が人生の意味をどうとらえるかは、時代によって変わる。社会の通念が変化するとき、ジャンルにおける約束事は、そういった変化を表現するために新たな方法を生み出す。身のまわりの変わりゆく世界に敏感な作家は、このような約束事を維持したり、削除したり、再発明したりする。だが、どんな発明も一般の人々の期待を見こむ必要がある。読者や観客は、それぞれ気に入ったジャンルに愛着があるので、約束事を曲げたり破ったりするなら、ストーリーに斬新で明快な意味や感情を加えなくてはならない。

適切に理解されたジャンルの約束事は、表現を制限するのではなく、むしろ可能にする。ラブストーリーは、恋人同士が出会わなければはじまらない。犯罪ストーリーは、犯行が発覚しなければはじまらない。啓発プロットは、主人公が不幸で不満をかかえた人生を送っていなければはじまらない。約束事がなければ、ストーリーの技巧は存在しない。

ジャンルは、大きくふたつに分類できる。

1　基本ジャンル　キャラクター、出来事、価値要素、感情による分類。
2　形式ジャンル　喜劇か悲劇か、散文的か詩的か、実話かファンタジーかなど、表現の形による分類。

基本ジャンルの起源

基本ジャンルは、人生の主要なレベルの葛藤、すなわち物理的葛藤、社会的葛藤、個人的葛藤、内的葛藤とともに進化してきた。

物理的葛藤に対して、ストーリーテラーたちはまず、神々がどのように空、大地、海、人類を創造したのかという、起源の神話を語った。超自然への信頼が現実に秩序の感覚をもたらすと、語りの中心は神から英雄へ移行し、アクション・冒険のジャンルが発明された。そうしたフィクションは、嵐や洪水や雷や獰猛な野獣との生死を賭けた戦いを表現した。

だが、だれにとっても生死にかかわる最大の脅威は自分以外の人間がもたらすので、ストーリーテラーはさらに、社会、家族、恋人、友人にまつわる葛藤をもとにジャンルを作り出した。こうした葛藤が外的な変化を生み、心のなかでもがき苦しむキャラクターが変化をとげることになった。

キャラクターの葛藤レベルがひとつだけの単純なストーリーはほとんどない。たいていの場合、いくつかの葛藤が混在し、結合し、増幅するのだが、まずはそれらを分離し、それぞれの葛藤がどうやって基本ジャンルを生み出すのかを見てみよう。

自己対自然

アクション・冒険　アクションを扱った最初の物語は、神として擬人化された自然に英雄を立ち向かわせた。ギリシャ神話の英雄オデュッセウスは、ポセイドンが息を吹いて巻き起こしたハリケーンと戦う。『創世記』に登場するロトは、ヤハウェが降らせた炎と硫黄から逃れる。古代メソポタミアの王ギルガメシュは、天の牡牛を殺害する。ほかにも数多くある。

ホラー　古代ギリシャ人は自然を怪物に誇張した。ヒドラ、キメラ、ミノタウロス、キュクロプス、吸血鬼モルモー、人狼リュカオーン、醜婦メデューサ――どれも想像が生み出した悪夢だ。

自己対社会

戦争　人類がはじめて棍棒をつかんだときから争いは絶えないが、古代ギリシャの詩人ホメロスがトロイア戦争とアキレウスの雄姿を語った『イーリアス』によって、このジャンルが生まれた。

政治　紀元前五〇〇年ごろに、古代アテネの市民たちが民主主義を創始したとき、政治権力をめぐる争いはただちに、『アンティゴネー』のような悲劇や『蜂』のような喜劇の主題となった。

犯罪　ジャンルとしての犯罪捜査物語は、エドガー・アラン・ポーの短編小説「モルグ街の殺人事件」に登場する名探偵C・オーギュスト・デュパンに端を発している。このジャンルは、アーサー・コナン・ドイルがシャーロック・ホームズを誕生させたとき、文学の世界に定着した。

モダン・エピック　二十世紀の独裁者の盛衰（せいすい）を目のあたりにした作家たちは、勇者の冒険を語った古代の叙事詩を下敷きに、強大な暴君に抗って自由を求める孤独な英雄の戦いを描き出した。勝者と敗者を幅広く扱うこのジャンルは、現実主義と非現実主義の両方へひろがりを見せている。『指輪物語』、『一九八四年』、『スパルタカス』(60)、『スター・ウォーズ　エピソード4／新たなる希望』、『侍女の物語』、『ブレイブハート』(95)、『ゲーム・オブ・スローンズ』などがそうだ。

社会ドラマ　十九世紀に起こった政治の大変動は、貧困、汚職、男女間の不平等などの社会問題をあらわにした。このジャンルは、そうした対立や葛藤を明らかにし、考えうる解決策を作品に織りこむ。チャールズ・ディケンズなどの小説家や、ヘンリック・イプセンなどの劇作家は、作家としての生涯を懸けて社会の不正を暴いた。今日、社会ドラマはアカデミー賞の最も有力なジャンルだ。

自己対親密な人物

親密な関係のレベルでは、ふたつのジャンルが家族や恋人とのあいだの葛藤を描き出す。

ホームドラマ　ギリシャ悲劇『メディア』から、シェイクスピアの『リア王』、ウォリー・ラムの小説

『この手のなかの真実』、クリストファー・ロイドのシットコム『モダン・ファミリー』まで、劇的なものもコミカルなものも含めて、家族の物語は古くから存在する不朽のジャンルだ。家族の結びつきを強めたり引き裂いたりする忠誠心や裏切りがドラマを生み出している。

ラブストーリー　ロマンティックな恋愛を理想とする考えは、男の激しい情欲を洗練させようとしたのがはじまりだ。中世末期にヨーロッパじゅうでレイプが横行するなか、当時の大衆文化を支えていたトルバドゥール（宮廷詩人）たちがそれに抗して、貞節で騎士的な愛の美徳をたたえるストーリーを語り、詩を歌った。その後、ロマン主義の波と、それにつづいて起こった反ロマン主義の潮流が、西洋の文化とラブストーリーを浮き沈みさせている。

ラブストーリーのサブジャンル、いわゆるバディ物は、ロマンティックな恋愛ではなく親密な友情をドラマにしたものだ。例として、エレナ・フェッランテの小説『リラとわたし（ナポリの物語1）』、ジョン・フォード・ヌーナンによる戯曲『A Coupla White Chicks Sitting Around Talking（未）』、『明日に向って撃て！』、『テルマ&ルイーズ』などがある。

自己対自己

深層心理の複雑さを描くストーリーでは、契機事件が発生した時点からクライマックスへ至るまで、登場人物の内面が変化していく。しかし、内面の何が変わるのだろうか。答えは三つの性質――道徳観、心理、人間性――のどれかだ。

道徳観　主人公は他者をどのように扱うのか。

人生のなかで沸き起こる誘惑への反応は、キャラクターの道徳観を強化させることもあれば堕落させることもある。よい方向へ導いたり悪い方向へ導いたり、誠実にしたり嘘つきにしたり、やさしくしたり残酷にしたり、寛大にしたり利己的にしたり、いろいろある。

心理　主人公は現実と自分の人生について、どのように考え、感じているのか。自殺を禁じる遺伝子の命令によって、われわれは死の訪れを待つが、そういった留保を超越して考えると、存在することに本質的な意味はない。時間の無情さと運命の気まぐれに直面した複雑なキャラクターは、ごく個人的な問いかけに答えなくてはならない。すなわち、わたしにはただ生存する以上の目的があるのか、わたしの人生は有意義なのか無意味なのか、という問いかけである。存在をめぐる葛藤のレベルで語られるストーリーでは、主人公は生きるための前向きな理由を見つけ出すか、無意味さに屈するかのどちらかだ。

人間性　キャラクターの人間性はどう変化するのか。充実していくのか、それとも劣化していくのか。繊細で入り組んだストーリーは、主人公の人間性をとらえて変化させる。そのようなストーリーは、作家にとってきわめてむずかしい問いをいくつも投げかける。主人公は時を経て進化するのか、衰退するのか。その際にストーリーは、主人公の人間性にあるどんな要求や欲求を満たすのか、それとも満たさないのか。主人公は成長するのか、抜け殻になっていくのか。こうした問いに答えるには、以下のふたつの主要課題に取り組むといい。

（1）ストーリーの冒頭で、キャラクターを貫く人間性が深くなるか浅くなるかは、知恵があるか無知か、思いやりがあるか無関心か、寛大か利己的か、冷静か短気かといった性質をいかに複雑にからめられるかにかかっている。ストーリーの構想段階では、登場人物の内面世界の成熟度や充実度を想像し、プラスとマイナスのどちらへ転じる傾向が強いのかを判断しよう。

（2）キャラクターの奥行きと幅を大まかに決めたら、契機事件やそれにつづく出来事で性質を明らかにし、ストーリーの展開とともに変化させる。

このふたつの課題を解決する方法はひとつしかない。それは、キャラクターに重圧をかけ、その人物が欲求を追いかけているときに、自分の現状を明確にして未来の目標に近づくようなアクションを選択させることだ。ストーリーのクライマックスで、そのキャラクターは自分の人間性を高めるかおとしめるかして、より充実した人間か劣化した人間になっていく。

十六の基本ジャンル

基本ジャンルは、キャラクターの人生に対して外的または内的に重大な変化を引き起こす。結果として、基本ジャンルは「運命プロット」と「キャラクタープロット」というふたつに分かれる。

変化を引き起こして表現するために、基本ジャンルには、中核の価値要素、中核の出来事、中核の感情、中核の登場人物という四つの必須要素がある。ここからは、十六の基本ジャンル（十の運命プロットと六つのキャラクタープロット）を、それぞれの鍵となる四つの必須要素とともに見ていこう。

十の運命プロット

運命プロットは、キャラクターの人生の外的状況をよい方向へも悪い方向へも変化させる。勝利と敗北、貧困と富裕、孤独感と連帯感などのあいだで人生が浮き沈みする。

運命プロットにあてはまるジャンルには、数多くのサブジャンルがあり、中にはその数が十を超えるものもある。たとえば、アクションには十六、犯罪には十四、恋愛には六のサブジャンルがある。ここでは、サブジャンルを除いた大きなジャンルのみを示す。

1　アクション

中核の価値要素　生と死
中核の出来事　ヒーローの運命が悪役の手中にある

中核の感情　興奮

中核の登場人物　ヒーロー、悪役、被害者

三人の登場人物は、道徳的元型の三角形を形作っている。ヒーローは利他的、悪役は自己中心的、被害者は脆弱というのが基本的特徴である。

ヒーローが変えるのは世界であって、自分自身ではない。スーパーヒーロー（スーパーマン）やアクションヒーロー（ジェイソン・ボーン）から、一般人のヒーロー（フィリップス船長〔『キャプテン・フィリップス』〕）まで、その強さの度合いはさまざまだ。スーパーヒーローは超人的な力を使って、人間ではない悪役や怪物と戦い、アクションヒーローは人間の悪役に自分の強さを試され、一般人のヒーローは特殊技能を持たないものの、必要とあらば苦痛やリスクに耐える意志の強さがある。

悪役の場合も、超人的存在から犯罪者の親玉、街のチンピラまで、さまざまだ。悪役は被害者の人間性には無関心で、ためらわずに暴力を振るう。ヒーローは、悪役を含めたあらゆる者の人間性に無関心ではいられないので、力を使わざるをえない状況に追いこまれる。悪役にとっては、ヒーローも被害者も物体同然で、目的を達成するための手段にすぎない。ヒーローにとっては、悪役も含めただれであれ、物体同然ではありえない。

犯罪ストーリーの犯人とはちがって、アクション作品に登場する悪役は買収されることがない。自分の人生を意味づける計画があり、完全犯罪を達成することが自分自身よりも重要だ。その計画は不透明で謎めいていて（そうでなければ、ただの違法行為だ）、度はずれて破壊的でもある（そうなければ、ふつうの警察官で対処できる）。

脆弱な立場の被害者は、子供、恋人、家族、小さな町、国家、地球、宇宙など、さまざまな顔を持っている。被害者はストーリーに欠かせない存在だ。犠牲者がいなければ、ヒーローはヒーローになれず、悪役は

悪役になれない。

アクション作品のようにありふれたジャンルでは、繰り返されて元型がすり減っていく。このジャンルの型は聖書よりも古い。たとえば、ヒーローの奇跡的ながらもつつましい出生、幼いころの超人的な力の芽生え、急激な注目、信頼していた仲間の裏切り、悪に対する勝利、高慢の罪と失墜、贖罪、自己犠牲、道徳の勝利などがある。

『スタートレック』シリーズのスポック、『エイリアン』シリーズのエレン・リプリー、ジェームズ・ボンド、ハリー・ポッター、ウォーリー、『デンジャラス・ビューティー』(01)のグレイシー・ハート、『ゲーム・オブ・スローンズ』のデナーリス・ターガリエンなどといった現代のヒーローたちは、この雛型に独特のバリエーションを加えている。

2　ホラー

中核の価値要素　生存と断罪
中核の出来事　ヒーローの運命が悪役の手中にある
中核の感情　恐怖
中核の登場人物　怪物、被害者

ホラーのジャンルは、アクションヒーローを排除し、怪物と被害者の対立や葛藤に焦点をあてる。アクションヒーローは興奮をもたらし、ホラー作品のおぞましい怪物は恐怖を引き起こす。アクション作品は読者や観客との感情の距離を安全に保ち、ホラー作品は潜在意識を攻撃する。アクションは力、ホラーは侵略と考えればよいだろう。

アクション作品の悪役は自然の法則に従うが、怪物は超自然的な力で法則を破るか、異常な怪力で法則を曲げる。

アクション作品の悪役はナルシストで、ホラー作品の怪物はサディストだ。悪役には強欲の魂が、怪物には邪悪の魂が宿る。富、権力、名声は悪党を満足させるが、怪物は被害者の苦痛から至高の喜びを得るので、痛みを加えて苦しみを長引かせようとする。

3　犯罪

中核の価値要素　正義と不正
中核の出来事　ヒーローの運命が悪役の手中にある
中核の感情　サスペンス
中核の登場人物　アンチヒーロー、悪役、被害者

二十一世紀の犯罪ジャンルの大部分は、アクションヒーローを捨ててアンチヒーローを登場させている。アクションヒーローと同じく、アンチヒーローも変化することはないが、中核の自己が複雑に何層も重なっている。

アンチヒーローは、美徳と悪徳の両方を兼ね具えた現実主義者である。そんな自分を理解しているので、硬い殻で内側のよりよい自己を守っているというのが特徴だ。冷静沈着にふるまって何事にも心を動かされないように見えるが、心のなかでは正義への情熱をいだいている。アンチヒーローは、内面の奥深くに悪い自分をしまいこみ、みずからに課した掟を守って矜持を保とうと奮闘する。悪事に費やした人生が徐々に自分の魂をむしばんでいることに気づいているが、ひたすら前へ進んでいく。

4　恋愛

中核の価値要素　熱愛と失恋
中核の出来事　愛の行為
中核の感情　愛への強い欲求
中核の登場人物　恋人たち

傷つかなければ、ほんとうの愛ではない。本物の愛による唯一の行為は、匿名の自己犠牲である——承認や見返りを期待せずに黙々とおこなうことで、愛する側は犠牲になるが、愛される側には利益をもたらす。それ以外は、どれほど心に染み入ったとしても、うわべの愛情表現にすぎない。ラブストーリーを書くうえでの大きな試練は、これまでにない愛の行為を創作することだ。登場人物それぞれに独特の行為を考え出して、読者や観客の心を大きく動かさなくてはならない。

5　ホームドラマ

中核の価値要素　結束と分断
中核の出来事　家族の団結または分断
中核の感情　連帯への強い欲求
中核の登場人物　家族

ホームドラマの登場人物は、血縁関係があろうとなかろうと、結びついたいきさつがどうであろうと、たとえ互いに愛情を持ち合わせていなくても、互いに支え合い、守り合い、深くかかわり合う。

6　戦争

中核の価値要素　勝利と敗北
中核の出来事　勝敗を決する戦闘
中核の感情　心を苛む恐怖
中核の登場人物　兵士、敵

軍事戦略の成功は、それを実行する勇気にかかっている。このジャンルでは、恐怖に直面しながらも思考し、行動する人物が求められる。

7　社会ドラマ

中核の価値要素　問題と解決
中核の出来事　危機の認識
中核の感情　道義的な憤り
中核の登場人物　社会的リーダー、被害者

社会ドラマは、貧困、人種差別、児童虐待、依存症などの社会問題を特定し、救済の必要性をドラマとして描いたものだ。

8　政治ドラマ

中核の価値要素　強者と弱者
中核の出来事　権力の勝利または敗北
中核の感情　勝利への渇望
中核の登場人物　対立するふたつの党派

権力をめぐる争いでは、登場人物たちの表向きの信念はほとんど意味をなさない。政治の戦いで大量破壊兵器となるのは、賄賂や裏切り、そして何より、不義の密通などのスキャンダルだ。

9　モダン・エピック

中核の価値要素　暴政と自由
中核の出来事　反乱
中核の感情　道義的な憤慨
中核の登場人物　暴君、反逆者

『指輪物語』、『スター・ウォーズ　エピソード4／新たなる希望』、『プリンセス・ブライド・ストーリー』

(87)、『ゲーム・オブ・スローンズ』など、非現実の世界を舞台にしたモダン・エピックでは、ほとんどの場合、暴君ではなくヒーローが生き残る。『スパルタカス』、『一九八四年』、『ブレイブハート』、『蠅の王』など、現実世界を舞台にしたものでは、生き延びるのはヒーローではなく暴君だ。

10　出世

中核の価値要素　成功と挫折
中核の出来事　職業上の失敗
中核の感情　成功への渇望
中核の登場人物　主人公、社会制度

このジャンルでは、科学者、アスリート、起業家など、野望をいだく人々が目標達成をめざす。クリス・ガードナーの『幸せのちから』や、マリア・シャラポワの『マリア・シャラポワ自伝』など、自叙伝によく見られる。

六つのキャラクタープロット

キャラクタープロットでは、道徳、心理、人間性など、キャラクターの内面の性質を善から悪へ、または逆方向へ変化させる。

第12章で述べたように、定型キャラクターは定められた役割を果たすためにストーリーに登場し、それ以上の意味を持たない。まさに見た目どおりの人物だ。一方、多面的なキャラクターは、社会性の仮面の奥に内なる自己を隠している。選択するごとに、アクションを起こすごとに、ほんとうの性質が明かされていくが、変化はしない。先に示した十の運命プロットに登場する人物の大半がこれに該当する。性質そのものが変化していくキャラクターは、これから説明する六つのストーリー形式に登場する。

六つのプロットは、変化しつづける人間精神の勝利と悲劇を表現するものだ。先に述べたとおり、登場人物を別人へ変化させるには、三つの内面の資質、すなわち道徳、心理、人間性のどれかを変えるといい。

道徳プロット

どんな社会にも法律と個人的規範があり、人々が互いにどのように接するべきかが示されている。その範囲は、合法と違法、善と悪、正と誤、親切と残酷など、さまざまな概念に及んでいる。宗教では、道徳的か否かの行動規範をさらにくわしく定める。だが、どれほど努力を尽くしても、金科玉条（きんかぎょくじょう）は守られるよりも曲げられることのほうが多い。

作家は自分が創作するストーリーに、それぞれ独自の道徳を設計する。それは作家自身の規範であり、作家が属する文化の規範の一部であり、さらには読者や観客が思い浮かべる黄金律の一部でもある。作家は、「倫理的／非倫理的」、「価値がある／ない」、「正／誤」、「親切／残酷」、「誠実／不実」、「同情／無関心」、「愛／憎しみ」、「慈善的／利己的」、「善／悪」といった価値要素に導かれて、主人公の他者に対する行動を決めていく。贖罪プロットと堕落プロットのストーリーは、主人公の道徳心がマイナスからプラスへ、プラスからマイナスへ変わる動きをドラマとして描く。

1　贖罪プロット

中核の価値要素　道徳と不道徳
中核の出来事　道徳を取りもどす行為

中核の感情　変化への希望
中核の登場人物　主人公

人間の行動は自分自身を形作る。贖罪プロットでは、主人公の道徳心がマイナスからプラスへ変化する。主人公の他への接し方が、残酷から親切へ、欺瞞的から誠実へ、非倫理的から倫理的へ変化したとき、クライマックスでの道徳的なアクションが、それまでの不道徳な行為への贖罪となる。

アーネスト・レーマン脚本の『成功の甘き香り』（57）では、無節操なプレス・エージェントの男が、冷徹でやり手の支援者と出会い、裏切り行為を前提に、金になる仕事を紹介される。最終的には良心の呵責が野心を打ち負かす。男はよりよい自分を取りもどすが、それには代償がともなう。

フョードル・ドストエフスキーの『罪と罰』では、妄想癖のあるインテリのラスコーリニコフが老女を殺害し、それによって自分が特別な存在になれる、英雄にだってなれると考える。自分が果たした行為の残酷さと愚かさに苦悩したラスコーリニコフは、すべてを告白し、最後には許しを請う。

デヴィッド・マメット脚本による映画『評決』（82）では、酒浸りの堕落した弁護士フランク・ギャルヴィンが、自分よりさらに腐敗した法律事務所を打ち負かして、それまでの行為を償う。

アニー・マモロー、クリステン・ウィグが脚本を担当した映画『ブライズメイズ　史上最悪のウェディングプラン』では、主人公アニー・ウォーカーの身勝手な嫉妬が実りある友情へ発展する。

2　堕落プロット

中核の価値要素　不道徳と道徳
中核の出来事　取り消せない不道徳な行為

中核の感情　損失への畏怖
中核の登場人物　主人公

あるキャラクターの他者への接し方が、倫理的から非倫理的へ、善から悪へ、道徳的から不道徳的へ変化するとき、中核の自己が堕落する。道徳観がプラスからマイナスへ変化する動きを追うのが堕落プロットだ。

パトリシア・ハイスミスの小説をアンソニー・ミンゲラが脚本化した『リプリー』(99)で、主人公のトム・リプリーは、小心者の詐欺師から身分証明書の窃盗犯へ、さらには複数の殺人に手を染める犯罪者へと変貌をとげる。

アラヴィンド・アディガの小説『グローバリズム出づる処の殺人者より』では、バルラム・ハルワイが勤勉な使用人から腐敗した企業家に変貌し、殺人、窃盗、賄賂、自分の家族の暗殺などをおこなって、ほしいものを手に入れる。

ロバート・アスキンスの戯曲『Hand to God（未）』では、ジェイソン（別名タイロン）が無邪気なティーンエイジャーからサタンの代理人になるまでを描く。

ヴィンス・ギリガンとピーター・グールドによるドラマシリーズ『ベター・コール・ソウル』では、ジミー・マッギル（別名ソウル・グッドマン）が、犯罪者を顧客に持つ弁護士から、ギャングを顧客に持つ犯罪者へ変貌する。

心理プロット

人間の内面を築くものとしては、まわりの人々や歴史や周囲の世界に関する知識に加え、目覚めていようと夢のなかであろうと体得した個人的な経験や仕事上の経験、さらにはＩＱ、ＥＱ、意志の強さなどもある。こうした要素が積み重なって、現実に対する感覚と、自分自身に対する見方ができあがる。基本的な態度がアクションの選択を決め、予想するリアクションと、結果に対する感情を形成する。どん底にいるとき、人生に意味を見いだせるかどうかは、心理が左右する。

啓発プロットと幻滅プロットでは、作家はキャラクターの現実に対する考え方を、人生に対する姿勢に影響を与えるものとして扱う。それは、「有意義／無意義」、「高慢／従順」、「教養がある／教養がない」、「有神論／無神論」、「楽観的／悲観的」、「信頼／不信」、「満足／不満」、「自尊心／自己嫌悪」などの価値要素で表現される。

3　啓発プロット

中核の価値要素　意味とニヒリズム
中核の出来事　意味の発見
中核の感情　意味への渇望
中核の登場人物　主人公、指導者

現代における人生の無意味さの危機は、自殺や依存症の割合を増加させていく一方だ。人間は、ただ生きるだけでなく、意味のある人生を送りたいと思っている。意味が消え失せると絶望し、意味を見いだすと目的を持って生きる。

啓発プロットはこのマイナスからプラスへの変化を表現するにあたって、主人公を、人生の意味を見いだせない人物から生きがいを見つけた人物へ変えていく。啓発プロットという名前は、内なる発見につながる学習過程を重んじることから、このように名づけられた。

シェイクスピアの『ハムレット』は究極の啓発プロットだ。ふたつの内なる自己がハムレットをそれぞれ正反対の方向へ引っ張る。王子としての自己は、殺害された父の復讐を望み、中核の自己は「それになんの意味があるのか」と問う。人は二方向に同時に進むことができないので、ふたつの自己がハムレットの胸中で激しくせめぎ合う。周囲の状況を憎むがゆえに人々を遠ざけ、心のなかで迷っているがゆえに自分を疎外する。そのふたつにはさまれて、人生は無意味に感じられる。だがやがて、ハムレットは最終的に運命に身を委ねることに意味を見いだす。「一羽の雀が落ちるのも神の摂理……肝腎なのは覚悟だ」（福田恆存訳、新潮社、1967年、175頁）

レイ・ブラッドベリの小説『華氏451度』では、ガイ・モンターグが自分の無知に疑問をいだき、文字として書かれた知識の美しさを重んじる。

ヴィエト・タン・ウェンの著作『シンパサイザー』では、革命はそれをはじめた人物をかならず裏切る、と主人公が悟る。それでも、真の革命家はひとつの目的のためだけに生きる。すなわち、つぎの革命だ。

ソフィア・コッポラが脚本と監督を手がけた『ロスト・イン・トランスレーション』（03）では、自己批判的な登場人物ふたりの孤独で無意味な人生が、愛を受け入れる有意義な人生へ変化していく。

ジェイソン・ライトマンとシェルドン・ターナーの脚本による『マイレージ、マイライフ』（09）では、主人公のストーリーははじまりも終わりも空っぽだが、その途中で自己欺瞞から自己認識へ変わっていく。

4 幻滅プロット

中核の価値要素　意味とニヒリズム
中核の出来事　信念の損失
中核の感情　無意味への恐れ
中核の登場人物　主人公

幻滅プロットのストーリーでは、主人公が楽観主義者から運命論者へ転じ、人生に意味を見いだしていた人物から、もはや将来を想像することができない人物へ変化する。

イーディス・ウォートンの小説『歓楽の家』では、リリー・バートが自己矛盾の罠にはまる。リリーはエリート社会の俗物根性や虚無感をきらっているのに、富の快適さなしには生きられない。リリーのジレンマは睡眠薬の過剰摂取で終わりを迎える。

アルベール・カミュの『転落』では、ジャン＝バティストが、自分の人生がまやかしで、これまでも、そしてこれからもそうだと気づいたとき、自画自賛から自己嫌悪、そして自滅へと転落していく。

フィリップ・ロスの小説『American Pastoral（未）』では、シーモア・レヴォフが、だれもが正直に——自分のなかの自分に対してさえも——生きることはできないと気づく。となると、よい人生などありえない。

グレアム・ムーアが脚本を手がけた『イミテーション・ゲーム／エニグマと天才数学者の秘密』では、天才コンピューター技師で戦争の英雄でもあるアラン・チューリングが、同性愛者であることを理由に、法のもとで化学的な去勢手術を受けさせられる。自分に正直な人生を送ることは許されないと悟り、チューリングは自殺する。

ダン・ファターマン脚本の『カポーティ』で、トルーマン・カポーティはベストセラーを執筆すべく、服役中の殺人犯ふたりの信頼を七年間かけて築き、それを利用する。心のねじけた行為に幻滅し、カポーティは二度と小説を書かない。

人間性プロット

きわめて奥深いと評されるストーリーは、人間性プロットの側面をかならず具えている。道徳プロットと心理プロットが主人公の感情や信念を変化させるのに対し、人間性プロットは人間としての総合的な変化を描き出す。人間性には、道徳観や心の持ち方だけでなく、成熟度、性的関心、精神、勇気、創造性、意志、判断力、知恵、美的感性、他者や自分自身に対する洞察力をはじめ、さまざまなものが含まれる。

人間性プロットは、読者や観客の視点から、最も刺激的な事柄で好奇心を呼び寄せる。主人公はより充実した人間になるのか、それとも劣った人間になるのか。中核の自己を高めるのか、しぼませるのか。主人公の人間性は進化するのか、退化するのか。

作家が造形する複雑なキャラクターには、どれも独自の資質がある。人間性の変化を描く基礎を固めるために、まずはそのキャラクターの能力をリストアップして測定するとよい。主人公がストーリーに登場する前に、何が必要なのかを明確にするために、こんなふうに自問しよう。「主人公の主要な資質は？　人生のこの時点に至るまでにどのくらい進化してきた？　変化する可能性はどのくらい？　どこまで進化し、成長できる？　どんな出来事が起これば、人間性を最大限に発揮できる？　ストーリーがマイナスの方向へ進んだ場合、どこまで堕落し、衰退する？　どんな転換点で人間性が骨の髄まで奪われる？」これらの問いに対して、自分のストーリーで答えていけばよい。

進化プロットと退化プロットにおいて、作家は、「子供／大人」、「依存／自立」、「酒浸り／禁酒」、「衝動的／慎重」、「弱さ／強さ」、「未熟／熟練」、「自己耽溺／自己抑制」、「標準／神経質」、「健全／錯乱」などの価値要素を追求する。

5　進化プロット

中核の価値要素　完全な人間性と空虚な人間性
中核の出来事　中核の自己の勝利
中核の感情　充足感への憧れ
中核の登場人物　主人公

進化プロットのストーリーでは、キャラクターの人間性がマイナスからプラスへ変化し、人生を存分に生きるチャンスがもたらされる。代表的なものに成長物語があり、主人公が子供から大人へと成長するまでの、未熟から成熟への変化を描写する。

ジョン・ノールズの小説『友だち』では、ティーンエイジャーのジーンが、スポーツ万能で落ち着きのある親友のフィニーに対して、子供らしい嫉妬をいだいている。フィニーが死ぬと、ジーンのなかの子供っぽい自分もいっしょに死ぬ。主人公は友を失うが、成長して大人になる。

映画『スタンド・バイ・ミー』（86）、『ビッグ』（88）、『ハッシュパピー　バスタブ島の少女』（12）などでは、少年少女が大人へ進化していく。そのほか、見た目は大人でも心が成長しきれていない主人公が成熟していくストーリーもある。

スティーヴ・クローヴス監督、脚本の『恋のゆくえ　ファビュラス・ベイカー・ボーイズ』（89）では、ピアニストのジャック・ベイカーが、だらしない子供のようにのらりくらりと日々を過ごしている。しかし、ポップスの安易さを捨ててジャズのきびしさに立ち向かおうと決心し、自分の内なる大人を発見する。

ウォルター・テヴィスの小説『ハスラー』では、賭けビリヤードのプロである「早撞き」エディ・フェルソンが、遅れてやってきた青春を楽しむ。やがて自分の男らしさを見つけるが、それはみずからの身勝手さゆえに愛する女が自殺したあとのことだった。

第11章で見たとおり、進化が人間性の限界に達すると、多くの場合、「わかった！」という決定的啓示が突然訪れる。そのとき主人公は、頭と心、感情と知覚、思考と感性において、きわめて深遠な体験をして人生の極限を生きる。けれども、その最高の体験を得るには代償を払わなくてはならず、しばしば人生そのものを犠牲にする。

ヘンリック・イプセンの戯曲『ヘッダ・ガーブレル』の最後のシーンで、ヘッダは、自分は男に振りまわされて生きていかなくてはならない、今後も男からの支配はつづく、だから自力で偉業を成しとげることはできない、と気づく。自覚の頂点に達しながら、怒りのどん底へ突き落されたヘッダは、自分の頭に銃口を突きつける。

『オイディプス王』、『オセロ』、トルストイの小説『アンナ・カレーニナ』、ユージン・オニールの戯曲『氷人来たる』、ヨルゴス・ランティモス監督の映画『聖なる鹿殺し　キリング・オブ・ア・セイクリッド・ディア』（17）などの暗鬱なアイロニーでは、主人公が絶対の限界まで人生を生きて、死や引退を迎えることで人間性が満たされ、そこでクライマックスが訪れる。

6　退化プロット

中核の価値要素　充実した人間性と失われた人間性
中核の出来事　中核の自己の降伏
中核の感情　虚無への恐れ
中核の登場人物　主人公

退化プロットの作品は、登場人物をプラスからマイナスへ変化させ、選択やアクションのたびに人間性を奪っていく。よく見られるのは、依存症が主人公を堕落させるというストーリーだ。

ヒューバート・セルビーJr．の小説『夢へのレクイエム』では、四人の主人公たちが麻薬によって人間性を剥ぎとられる。ドラマシリーズ『ナース・ジャッキー』のジャッキー・ペイトンや、『エディット・ピアフ～愛の讃歌～』（07）のエディット・ピアフも同様だ。『失われた週末』（45）、『酒とバラの日々』（62）では、登場人物たちがアルコールで身を滅ぼす。ギュスターヴ・フローベールの小説『ボヴァリー夫人』や『アンナ・カレーニナ』では、恋愛への執着が魂を殺す。

エブ・ロー・スミスの脚本による映画『フォーリング・ダウン』では、兵器エンジニアのウィリアム・フォスターが家族と仕事を失い、ロサンゼルスの街じゅうを破壊してまわるうちに、人間性が崩壊していく。ウディ・アレン監督の『ブルージャスミン』では、罪悪感、嘘、金欠、拒絶などが相まって、ジャスミンの正気が失われていく。

キャラクターの急激な変化は一時的、表面的なもので、たやすくもとにもどる場合が多いが、時間の要素に原因と結果が結びつくと、変化は継続し、避けがたいことに感じられる。これまでに示した進化と退化の例のほとんどは、何十年とは言わないまでも、何年にも及ぶ変化を描いていることに注目しよう。

十の形式ジャンル

基本ジャンルに命を吹きこんで、キャラクターを生き生きと表現するために、ストーリーテラーはパフォーマンス、例示、視点、様式、話し方にまつわるさまざまな技巧を編み出した。そうした手法に基づいて、十の形式ジャンルが生まれている。

1　コメディ　どの基本ジャンルでも、笑いを誘うことができる。基本ジャンルのドラマは容易にコメディに転じ、さらには笑劇へ発展しうる。

2　ミュージカル　どの基本ジャンルでも、歌や踊りを用いることができる。

3　SF　どんなジャンルでも、近未来の世界や異世界を舞台に設定できる。

4　歴史　どんなジャンルでも、過去の時代を舞台に設定できる。

5　ファンタジー　どんなジャンルでも、時間を超越した世界や魔法のある世界を舞台に設定できる。

6　ドキュメンタリー　どんなジャンルでも、事実に基づいて語ることができる。

7　アニメーション　どんなジャンルでも、アニメーションとして作れる。

8　自叙伝　どんなジャンルでも、回顧録の主人公を中心としてドラマにすることができる。

9　伝記　どんな運命プロットでも、ある人物の表向きの人生を中心として伝記体で語ることができる。その場合、作家は自分だけが想像できる内面を描くために、キャラクタープロットを使うかどうかを決めなくてはならない。リー・ハーヴェイ・オズワルド〔第三十五代アメリカ合衆国大統領ジョン・F・ケネディを暗殺した実行犯とされている人物〕を題材にしたドン・デリーロの小説『リブラ　時の秤』や、マリリン・モンローを題材にしたジョイス・キャロル・オーツの小説『ブロンド　マリリン・モンローの生涯』は、退化プロットで主人公の変化を物語っている。

10　ハイ・アート　ハイ・アートとは、芸術映画、実験演劇、前衛小説などに共通する表現形式だ。これらの作品は基本ジャンルとしてはじまるが、その後、ストーリーは信頼できない視点から語られ、登場人物たちは細切れになった時間のなかで、ばらばらの出来事を経験していく。こうした大枠のデフォルメに、メディアミックス、ハイパーリンク、図形記号などといった細かな技法が加えられることも多い。

ジャンルの組み合わせ

作品のメインプロットとサブプロットにさまざまなジャンルを組み合わせると、キャラクターの複雑さはいとも簡単に増す。よく見られるのが、犯罪ストーリーのメインプロットにラブストーリーのサブプロットを組み合わせたものだ。そうすることで、主人公である刑事の内面が無理なく引き出され、警察の仕事で求められる武骨な気質から、恋愛で求められるやさしさへ向かわせることができる。

ジャンルは、混成させてもいいし、融合させてもいい。

混成ジャンルでは、ふたつ以上のストーリーラインが交差する。それぞれのプロットが照らし出すテーマは、作品全体の意味を豊かにすると同時に、キャラクターにさまざまな側面と奥行きを与える。

たとえば、デイヴィッド・ミッチェルの小説『クラウド・アトラス』では、啓発プロット、幻滅プロット、進化プロット、政治ドラマに、犯罪ストーリーのサブジャンルであるスリラーと監獄ドラマのふたつを加えた、六つのジャンルの六つのストーリーが、六つの時代と設定で交錯する。六つに登場する主要人物たちは互いに、時代から時代へ、ストーリーからストーリーへと共鳴し合う。

著者のデイヴィッド・ミッチェルは、イギリスのBBCラジオ4のインタビューでつぎのように述べている。「登場人物は、ひとりを除いて、別の肉体に宿った同じ魂が転生したもので、特徴のある痣を持って生まれてきます……（『クラウド・アトラス』の）テーマは捕食です――個人が個人を、集団が集団を、国家が国家を、部族が部族を食い物にする……（わたしは）そのテーマを別の文脈で再生させているんです」

混成ジャンルにすると、ジャンルの約束事が増える。作者はそれらに精通しなくてはならず、読者や観客もそう期待している。それと同時に、作中に登場する人物の数も種類も増える。『クラウド・アトラス』のように膨大な数の登場人物を考え出すには、度はずれた創造性が求められる。読者のなかには、登場人物の入り組んだ関係を把握するために、ページの余白にメモを書く人もいるほどだ。

融合ジャンルでは、プロットラインをひとつにして、あるストーリーを別のストーリーの内側で発生させ、ストーリーに動機を与えて複雑にする。

例をふたつあげよう。

ラッセル・ハーボー監督の『Love After Love（未）』（17）のジャンルは、全体としては運命プロットのホームドラマである。すでに問題をかかえていた家族が、父親の死に苦しみ、大きな疑問を投げかける。夫に先立たれた妻とその息子ふたりは、家族としてひとつになるのか、それとも崩壊するのか。

だが、その答えは、主要な登場人物それぞれのなかで進行する三つのストーリー、すなわち母親の恋愛ストーリーと、息子たちが大人になるまでの奮闘をたどるふたつの進化プロットの展開に左右される。言い換えれば、この三つの内面のストーリーラインが、ホームドラマのクライマックスに動機を与えるということだ。それぞれの人間性が進化し、「愛のあと(ラブ・アフター・ラブ)の愛」を見つけたので、家族はひとつになる。

クエンティン・タランティーノ監督の『ワンス・アポン・ア・タイム・イン・ハリウッド』(19)は、融合ジャンルでも混成ジャンルでもある。俳優リック・ダルトン(レオナルド・ディカプリオ)とスタントマンのクリフ・ブース(ブラッド・ピット)のバディ物プロットが、ダルトンの内面の変化をたどる進化プロットと融合している。ダルトンは、アルコール依存症を克服して俳優としてのキャリアを守るために、内面の強みを見いだそうとあがくが、互いに依存し合うブースとの友情が自制への道を阻む。ふたつのストーリーラインのあいだの葛藤が、大きな疑問を投げかける。このふたり組は、ダルトンの将来を考えて友情を反古にするのだろうか、それとも飲み友達のままで苦い幕切れを迎えるのだろうか。一方で、生死にかかわる犯罪ストーリーがこのふたつのストーリーと交錯し、悪名高いマンソン・ファミリーによる家宅侵入事件で、三つのストーリーすべてがクライマックスに到達する。

ジャンルが融合すると、ひとつのストーリーの流れが別のストーリーの行方を左右する。それによって登場人物の数が減り(ひとりがふたつのジャンルの主人公を掛け持ちする)、約束事の数も減ることになる(銀行強盗のさなかに恋人同士が出会うなど、ひとつの契機事件がふたつのジャンルの起点となる)。

15 キャラクターのアクション

すべてのキャラクターには自分の物語がある。自分の物語とは、過去の自分を振り返るとき、現在の状況に思いをめぐらすとき、未来の自分に目を向けるときの三つのストーリーを指す。未来のストーリーは作品の方向を決定づけるので、最も重要だ。

家庭でしつけられ、学校教育を受けて教養を身につけたキャラクターが、青少年時代のどこかの時点で、理想の自分、理想の恋人、理想のキャリア、理想の生き方など、自分の身に起こるべきことを夢想する。時が経つにつれ、ひっきりなしに過去を書き換えては、もっともらしい理由をつけて、いまの自分になったいきさつを説明する。「わたしはだれ？　どうしてここへ来たの？　この世界にどうやってなじんでいけばいい？」と自分に問うと、多くの自己をひとつにまとめる答えを、自分のストーリーが教えてくれる。［原注1］

アクションが起こると、自分のストーリーがある種の実行流儀（モードゥス・オペランディ）、独特の手法を示してくれる。

キャラクターの実行流儀は、性格描写の特徴――口調、身ぶり、服装、雰囲気――の集合体にとどまらない。それは、欲求の対象を追って理想の未来を実現するために、習慣的に用いる戦術のパターンを提供するものだ。望んだものを得るために、そして恐れていることから逃げるために、その実行流儀でキャラクターを導いて、プラスとマイナスの両方の出来事に対処させる。一生のなかで、若いころの流儀を放棄することもあるが、たいていの場合は、家族や仕事、そしてもちろん愛の重圧にさらされながら、自分の流儀を作りなおしていく。［原注2］

ストーリーの契機事件によって人生のバランスが崩れたとき、主人公は自分の意思や願望に反する力に抗い、自分の物語を押し通してバランスを取りもどそうとする。つまり、自分のやり方、自分なりの実行流儀で物事を進めようとするわけだ。したがって、キャラクターにアクションを起こさせるときは、まずその人の物語を思い浮かべ、どんな未来を望んでいるか想像して、その流儀に焦点を絞るといい。

キャラクターの実行流儀は、さまざまなテーマについて用いられる。どんなことが可能かを把握するために、演劇、小説、映画、ドラマから例をあげて、ごく一般的な三つのテーマを説明しよう。それぞれについて、ストーリーを進める意外な展開も提示する。

ハリウッド的テーマ

多くの人が映画のような日常を生きようとしている。好きなストーリーのなかに自分の目標を見つけ、自分と登場人物を重ねて、現実の生活でいつも用いる実行流儀をフィクションの行為に合わせる。作家はそういった行為をストーリーに再利用するので、結果として、ある種の実行流儀が事実とフィクションの両方を、実在の人物と架空の人物の両方を動かすことがある。その例を五つだけあげる。

謎めいた恋人

主人公は日常生活がつまらないと感じているので、いつもの流儀で、不可解で謎めいた恋人を探し求める。

例　アルフレッド・ヒッチコックの『めまい』（58）のジョン・〝スコティ〟・ファーガソン。ポール・セローの小説『A Dead Hand（未）』のジェリー。スーザン・ヒル原作、スティーヴン・マラトラット脚本の舞台『黒い服の女』のアーサー。デヴィッド・リンチのドラマシリーズ『ツイン・ピークス』のデイル・クーパー。

意外な展開　謎めいた人物には隠し事も主張もないとわかる。恋人を引きつけるために、謎めいた雰囲気を装っているにすぎない。

奇人の冒険家

一般社会から疎外されていると感じている主人公は、突飛な自分を作り出して、自分と同等かそれ以上に奇妙な仲間——奇人であればあるほど魅力を感じる——を探し求める。

例　パム・ヒューストンの短編「カウボーイが好きだから」の無名の語り手。エドワード・オールビーの戯曲『山羊　シルビアってだれ?』のマーティン。ナンシー・オリバー脚本の『ラースと、その彼女』(07)のラース。ラリー・デヴィッドとジェリー・サインフェルドの共同脚本によるシットコム『となりのサインフェルド』のコズモ・クレイマー。

意外な展開　われわれはよく、奇抜さの奥には魅力的な人格が隠れていると思っているが、恋人のタトゥーや、傷跡や、パステルカラーに染めたひと房の髪が、歓心を買うための陳腐な戦術にすぎないとわかったら、主人公はどうするだろう。

おとぎ話

主人公がおとぎ話の王子や王女を演じる。

例　テネシー・ウィリアムズの戯曲『しらみとり夫人』のハードウィック＝ムーア夫人。ロナルド・D・ムーアのドラマシリーズ『アウトランダー』のクレア。桐華(トン・ホア)の小説『歩歩驚心　花萌ゆる皇子たち』のチャン・ヒョ。ウィリアム・ゴールドマン原作、脚本『プリンセス・ブライド・ストーリー』のバターカップ。

意外な展開　王子が悪党に、王女が魔女に変身すると、おとぎ話の世界はグロテスクになる。

ドキュメンタリー

知識人によくある流儀は、個人の関係をきまじめに分析して、デートをディスカバリーチャンネルのドキュメンタリー番組に変えてしまうことだ。観測しなければ決まらないハイゼンベルクの不確定性原理と同様に、観測という行為が情熱に影響を及ぼし、セックスの手引書としてまとめられる。

例　ウディ・アレン監督の『アニー・ホール』のアルビー・シンガー。フィリップ・ロスの小説『ポートノイの不満』のアレクサンダー。ダーレン・スターが企画、製作総指揮をつとめた『セックス・アンド・ザ・シティ』シリーズの四人の主人公。デヴィッド・エルドリッジの戯曲『Beginning（未）』のローラとダニー。

意外な展開　自分たちの感情や行動を分析するうちに、浮気が科学プロジェクトに変容し、ポルノよりも刺激的なフェティシズムを発見する。

成人指定映画

サドマゾヒストは、残忍さと屈辱の両方に喜びを覚える。このジャンルのキャラクターは、虐待をおこなったりこうむったりして、恥辱を与えたり受けたり、あるいは両方を同時にめざしたりする。

例　ジャン・ジュネの戯曲『女中たち』のソランジュとクレール。レオポルド・フォン・ザッヘル＝マゾッホの小説『毛皮を着たヴィーナス』のセヴリン。ミヒャエル・ハネケ監督の『ピアニスト』（01）のエリカ。ノア・ホーリーのアンソロジーシリーズ『FARGO／ファーゴ』の第一シーズンに登場する殺し屋ローン・マルヴォ。

意外な展開　死を恐れるサディストの心情は、標的を辱めて楽しむ実行流儀に勢いを与える。苦痛を与えることで、虐待者は生と死をつかさどる神のような力を一時的に感じる。だが、やがて収穫逓減（しゅうかくていげん）の法則に従って、労力に見合ったものが得られなくなる。つまり、相手を辱めれば辱めるほど、感じる喜びは減っていく。倦怠感は増す一方で、力はどんどん失われ、虐待者は死の恐怖に耐えられなくなって、自分自身に暴力を振るう。

政治的テーマ

政治とは、政府、企業、宗教、病院、大学などの社会組織、さらには家族、友人、恋人などの人間関係において、権力の行使、乱用、序列化を表すことばである。人が集まって何かしようとするとき、そこにはかならず権力の偏在——すなわち政治——がある。

暴君

主人公はいつもの流儀を用いて支配者となり、他者を臣下として抑圧する。

例　トレイシー・レッツの戯曲『8月の家族たち』のヴァイオレット。デヴィッド・チェイスが企画、制作総指揮をつとめた『ザ・ソプラノズ』シリーズのトニー・ソプラノ。オリバー・ストーン脚本による『スカーフェイス』（83）のトニー・モンタナ。ヒラリー・マンテルの小説『ウルフ・ホール』、『罪人を召し出せ』、『鏡と光』三部作に登場するトマス・クロムウェル。

意外な展開　主人と奴隷の関係で、奴隷が反乱を起こして暴君と立場を逆転させる。

さらなる意外な展開　主人となった奴隷が突然、金を稼いだり勘定を支払ったりするストレスに悩まされる。以前の立場へもどろうとするが、もとの主人はそのまま、ストレスも心配事もない生活を楽しんでいる。

民主主義

主人公は力の均衡を主張する。

例　ロバート・ハインラインの小説『異星の客』のヴァレンタイン・スミス。フランク・キャプラが監督をつとめた『オペラハット』（36）のロングフェロー・ディーズ。デヴィッド・ベニオフとD・B・ワイス脚本のドラマシリーズ『ゲーム・オブ・スローンズ』のジョン・スノウ。

意外な展開　父親はやさしく、分け隔てなく家族を大事にしているが、妻や子供たちにとっては頼りなく見える。家族は規律を求めている。人生に不安を感じた妻は浮気に走り、子供たちは好き勝手にふるまって、父親が鉄拳を振るうことを暗に期待する。

混乱

キャラクターが衝動的に力を使い、本人や家族や社会が混乱に陥る。

例　マルク・カモレッティの笑劇『ボーイング・ボーイング』のバーナード。みずから製作総指揮をつとめるシットコム『ラリーのミッドライフ★クライシス』のラリー・デイヴィッド。テリー・サザーンらの脚本による『博士の異常な愛情』（64）に登場するジャック・D・リッパー准将。アレグザンダー・ポープの物語詩『愚物物語』の愚者の王。

意外な展開　破天荒な人生を送るだらしない人物が、ほしいものを手に入れられず、これからは真っ当な人間になろうと決心する。まともな未来を想像し、常識ある行動で望みをかなえるものの、それによって退屈になり、自分がほんとうに望んでいるのは混沌の興奮だとに気づく。

物質的テーマ

人と親密な関係を築けないキャラクターは、しばしば人を物のように扱う傾向がある。そのような人物が他者に価値を見いだすとき、相手の真の姿はどうでもよく、どのように目的に役立つかを重んじる。この場合の実行流儀には多くのバリエーションがあるが、一般的なものを四つ紹介する。

コレクター

このキャラクターは、宝箱におさめる美しい品々のように、家、車、美術品、恋人などを収集する。

例　ジョン・ファウルズの小説『コレクター』のフレデリック。アンソニー・シェイファーの戯曲『探偵スルース』のアンドリュー・ワイク。ビル・ノートンの戯曲『アルフィー』のアルフィー。ジェイムズ・パタースンの小説『キス・ザ・ガールズ』のニック・ラスキン。

意外な展開　コレクター自身が収集される。

プレイヤー

このキャラクターは人生を（命懸けだとしても）ゲームとしてとらえ、ほかの人々を（故意であれ無意識であれ）ゲームの駒として利用する。

例　エドワード・オールビーの戯曲『ヴァージニア・ウルフなんかこわくない』のジョージとマーサ。ノエル・カワードの喜劇『花粉熱』のブリス家の人々。ボー・ウィリモン脚本のドラマシリーズ『ハウス・オブ・カード　野望の階段』のフランク・アンダーウッド。ミラン・クンデラの小説『存在の耐えられない軽さ』のトマーシュ。

意外な展開　プレイヤー自身が駒として利用される。

執着心

コレクターと同様に、執着心が強い人物は人間より物を好む。コレクターと異なるのは、ひとつのことだけに、しつこいほどこだわることだ。あらゆるものが執着の対象になりうる。

セックス　大島渚監督『愛のコリーダ』（76）の定と吉蔵。

宗教　ドラマシリーズ『LEFTOVERS／残された世界』の原作であるトム・ペロッタの小説『The Leftovers（未）』に登場するマット・ジェイミソン。

薬物　ジョナサン・ラーソンのロックミュージカル『レント』のミミ・マルケス。

アルコール　マルカム・ラウリーの小説『火山の下』のジェフリー・ファーミン。

芸術　マイケル・フレインの小説『墜落のある風景』におけるマーティン・クレイの、ブリューゲルの未発見作品への執着。

愛　ファレリー兄弟の監督作品『メリーに首ったけ』（98）のテッド・ストローマン。

自分自身　オスカー・ワイルドの小説『ドリアン・グレイの肖像』に登場するドリアン・グレイ。

意外な展開　執着していたものをついに手に入れるが、それを憎むようになる。

ビジネスマン

ひとつの目的に向かってひたすら進む人物は、仕事を機械のように動かし、部下や顧客をディスクやチップのように扱う。

例　ジョージ・バーナード・ショーの戯曲『ピグマリオン』に登場するヘンリー・ヒギンズ教授。ジョン・クリーズの脚本による全十二話のシットコム『フォルティ・タワーズ』のバジル・フォルティ。エレイン・メイ監督、脚本『おかしな求婚』（71）に登場するヘンリー・グレアム。ジョナサン・フランゼンの小説『コレクションズ』のアルフレッド・ランバート。

意外な展開　事業が破産する。

シーンの作成——登場人物のアクション

アクションとは、キャラクターがことばや体、思考や行動を使い、内外へ向けておこなうあらゆる行為を意味するもので、なんらかの欲求をともなっている。欲求がなければ、アクションは退屈で時間つぶしのアクティビティにすぎない。

キャラクターにアクションを起こさせるために、作家はシーンごとに、「登場人物はいま何を求めている？　それを手に入れるためのアクションは？　どんな予想外の抵抗に遭い、それに対してどんなリアクションを起こす？　それからどうする？」と問うことが重要だ。

これらの問いを順番に考えよう。

キャラクターは何を求めているのか

どのシーンにおいても、キャラクターを突き動かすのは現在と未来のふたつの欲求だ。登場人物は、(1)即時に効果があること（いま起こってほしいこと）を望むが、それは(2)長期的な願望（人生のバランスの調整）へ向かって一歩踏み出すためのものだ。現在の望みがかなわなければ未来は暗転し、実現すれば人生は上向きになる。俳優たちは、自分たちが演じる人物の当面の欲求をシーンの目的、全体の願望を究極目標と呼んでいる。

転換点を中心にシーンを構成するには、まず主人公のシーンの目的、つまり、究極目標へ向かうステップとしていますぐ達成したいことを見つけ出す必要がある。そして、その直近の目的を念頭に置き、主人公の視点に立ってアクションを起こさせるといい。

最初のアクションは何か

シーンが開始すると、キャラクターはそれぞれ、いつもの実行流儀や気に入っている戦術——過去に機能した身ぶりやことばづかい——を使いはじめる。その際、自分の感覚を頼りに、半ば意識的にこのような期待をしている。「この状況で○○○をすれば、十中八九○○○が起こり、それにリアクションすることで目的に一歩近づけるだろう」

これまでの人生経験から、キャラクターはさまざまな状況で、人々のどんなリアクションを予想すべきかを学んでいる。時とともに、その人物のなかで可能性の感覚が育まれる。予想の精度は、生きてきた年数、経験の幅、物事の因果関係を見きわめる洞察力によって決まる。そのため、予想する感覚はそれぞれのキャラクター独自のもので、だれもが自分なりの手立てで世界と組み合っている。キャラクターが起こす最初のアクションは、自分に有利なリアクションを引き起こすことを想定した、絶対確実な戦術だと言える。

どんな抵抗に遭うのか

ところが、目的のものを手に入れるために起こしたアクションが、主人公が望む有効なリアクションではなく、予想外の敵対的な力を引き起こし、行く手を阻まれることもある。転換点においては、こんなことをすればあんなことが起こるだろうという思惑が、実際に起こることと一致しない。ビート〔アクションとリアクションの組み合わせ、本著者『ストーリー』参照〕ごと、瞬間ごとの主観的な期待は、周囲の人々や世間の客観的な現実によってつねに打ち砕かれる。

こうした敵対的要素は、物理的な力、社会制度、ほかの登場人物や集団、自分の内面にひそむ暗い衝動、さらにはそのような力の組み合わせによって生み出される。

抵抗からどんな予想外のことが生じるのか

抵抗が前ぶれもなく起こると、主人公は驚き、衝撃を受ける。知っているつもりの場所に隠れていた意外な反応を発見して、新しい観点から物事を見るようになる。予想外の抵抗がもたらす影響によって、主人公の状況が予期せずプラスへ転じることもあるが、たいていの場合、そのシーンで危険にさらされている価値要素がマイナスへ変わる。

その変化がどんな影響を与えるのか

転換点を軸にした大きな方向転換は、キャラクターやその設定についての洞察を与えるだけでなく、感情も動かす。**感情**は価値要素の変化による副作用である。感情がプラスになるかマイナスになるかは、変化の方向で決まる。

人生の価値要素がマイナスからプラスへ変化すれば、その人物は当然ながらプラスの感情をいだく。たとえば、奴隷制度から解放されるという変化は、その人物を絶望から歓喜へ引きあげるだろう。逆に、プラスからマイナスへ変化すると、感情はそれとともに下降する。たとえば、友好から孤立への変化はひどい苦痛をともなうことがある。

価値要素の変化には、外部の対立や葛藤がかならずしも必要ではない。思考によってひとりでに逆方向へ変わることもある。

穏やかで安定した心を持つキャラクターを想像してみよう。未来になんの不安もなく、何が起こっても対処できると確信している。ところが、なんらかの不合理な理由で、ひどいことが起こるのではないかという恐怖が徐々に心に染み入ってくる。まだ見ぬ未来で、まだだれとも知らない人が、まだわからない方法で自分に暴力を振るうのではないかという疑念が頭から離れない。

このとき、「安全／脅威」の価値要素がプラスからマイナスへ転じ、その人物は不安という暗い感情をいだくことになる。極端な場合には、すっかり自制を失って妄想に取り憑かれることもありうる。

それからどうするのか

契機事件が起こると、主人公はふたたび人生のバランスを取りもどすための最良の判断に従うべく、全力で欲求の対象を追いかける。だが、事態は好転するどころか悪化する。主人公の行く手は敵対する力に阻まれ、その力は強さを増すばかりで、狙いも研ぎ澄まされていく。主人公はより重大な危険にさらされ、もっと有効なアクションを起こすために、自分自身と深く向き合わざるをえなくなる。

この葛藤のなかで、キャラクターは最良の自分、つまりみずからの物語で作りあげた理想のアイデンティティに従おうとする。しかし、敵対する力がさらに激しさを増して、自分のアクションもエスカレートしていくと、のしかかる重圧が大きくなり、中核の自己にひびがはいって、よい方向であれ悪い方向であれ、道徳観や心理や人間性が曲がっていく。やがてストーリーは、キャラクターの変化を追う六つのジャンルのいずれかに突入する（第14章「キャラクターの六つのプロット」参照）。

キャラクターを動かしはじめると、かつての選択の再考を迫られる場合もある。新しいシーンへはいって新しいアイディアが浮かんだら、その役柄の性格描写を再設計したくなるかもしれない。新しい転換点で新たな戦術が必要になるとき、実像を再認識するかもしれない。どれもよいことだ。シーンごとのアクションとリアクションの相互作用は、当初の発想を進化させ、複雑なキャラクターと卓越したストーリーをしっかりと融合させる。

16 キャラクターのパフォーマンス

読者や観客はキャラクターに何を求めているのだろうか。答えは、発見と承認だ。

発見 読者や観客は、探検家が荒野を突き進むように、ストーリーのなかへ分け入りたいと思っている。そして、未知の部族を発見する人類学的な興奮を求めている。ストーリーの舞台がどれほど奇抜だろうと、逆になじみがあろうと、中の住人はつねに見知らぬ人たちだからだ。風変わりな特徴や興味をそそる行動が際立っているので、読者や観客は登場人物のことを深く知りたい。アリストテレスが言ったように、あらゆる快楽のなかで最高のものは、教わらずに学ぶ快楽だ。［原注1］ストーリーと登場人物を通して、読者や観客は人間の本質について、またその欲求とアクションがもたらす現実の結果について、いつの間にか洞察を得ることができる。

承認 ストーリーの世界にはいりこむと、読者や観客は自分を見つけたくなる。主人公の心のなかや、ひょっとしたらほかの登場人物の心のなかにも、自分自身を反映する人間性を見いだす。もちろん、あらゆる点でというわけではなく、なんらかの本質的な部分でということだ。複雑な登場人物に対して共感することは、鏡をのぞきこむのと似ている。

共感できるキャラクターが開く扉の奥には、キャラクターとの同一化があり、それは友好的に、力強くさえおこなわれ、人々の心を深く動かして魅惑する。共感がなければ、読者や観客は外から傍観するだけなので、ほとんど何も感じず、学びも少ない。

発見と承認によって、読者や観客は何千もの架空の現実を旅して、自分が知りえないはずの世界で、けっして体験できないはずの人生を送り、日常から何光年もかけ離れた感情を味わう。

そのようなことをキャラクターのパフォーマンスでどう達成するのかを探るために、まずはキャラクターの一般的な七つの役割を確認しよう。

キャラクターの七つの役割

1　読者や観客の知的快楽をひろげる

予想を裏切ることは洞察力を刺激する。キャラクターの際立った特徴や、意外でありながら真実味のある行為は、本人を取り囲む社会や設定に魅力を加える。

2　読者や観客の共感を得る

共感は重要だ。心に深く訴える共通の人間性を感じなければ、読者や観客は無関心になる。

3　サスペンスを牽引する

サスペンスとは、キャラクターの性質に対する興味と、その人物の安全と幸福を心配する気持ちとが合わさった好奇心のことだ。心配をともなわない好奇心はただの知的ケーススタディにすぎず、好奇心をともなわない心配や思いやりは見境のない願望にすぎない。

プロットのはじめから終わりまでサスペンスを維持するためには、キャラクターはさまざまなアクションを起こさなくてはならないが、限度も必要だ。登場人物がひとつのことしかできないとサスペンスは生まれないが、なんでもできて、不可能とされることまでやりこなすと、やはりサスペンスは生まれない。

4　パズルのなかにパズルを作成する

なぜいまこんなことが起こっているのか――つぎに何が起こるのか――これがどういう結末になるのか――ストーリーは疑問の宝庫だ。

複雑なキャラクターは、読者や観客にさらなる問いを投げかける。「この人物はだれか――何がほしいと思っているのか――ほんとうにほしいものは何か――なぜそれを求めているのか――その欲求はどんなふうに自己矛盾しているのか――この先どんな人物になるのか――こうした問いを投げかけて、心理の深みへいざなう。

パズルのピースをつぎつぎと加えると、ストーリーのプロット全体を牽引するサスペンスと並行して、心理的なサスペンスによる第二のラインが作られる。

5　驚かす

キャラクターがこうむる予想外の抵抗だけでなく、それに対する本人のリアクションにも、読者や観客は驚く。変化への意外な向き合い方がその人物の本質をうかがわせる。だから、転換点ごとに起こる予想外の出来事に対して、キャラクターは、予測不能ながらもその人らしい、意外ながらも結果として納得できるアクションやリアクションを、大小にかかわらず起こしていく必要がある。

6　ほかの登場人物のさまざまな面を引き出す

つぎの章で説明するように、うまく設計された人物関係では、登場人物たちが互いを引き立て合って高めていく。

7 人間の本質を見抜かせる

現実的であれ空想的であれ、キャラクターは読者や観客に人間の内面を見通させる。登場人物の本質を探ることで、読者や観客は自分自身だけでなく、周囲の人々の内面も探求するようになる。

読者・観客・キャラクターの結びつき

恐怖、怒り、愛、憎しみ、疑惑、反抗、服従といった感情は、人生最大の脅威、すなわち他者とうまく向き合うために進化してきた。それは理にかなっている。だが、われわれがそのような感情を現実から切り離して、実在しない人々へ向けるというのは、なんとも妙な話だ。感情は現実世界で生き延びていくうえで役立つが、フィクションの世界で自分を弱い存在に見立てて、それがなんになるというのだろう。

前述したように、キャラクターは啓発という目的に役立つ。現実であれ架空であれ、人間というのは未解決のパズルだ。われわれはキャラクターに好奇心を掻き立てられ、その心のなかを読み解くことで、自分や他者に対する貴重な洞察を得て好奇心を満足させる。

それも納得できるが、不思議なのは、われわれの感情の結びつきだ。森林火災で焼死した犠牲者のために泣くことは、現実の世界ではもっともな反応だが、ではなぜ映画『タワーリング・インフェルノ』（74）で火災に巻きこまれて死んだ人々のためにまで涙を流すのか。想像の世界における想像上の人々が、架空と現実のあいだの一線を越えて、どうやって読者や観客の心を揺り動かすのか。実在しない人が、どうやって現実の痛ましい思いまでも呼び起こすのだろうか。

「もしも」の力

われわれの内面には、合理的思考と本能的感情というふたつの領域のあいだに、第三の領域が存在している。そうしたいと思えば、心は現実から離れ、「もしも」の空想世界でくつろぐことができる。「もしも」の状態で仮想する力は、人類を進化させて生存につなげてきた。もしもこうだったら、と考えることは、何かが実際に起こる前に生存の手段をリハーサルする機会となる。たとえば、人類初の芸術はダンスであり、洞窟壁画や具象彫刻よりもはるかに古い。生きるか死ぬかの猛攻に備えて、狩りと獲物を模倣したダンスは、原始時代の「もしも」の儀式である。

ストーリーや登場人物についても同じことが言える。目の前に存在しない相手とかかわり合うとき、われわれは実際の交際より前に愛を、実際の脅威より前に恐怖を、実際の喪失より前に悲しみを、といった具合に、擬似的な感情を味わっている。フィクションの「もしも」に感情的にのめりこむことで、われわれは現実の事態に備えられる。生存のためのリハーサルをおこなって、人生に対する心構えをするわけだ。[原注2]

読者や観客の視点

読者や観客からすれば、キャラクターに対してなんらかの感情をいだくことは、単純であたりまえに思えるが、作家がそのような体験を形作るには、ある側面と別の側面のバランスを巧みにとる必要がある。

まず、人生には大きく分けて、快楽と苦痛のふたつの感情しかない。だが、快楽には喜び、愛、美、官能などが、苦痛には悲しみ、怒り、恐怖、孤独などがあるように、それぞれに無限の色合いや特徴がある。感情の資質は、キャラクターに対する読者や観客のふたつの反応、すなわち「好感」と「共感」によって微妙に変わる。

好感、または好印象

読者や観客がキャラクターに「好印象」を持つと好感が生まれる。心地よく親しみやすい人物は、この人なら隣人にしたい、同僚にしたい、知り合いにしたい、たまに雑談をしたいと思わせる。もちろん、逆もまた真なりだ。読者や観客が登場人物に悪い印象を持てば、思いは苛立ちへ変わり、軽蔑さえするようになるが、それこそが作家の狙いかもしれない。

共感、または同化

本を開いた瞬間の読者、あるいは座席にすわった瞬間の観客は、自分の感情的な興味を向けるのに最もよさそうな場所を求めてストーリーの世界を探検しはじめる。設定や登場人物が明らかになると、肯定と否定、価値と無価値、退屈と興味、正義と不正、善と悪をすばやく選別し、善の中心を探し求める。

読者や観客が「善」を探すのは、こんなわけがある。すべての人間がそうであるように、自分にも欠点や弱点がある。だが総体的に見て、自分は嘘よりは真実を語り、不正よりは正義を重んじ、不実よりは誠実な人柄の人間だと信じている。自分は本質的にプラスの側だと考えているから、当然のこととして、ストーリーの善の中心を自分自身の鏡として求める。[原注3]

自分の資質と同じものをキャラクターのなかに感じると、読者や観客はその人物と自分を同化する。「自分みたいな人」という共感ゆえに、その人物を家族の一員、友人や恋人だと考え、さらには自分自身だと見なすこともある。

共感は本能的なものであり、いつの間にか無意識に芽生える。一方、反感は自覚的に生じるものだ。あるキャラクターの内面の性質に道徳や美的感覚に合わないものを見つけると、われわれは同化を拒み、共感の機会がしぼんで嫌悪や無感覚に陥る。

読者や観客は、このキャラクターとは気が合いそうだと感じると、その人物の活躍を本能的に応援しはじめる。そしてそのストーリーを、程度の差こそあれ、自分の身に起こっているかのように体験する。その人物が起こすアクションを追体験し、感情を身をもって知ることで、読者や観客は登場人物と並行して生きていく。

共感の重要性

ストーリー上の技巧がすぐれた作品に向き合うとき、人々は道徳を重んじる哲学者になり、自分自身に適用するより高い倫理観に照らして登場人物のふるまいを評価する。ある人物が「すべきこと」と「義務づけられたこと」に頭を悩ませながら、善の中心を求めていくうちに、観客は「すべきこと」へ傾いていく。

知的で感受性の高いふたりの人間が同じストーリーを体験して、正反対の反応を示すのは、ストーリーの内容そのものよりも、共感できるかどうかにかかっているからだ。ひとりは主人公に共感してストーリーを気に入り、自分の喜びを台なしにしないように、無意識のうちにあらゆる欠点に目をつぶる。もうひとりは主人公に反感を持ち、そのせいでストーリーが気に食わず、数々の欠点にうんざりする。つまり、一方は善の中心と同化し、もう一方は善の中心を見つけられないか、見つけたとしても拒絶する。

善の中心は、やさしさや愛らしさの輝きを示すものではない。共感を呼ぶ登場人物は、心のなかで道徳と不道徳の衝動を闘わせていることが多い。むしろ、善の中心という言いまわしは、キャラクターの中心にあるプラスの輝きを示すもので、それはまわりを囲むマイナスの陰影と対照をなす。共感を最も必要なところへ向かわせるために、ストーリーテラーはこのプラスの価値要素をメインプロットの主人公に配する必要がある。

善のバランス

登場人物のなかに善の中心を据えることは、多くある細かい技巧のひとつにすぎず、作者はそれらを使いこなして読者や観客の感情を形成していかなくてはならない。そのようなバランスの技巧を五つ見ていく。

マリオ・プーゾ脚本の『ゴッドファーザー』三部作を考えてみよう。ギャング、悪徳警察官、汚職政治家といった犯罪の世界を描いた作品だ。しかし、コルレオーネ一家にはひとつのプラスの資質、すなわち忠誠心がある。一家は結束し、互いを守る。裏切りの連鎖のなか、ほかのマフィアファミリーは卑劣なやり口で互いを陥れるので、「悪い悪人」となる。一方、ゴッドファーザーの一家は忠誠心があるので、「よい悪人」だ。そのプラスの資質を感じると、観客は共感を覚え、コルレオーネ一家に同化する。

善の中心をさらに深く考察するために、トマス・ハリスの小説『羊たちの沈黙』の人物設計を見よう。読者は主人公のクラリス・スターリングに共感の中心を見いだすが、「一番目の円」に属するハンニバル・レクターにも共感する。作者のハリスはまずレクター博士を穢れた世界で取り囲む――FBIはクラリスを操りながらレクターにも嘘をつき、施設の精神科医と看守はサディストで世間の注目を浴びるのを好み、レクターが殺す警察官たちは愚か者ばかりだ。ハリスはつぎに、レクターの内側から放たれる強烈な光を描写する――レクターはきわめて知的で、クラリスに同情を寄せ、辛口のユーモアは痛快で、みごとな計略を立て、それを冷静沈着にやってのける。地獄のような施設に収容されているのに、驚くほど落ち着いて紳士的である。レクターのなかに善の中心が形成されると、読者はレクターと自分を重ね合わせ、こんなふうに考えて肩をすくめる。「だからレクターは人を食べるんだ。世の中にはもっとひどいことがある。すぐには思いつかないが、きっとあるにちがいない。もしも自分が異常者で、人肉を食う連続殺人鬼なら、レクターのようになりたい。すばらしい男だ」

力のバランス

ストーリーを創作している早い段階で、こんなことを試すといい。一方の手に主人公を載せて、アクション、知性、想像力、意志、成熟度といった長所を量り、もう一方の手には全編を通じて主人公と敵対する力を載せて、天秤にかけよう。

まずは、主人公の内面で衝動や矛盾した欲求がせめぎ合う状態を考える。最大の敵は自分かもしれない。そうした内面の葛藤の上に、個人の関係で直面する問題を載せる。その上には、主人公を取り囲む組織――会社、政府、教会など――からの敵対する力を、さらにその上に、交通機関の混乱、異常気象、致命的な病気、時間不足で作業が終わらない、距離が遠すぎて物が手にはいらない、そもそも人生そのものが短い、といった物理的な世界の力を載せる。

主人公の個人としての能力と、人生のあらゆる段階で直面する敵対する力の合計を比較すると、主人公が願望を達成できる見こみはほとんどないとわかるはずだ。主人公は負け犬だ。

この地球上のだれもが、内心で自分は不利だと思っている。貧しい人や弱い立場にいる人はもちろんだが、金持ちや権力者でさえ、政府の規制や税金に泣き言を並べ、自己憐憫にふけったりする。遅かれ早かれ自分に与えられた時間は尽きるという事実をはじめ、人生は執拗につづくマイナスの力との苦しい戦いだと、ほとんどだれもが感じている。だから、『ソーシャル・ネットワーク』（10）のマーク・ザッカーバーグ（ジェシー・アイゼンバーグ）のような圧倒的有利な立場にいる者に、観客は共感しない。ストーリーの核心に共感を呼ぶには、善の中心を主人公に置き、敵対する強烈な力を並べて、主人公を圧倒的不利な立場へ追いこむべきだ。

強さのバランス

われわれが生涯にわたって愛着するキャラクターもいれば、途中で見かぎるキャラクターもいる。読者や観客の心に鮮明な印象を残すかどうかは、その人物への思い入れの強さと同化の程度に左右される。強い結びつきを得るために、読者や観客は自分がその人だったらと想像して、その思考や感情を感じとる。これはもちろん、共感の程度しだいだ。われわれが無条件にすべて受け入れる人物もいれば、ちょっと味見して判断する人物もいる。作家は、読者や観客の意識的な興味を引く複雑さと、潜在的な共感を得る人間らしさとを併せ持つキャラクターを創造しなくてはならない。

焦点のバランス

共感の対象をストーリーの中心人物から脇役へ移すと、読者や観客の関心の焦点がぼやける恐れがある。一方、サブプロットでは、それぞれに善の中心がある。こうした付加的なストーリーラインが全体の充足感を高めることも多い。

読者や観客は、さまざまな役柄に自分を重ね合わせることができる。登場人物が多重の共感を呼び起こすと、読者や観客は複数の人物に同時に注目したり、焦点を代わる代わるあてたりする。多様な登場人物は読者や観客に異なる心象風景を訪れさせ、そこで発見するものへの共感や反発の機会を提供する。［原注4］

たとえば、『ゲーム・オブ・スローンズ』には三つの主要なストーリーがある。第一のストーリーではサーセイ・ラニスターを主人公として、対抗する王族たちとの権力の奪い合いや、独立をめぐる戦いが展開され、第二はデナーリス・ターガリエンを主人公として、デナーリスが鉄の玉座を奪回する冒険を追い、第三ではジョン・スノウを主人公として、冥夜の守人を率いたジョンが夜の王やホワイトウォーカーと戦う。

この三つの横断的なメインプロットは、登場人物の贖罪、退化、進化、堕落を描いたものとともに、家族の葛藤、政治ドラマ、ラブストーリーなど、数多くのサブプロットを生み出した。主要な登場人物のほぼ全員にサブプロットがあり、それぞれに善の中心がある。

感じ方のバランス

登場人物がほかのだれかに反応するとき、共感、反感、好感、敵意、無関心などの社会的シグナルを発する。読者や観客がその人物に共感する場合は、同じ気持ちになるし、共感できない場合は、その人物とは逆の気持ちになる。

たとえば、『マディソン郡の橋』(95) では、カフェのシーンを利用して、不倫に対する観客の考え方を形作る。不倫が発覚したことで知られる女がカフェにはいってくると、主人公はその女にカウンターの席を勧める(主人公自身も別の女性に対して不倫の予感めいたものをいだいている)。女がその席に着くと、地元の人たちはひそひそ声で話しながら女をにらみつけ、いたたまれなくなった女は席を立って出ていく。

不倫した女と主人公の男は、魅力的で知的で品性を感じさせる。ふたりを見つめる地元の人々は表情がねじけて無教養そうで、それぞれに野暮ったい。観客は、不倫を嫌悪するこの集団に加われば、自分も意地悪く鼻持ちならない面々の仲間入りするのではないかと感じ、それを回避するために、作者の思惑どおり、好感度の高い罪人たちに共感を寄せる。

共感の危険性

人間は遺伝的に共感する性質を持っているものだが、登場人物に対する感情の強さと深さは、ストーリーごとに、読者ごとに、観客ごとに、大きく異なる。自分の利益に関心が強い人は、登場人物の内面の状態をあまり察しないのに対し、他者に共感する傾向が強い人はもっと敏感だ。[原注5] 一歩まちがえれば、過度の共感は、それを利用するナルシストの餌食になりかねない。「自分みたいな」人に引き寄せられる共感は、偏見や誤った判断力の原因にもなりうる。醜い人よりも魅力的な人を好み、実力よりも縁故を優遇し、病気や飢餓による長期の犠牲者よりも目先の災害による短期の犠牲者に気を配るようになる。静かに観察すること、耳を傾けること、判断することができなくなる。[原注6] 一方、共感して深くかかわろうとするのではなく、ただ好感をいだくだけでは、ゆがんだ感傷しか生まれない。

情動と感傷

前述したとおり、情動とは、その原因となった出来事に釣り合った、バランスのよい感情的反応だ。感傷とは、その原因となった出来事に釣り合わず、アンバランスで動機の弱い過剰な感情表現だ。たとえば、子供の成績表を見て、平均より上だったので、涙を流してわなないたのち、毅然と微笑むような場合がそうだ。『ゲーム・オブ・スローンズ』第八シーズン第五話「鐘」のクライマックスで、ジェイミー・ラニスターは戦いを繰りひろげながら、窮地に陥って怯えきったサーセイのもとへ向かう。赤の王城が崩れ落ちる瞬間、ジェイミーはサーセイを抱きしめ、「おれを見ろ。ただおれを見てろ。ほかのことはどうでもいい。大切なのはおれたちだけだ」と言う。ジェイミーは自分の命を犠牲にして、サーセイをひとりで死なせまいとした。この行為には、サーセイに対するジェイミーの愛情と釣り合った、偽りのない情動が満ちている。

ナチスによるホロコーストを扱った『シンドラーのリスト』(93)は、モノクロ映画であるが、おぞましい強制連行がおこなわれたクラクフの喧騒のなかで、赤いコートを着た少女が歩いている。その後、赤いコートの少女の死体を見たオスカー・シンドラーは、それを機に、利己的で冷酷な物質主義者から、高潔で自己犠牲を惜しまない英雄へ変貌する。これは一種の願望成就であり、悪人に子猫を撫でさせて、邪悪な者でもペットに何かしらの感情を持っていると示すのと同じくらい嘘くさい。カール・ユングも指摘しているように、残忍さは感傷という甘い蜜で犠牲者をたぶらかす。

読者や観客の解釈

ストーリーは読者や観客に、目の前の出来事だけでなく、画面の外、舞台の外、ページの外の出来事も解釈することを求める。前のシーンから現在に至るまで、起こったことを足し合わせて、現在の出来事がもたらしうる未来を推測しなくてはならない。解釈する力なしに感情移入することは不可能だ。

同じことがサブテクストについても言える。あるキャラクターの真の動機を見つけ出すには、読者や観客は、その人物のこれまでの言動やさまざまな選択を振り返って、隠された原因や意味を探る必要がある。

解釈を可能にするのは欲求と価値要素の理解だ。正確に反応し、明確な意味をつかむためには、読者や観客はシーンごとの登場人物の欲求を察知し、それがクライマックスの究極目標にどうからんでいくのかを理解する必要がある。だが、登場人物の欲求を的確に突き止めるには、各シーンの価値要素や、ストーリーを動かす中核の価値要素も読み解かなくてはならない。

ストーリーを動かす価値要素を見誤ると、キャラクターの欲求を取りちがえて、誤った解釈を招くことになる。そのキャラクターの人生で何が危険にさらされているのか、何がプラスで何がマイナスなのかを判別できなければ、読者や観客は、登場人物の欲求やその理由を誤解しかねない。そのような混乱によって解釈を誤ると、あなたが表現したい意味合いがゆがめられてしまう。

ケーススタディ――『闇の奥』

一八九〇年代のアフリカを舞台にしたジョゼフ・コンラッドの小説『闇の奥』には、ベルギーの貿易会社の依頼でコンゴの象牙を積んで持ち帰る任務を負った川船の船長チャールズ・マーロウと、会社の斡旋人クルツが登場する。会社はクルツが悪事を働いているのではないかと不安に思っている。

船旅の途中で、マーロウはクルツを知る人々に質問するが、話を聞くたびに矛盾を感じる。ある人たちはクルツを恐れ、信用せず、その性格が邪悪であるとにおわす。その一方で、クルツは文化的で、美術や音楽を愛好するカリスマ的人物だと主張する人たちもいる。ひとつたしかなのは、クルツは象を殺戮して牙を大量に採取する手立てに精通しているということだ。

ひとつの解釈として、マーロウは謎めいたクルツに魅了された心理探偵と考えることができる。その場合、ストーリーの核となる価値要素は「洞察／無知」であり、真のクルツを発見することがマーロウ船長の欲求の対象になる。

別の解釈をしてみれば、マーロウは道徳の混乱のなかでさまよう迷子のような存在だ。仲間のヨーロッパ人たちは、植民地主義が「暗黒の大陸」に文明をもたらすと考えているが、マーロウは、それは自分たちの強欲を正当化するための好都合な自己欺瞞ではないかと疑っている。マーロウは、クルツも自分と同じ考えで、邪悪な文明化よりも原始の崇高さを重んじて、雇い主に反抗しているのではないかと期待している。この場合、ストーリーの核となる価値要素は「純粋／堕落」となり、マーロウの欲求の対象は、原始の状態にある人間の本性は生まれつき善であると証明することだ。

しかし、やがてクルツに直接会ったマーロウは、かつての文明的な紳士が悪徳の暴君に変わり果て、虐待されて怯えきった部族民たちから神のように崇められていることを知る。クルツが原始を受け入れたことで、高潔さではなく粗暴さが解き放たれたのだった。

価値要素が異なれば意味も変わる。第一の解釈では、マーロウは豹変したクルツを発見したときに中核の自己が進化して、他者の真のアイデンティティを知ることは不可能だと悟ることになる。第二の解釈では、マーロウは人間の生来の野蛮さについて、より普遍的で深い洞察を得ることになる。

キーポイント　ストーリーの本質的な主題、中核の価値要素を理解すれば、それがキャラクターを解釈するうえでの根拠となる。

読者や観客の認識

読者や観客は、自分がいだく感情や解釈する意味に加えて、キャラクターを異なるレベル（テクストとサブテクスト）、連続する出来事のなかのさまざまなポイント（自由意志と運命）、意識における異なった角度（ミステリーとサスペンスと劇的アイロニー）で認識する。創作プロセスでは、この三つの視点それぞれからキャラクターの造形に取り組む必要がある。

テクストとサブテクスト

共感することとサブテクストを認識することは同じではない。読者や観客は、好きなキャラクターと同様に、きらいなキャラクターの心も読みとる。単に興味本位でストーリーを追うのではなく、外へ向かう言動と内側の思考や感情、すなわちテクストとサブテクストのふたつのレベルで起こっていることを同時に意識するようになる。

かつてドストエフスキーが言ったように、複雑な役柄である人物の内面では交響曲が鳴っている。ある人物が別の人物に思いを語るとき、読者や観客は二、三の音を耳にするだけで、内側で演奏される思考と感情のオーケストラを認識する。こうした認識を、キャラクターのパフォーマンスのふたつの形式が、異なる二通りの方法で活性化させる。

小説においては、作家の創造力と読者の想像力が組み合わさってキャラクターが生まれる。演劇や映画では、俳優が監督、照明や舞台装置の担当者、撮影監督、編集技師、メイクアップアーティスト、作曲家のサポートを受けながら、作家の創作物を観客に届けるために協力して取り組む。

第一に、性格描写について考えよう。スクリーンや舞台をその目で見ている観客は、キャラクターが周囲の社会的環境や物理的環境のなかを移動するとき、頭から爪先まで確認できる。観客は膨大な量のディテールを吸収し、想像力を働かせる余地はほとんどない。一方、読者の場合は、ときに具体的でときに比喩的なディテールに着目しつつ、これまでの人生の随所に散らばっている個人的な経験を重ね合わせて、仕上げにそれらを想像力へ注ぎ入れ、すべての材料を混ぜ合わせて性格描写をおこなう。

第二に、実像についてはどうかと言うと、舞台やスクリーンのパフォーマンスを見るとき、観客の想像力は俳優の目を通り越し、ことばや身ぶり、意図や自己欺瞞も通り越して、潜在意識から立ちのぼる真実の姿を探し求める。そして、キャラクターの意識のなかで考えが形成され、だがそれが人格(ペルソナ)の奥に隠されて口には出されないことを認める。

一人称の小説では、ほかの登場人物には語られないが、主人公が意識している思考がページに綴られることが多い。読者は、書かれたテクストを通して主人公の潜在意識を探らなくてはならない。そのほかの登場人物の内面生活には、語り手の認識によるフィルターがかけられる。登場人物の真意や欲求がどの程度ゆがめられるのかは、作者しだいだ。

三人称の小説では、認識のしかたがさまざまだ。見せてほのめかす作家もいれば、語って説明する作家もいる。見せる作家は、表向きの行動をドラマにしてキャラクターの内面生活をほのめかす。一方、語る作家は、キャラクターの考えや感情を直接ページに描写する。ヘミングウェイの『老人と海』は前者の例で、ヴァージニア・ウルフの『ダロウェイ夫人』は後者の例だ。今日では、ほとんどの三人称の小説において、見せることと語ること、ほのめかすことと説明することが混在している。

自由意志と運命

前述したように、ストーリーがはじまり、その結末を楽しみにしているときは、主人公の前途でありとあらゆる可能性が待ち受けているように思える。だが、ストーリーが完結し、はじめから振り返ると、すべてがあらかじめ決まっていたかのように感じられる。すでに主人公のことをよく知っているので、主人公の心理は実際にとった行動以外を選びようがなかったとわかる。周囲の物理的、社会的な世界に内在する力を考えると、起こるべくして起こったことだと言える。目には見えないが、避けられない運命のなすがままに行動していたというわけだ。

ストーリーテリングにおいて、決定されていることか自由意志かについての認識は、読者や観客の時間軸上の位置、つまり出来事の以前、さなか、以後のどれなのかによって決まる。あることが起こるより前には、われわれはその先を知らないので、登場人物たちが自由に選択し、行動しているように感じる。だが、起こったあとに振り返ると、さまざまな力がからみ合って、あらゆることへ通じているのがわかる。結果があらかじめ決定されているように思えるのだ。だから作家は、シーンごと、シークエンスごと、幕ごとに登場人物が変化するペースをうまく配分し、最後に運命を振り返らせて、冒頭で引きつけた好奇心を満たすようにしなくてはならない。

ミステリー／サスペンス／劇的アイロニー

登場人物たちは、自分の人生がフィクションであることに気づかず、架空の世界で創り出された出来事のなかでもがき苦しむ。彼らにとっては、物語こそ人生だ。一方、読者や観客は、ストーリー上の時間の外にいて、登場人物たちが経験する前に、さなかに、あとに何が起こるかを知っている。この意識の差異が、ミステリー、サスペンス、劇的アイロニーという三つのストーリーテリングの戦略を生み出す。

ミステリーでは、読者や観客よりも登場人物を優先させる。たとえば、古典的な殺人ミステリーでは、だれかがクローゼットからシャツを取り出そうとしてドアをあけると、死体が倒れてくる。この展開は、読者よりも、被害者を殺した犯人を優先させたものだ。殺人犯はだれのしわざかを知っているが、口を割らない。したがって、好奇心旺盛な読者や観客は、登場人物より乏しい知識しかないまま後方を走りながら、前を見つめ、事件がどこへ向かおうともひたすら追いかけて、登場人物がすでに知っていることを突き止めようとする。

謎が最重要であるストーリー、特に名探偵が登場する場合は、好感を招くことはあっても共感を呼ぶことはない。シャーロック・ホームズは好感が持てるが、われわれとはちがう。ホームズの頭脳はほぼ完璧だから、同化することはできない。

サスペンスでは、読者や観客を登場人物と同じ位置に立たせる。事件が起こった瞬間に、登場人物と読者や観客に同じ衝撃を与える。読者や観客はなんらかの転換点を予想するだろうし、登場人物はなんらかの秘密を隠しているかもしれないが、だいたいにおいて、どちらも過去と現在を知っているものの、未来は知らない。したがって、「この先どうなる?」という大きな疑問が湧き起こる。ストーリーテリングの九割はこの戦略をとっている。

劇的アイロニーでは、登場人物よりも読者や観客を優先させ、登場人物が経験するより前に未来の出来事を知らせる。この戦略では、「この先どうなる?」という大きな疑問が、「この人物が何をしたかは知っているが、なぜ、どうやって?」へ移行する。

ビリー・ワイルダー監督の映画『深夜の告白』(44)と『サンセット大通り』(50)は、二作とも主人公が銃弾に倒れるところからはじまり、命とりとなった選択とアクションがフラッシュバックされる。映画を観ている者は、はじめから結末を知っているので、主人公が自分の利益になると思った計略が、最終的には死をもたらすことを知りながら、神のような視点で観ることになる。

有名な歴史的事件や著名人を扱ったストーリーは、おのずと読者や観客を劇的アイロニーの視点に置くことになる。とはいえ、戦略がどうあれ、読者や観客は登場人物たちが知らないことをある程度は知っている場合が多い。たとえば、主人公が登場しないシーンでの発言、行動、計画などは、われわれはそこにいて、主人公はいないのだから、主人公よりも多くの知識が当然得られる。

だが、伝記や殺人ミステリー以外では、劇的アイロニーやクローズド・サークル・ミステリー〔なんらかの理由で外界から閉ざされた環境で展開されるミステリー〕の手法だけが全編を通して用いられることはかなり珍しい。ほとんどの作家はこの三つを融合させて採り入れている。サスペンスが全体的な戦略を形成し、秘密を隠し持つ登場人物が観客より多くを知っている場面もあれば、フラッシュバックに反応する観客が登場人物より多くを知っている場面もある、ということだ。

『カサブランカ』の政治とロマンスのプロットはサスペンスに満ちたものだが、その緊張感のなかで、パリで出会った若い恋人たちへのフラッシュバックが劇的アイロニーを添えている。観客はリックとイルザのロマンスをながめながら、この恋人たちを待ち受ける暗い未来を知っている。その後、リックが最後のアクションを選択するが、観客を含む全員にそれを伏せているので、物語はミステリーへ移行する。

最近では、ヴィエト・タン・ウェンの一人称小説『シンパサイザー』で、諜報局長官が二重スパイを監禁し、自分の人生を書き出すよう、そして何よりも真実を語るよう強要する。われわれが読む文章は、その「告白」である。大きな疑問にサスペンスが加わる――スパイは真実を語っているのか、それとも嘘をついているのか。そして、その選択によって、スパイは救われるのか、それとも殺されるのか。

語り手の告白が三十年の時を行きつもどりつして語られるなか、隠蔽された暗殺計画にまつわる謎が読者を魅了する。それと同時に、どのページにも劇的アイロニーが付きまとう。主人公が死に直面しても生き延びたことを読者は知っている。そうでなければ、この本を読むことはできないからだ。

第一印象が持つ力

この章の締めくくりとして、ストーリーの冒頭について考えてみよう。

場所を設定する映像、小説を開始する章、シーンの引き金となるアクションといった起点を創作するときには、第一印象の力に注意しなくてはならない。読者や観客は新しいことに出会うと、最悪の事態や最良の事態、あるいはその両方を予想して、これはどこへ向かうのかという好奇心に駆られ、思考が疾走する。これはキャラクターが物語にはじめて登場する場面に顕著で、主人公のときは百パーセントあてはまる。

一ページ目に主人公を登場させたい衝動には抗うべきだ。最も効果的なシーンまで待ち、読者や観客の興味を引きつけてから登場させよう。

『カサブランカ』の冒頭では、人々の口ぶりから、カリスマ性があるのに不愛想で、有名人なのに謎めいている主人公についての興味が掻き立てられる。そして、カメラがようやくリック・ブレインをとらえると、リックは白いタキシードに身を包み、ひとりでチェスに興じている。こんな設定なら、「この男は何者だ？」と観客が思うのは当然だろう。

主要なキャラクターをどこで登場させるにしても、最初に紹介するときには強く印象づけなくてはならない。

デヴィッド・リーン監督の『アラビアのロレンス』(62)では、アリ首長が遠くの地平線上の一点として登場し、焼けつく砂漠の空を背景に、徐々に大きく、ゆっくりとこちらへ向かってくる。

ユージン・オニールの戯曲『夜への長い旅路』では、モルヒネで朦朧としたメアリー・タイロンが、何かをつぶやきながら居間へはいってくる。

ラルフ・エリスンの小説『見えない人間』では、天井から吊られた百個の裸電球が煌々と照らす地下室に、ひとりの男がすわっている。男は淡々と、自分は街から電気を盗んでいると読者に語りかける。

フィービー・ウォーラー＝ブリッジが脚本を手がけた『キリング・イヴ　Killing Eve』の第一シーズン、第一話では、アイスクリーム・パーラーで愛らしい顔の少女がサンデーを食べている。部屋の向こう側から暗殺者のヴィラネルが微笑みかけると、少女も笑みを返す。ヴィラネルはドアへ向かうときに、少女のアイスクリームをわざと倒して服を汚す。

ウィリアム・ゴールディングの小説『可視の闇』では、第二次世界大戦中のロンドンがドイツ空軍によって壊滅状態に追いやられる。爆撃された地獄のような光景から、ひどいやけどを負って醜い姿をさらした裸の子供が現れる。

ジェリー・ハーマンが作詞・作曲し、ジェローム・ローレンスとロバート・エドウィン・リーが脚色したミュージカル『メイム』では、メイムが曲線の階段の上でラッパを吹き、手すりを滑りおりてくる。

複雑なキャラクターが登場することで、読者や観客がその人物の未来に興味を持ち、中核の自己が徐々に見えてくる形になるのが望ましい。

第4部
キャラクターの関係

人はだれに対しても自分のすべてをさらけ出したりはしない。見せるのはほんの一部だけで、あとは表に出さず、大きな秘密を内にしまいこんでいる。それは自分自身に対しても同じことだ。人は自分自身にも、自分のすべてを見せてはいない。ほんとうの自分は本人にはわからず、ほかの人間だけが真実の一部に気づく。[原注1]

現実がそうなら、フィクションも同じだ。あるキャラクターがほかの登場人物とかかわるのは、学問上の興味や信仰が同じだからかもしれないし、恋愛感情からかもしれないが、ひとりの相手に対して一度に自分のすべての面を均等に見せることはない。だが、そのキャラクターのまわりにさまざまな登場人物を配し、それぞれがそのキャラクターの異なる面を引き出す役柄にぴたりとはまれば、その登場人物たちとのかかわりのなかで、キャラクターの特徴や奥行きが明らかになる。だから作家にとっては、読者や観客がクライマックスまでにキャラクターのことを本人よりもよく知るために、登場人物たちをどのように設計すればよいかが問題となる。

キャラクターの関係の原則――すべての登場人物が互いに相手の特徴と真の姿を引き出し合う。

第4部では、この原則を指針として、登場人物の配置と設計を見ていこう。

17　登場人物の設計

運命に向かって、剃刀のごとく一直線に道を突き進む人はいない。人はだれでも、人間関係の十字路や立体交差を渡ったり、入口や出口を抜けたり、Uターンしたりしながら、人と社会が交錯する迷路を進んでいく。だから、キャラクターの中核の自己だけが運命を決めるわけではない。本能に突き動かされてひとつの欲求へ向かうこともあれば、物理的、社会的、個人的なひろがりのなかで、ほかの欲求へと波に引き寄せられることもある。人間は互いに影響し合うものだから、登場人物の設計ではつながりや対立を軸にして、互いの性質の特徴が明確になるようにする。つながりながらも対照をなす関係のなかで、登場人物が形作られる。

巧みに造形された登場人物の集団においては、特徴や矛盾が対立要素を生んで、それぞれのキャラクターがほかのどの人物とも異なったものになる。シーン内でやりとりしたり、別のシーンで互いにほかのキャラクターのことを話したり考えたりするうちに、対照や矛盾によって互いの役柄が一段と明瞭化される。さらには、キャラクター同士が面と向かってやりとりするなかで、アクションとリアクションが引き起こされ、それぞれが持つプラスとマイナスの価値要素が明らかになる。

この方法で焦点をキャラクターからキャラクターへ移すにつれて、互いがどのように助け合ったり邪魔し合ったりするのか、そのキャラクターが何を求めて何を拒むのか、何をして何をしないのか、どんな人間なのか、各キャラクターがどのようにほかの人物の特徴や動きをあらわにするのか、などが形をなしていく。相容れない欲求同士がこじれて対立や葛藤へ発展すると、キャラクター間のつながりに亀裂が生じて関係が変化する。

だから、作家はストーリーを作りながら、つねにキャラクターたちを比較対照し、類似点と相違点を整理して、自分だけにわかる図式を描く。ハムレットは人生の意味を切実に探し求めていたが、この王子が最後にどこでそれを見いだすのか、シェイクスピアには最初からわかっていた。

あるキャラクターを思いついたからといって、そのキャラクターが登場人物のなかで的確に位置づけられるとはかぎらない。それぞれの役柄が、創造的戦略の一部としてストーリーテリングを促すようにしなくてはならない。読者や観客が夢中になれるのは、主人公以外にも登場人物たちがいて、それぞれの類似や相違によって緊張が生まれるからだ。もし全員がただひとつの軸——善か悪かや、勇敢か臆病か——をめぐって対立していたら、キャラクター同士が小さくまとまって、おもしろみが消える。だが、複雑に対立していれば、ストーリーを追う者の好奇心や共感が呼び起こされて、活力と集中力が引き出される。そのためには、よく練られた登場人物の設計が必要だ。主要な表現媒体のストーリーのなかから五つの例を見てみよう。

ケーススタディ——『高慢と偏見』

作者のジェイン・オースティンは、五人のベネット姉妹を軸に登場人物を設計している。複雑な内面を持つ主人公としてエリザベスを中心に据え、冷静な合理性、社交上手、自尊心、独立心という、目に見えやすい四つの特徴を与えた。そしてエリザベスの立体感が増すように、こうした外面の特徴と相反する内面の特徴として、衝動性、秘めた信念、謙虚さ、恋愛への憧れという四つの性質を加えた。

この四組の対立要素──「合理性／衝動性」、「社交上手／秘めた信念」、「自尊心／謙虚さ」、「独立心／恋愛への憧れ」──がエリザベスを特徴づけ、ジェイン、メアリー、キティ、リディアという四人の姉妹との関係に作用している。

ほかの四人の姉妹たちの個性は、外面の特徴だけで形成されている。四人とも性格に奥行きがなく、平板で見たままの人間だ。それぞれの姉妹がエリザベスと対極をなす特徴を持つように設計することで、エリザベスの特質がひとつずつ浮き彫りになり、逆にエリザベスのさまざまな面が姉妹たちの特徴を際立たせている。こうした対照によって、五人のキャラクター全員が明瞭に造形されている。

1　エリザベスとジェイン

エリザベスは、内面に知性と衝動の対立要素をかかえた人物として描かれている。この小説の契機事件の時点では、分別を持って人を見抜く目のある忍耐強い女性だ。ところがダーシー氏に出会うと、高慢な紳士に対する衝動的で偏見に満ちた決めつけ（これが『高慢と偏見』というタイトルの所以だ）と、ふだんはバランスがとれている鋭い洞察力とのあいだで突如として矛盾が生じ、エリザベスはダーシーに反発して、ふたりの愛の物語は困難だらけの道を進むが、最後にエリザベスは、自分の信念が実は偏見だったこと、自分の自尊心は高慢と同じであること、自分とダーシーは互いを映す鏡であることに気づく。

鋭い懐疑の目を持つエリザベスとは対照的に、姉のジェインは無邪気に人間の善性を信じている。ジェインの小鹿のような純朴さは妹の慧眼とはまったく異なり、不幸な選択につながることになる。

2　エリザベスとメアリー

エリザベスの二組目の対立要素は、機知に富んだ社交性と道徳的な信念だ。心の奥底には揺るぎない道徳的信念があるが、それを表に出して友人や家族を退屈させたり敵にまわしたりはせず、魅力的な笑顔の裏に

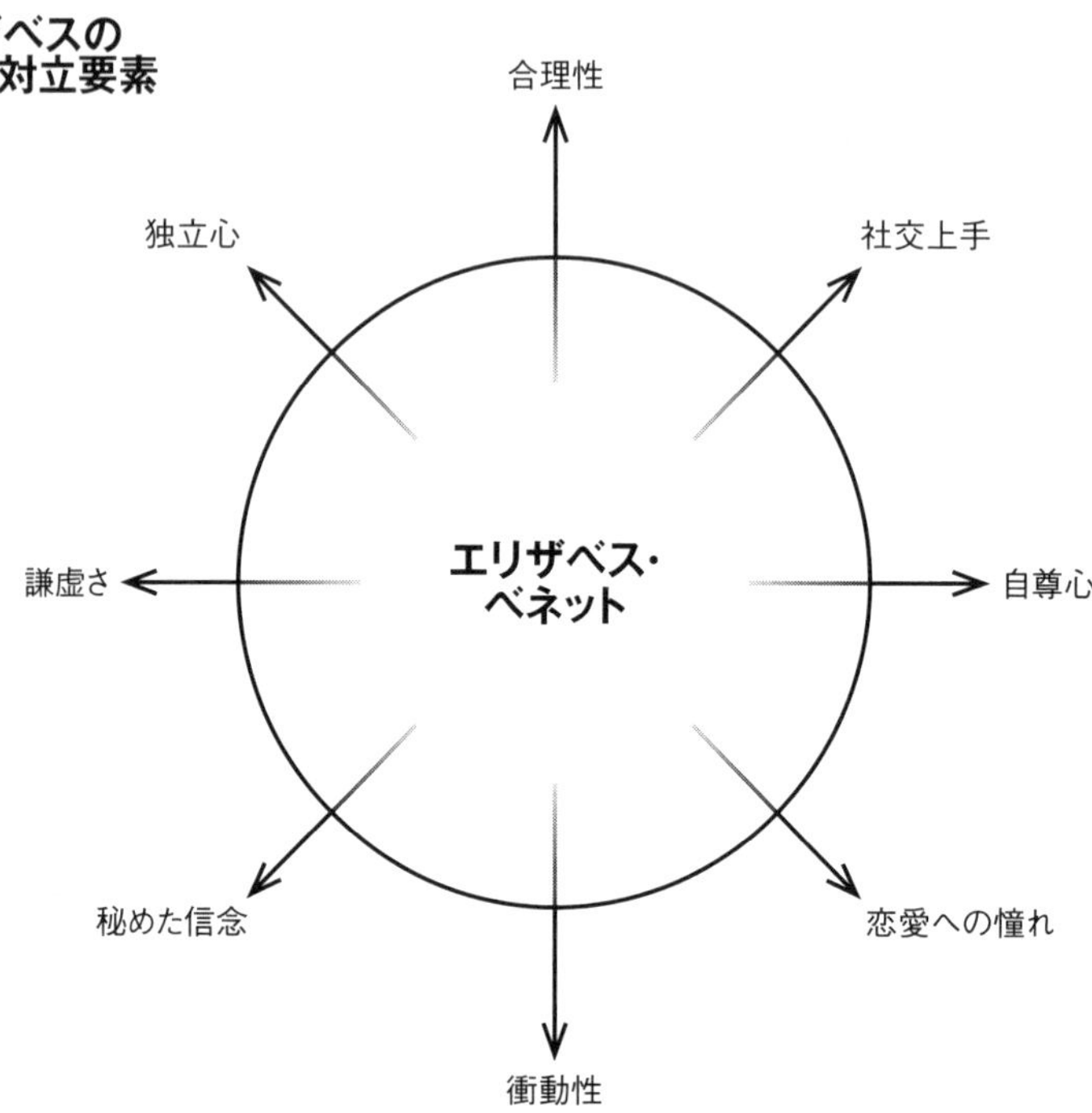

秘めたままでいる。

メアリーのほうは、学者気どりで道徳をくどくどと説き、仰々しくふるまうばかりなので、エリザベスとちがって社交の場に出ることはない。

3　エリザベスとリディア

エリザベスの三組目の対立要素は、はつらつとした自尊心と、控えめで変わることのない謙虚さだ。

一方、リディアは動物的な本能のままに自己表現し、慎みなくうぬぼれたり戯れたりすることになんの臆面もない。

4　エリザベスとキティ

エリザベスの四組目の対立要素は、頑固なまでの独立心がある反面、それと劣らず強い恋心をダーシー氏にいだいていることだ。

キティは反対に、依存心が強く甘えん坊で、意志が弱く泣き虫でもある。

エリザベスの才気と落ち着きは、四人の姉妹の不安定ですぐに取り乱す自信のなさと対比をなす。姉妹たちの登場するシーンでは、それぞれが相手の対照的な特徴を引き出し、ずっとエリザベスが小説の中心に据えられつつも、五人とも印象深く際立った存在となっている。

エリザベスのようにきわめて複雑なキャラクターが持つさまざまな面は、社会的な自己、個人的な自己、内的自己、隠れた自己という四層の自己すべてと縦横の綾を織りなしている。キャラクターが多くの対立要素を持てば持つほど、その複雑さを描くために多くの人間関係が必要になる。そこで、想像力を働かせて各キャラクターを造形し、登場人物の相互関係を突きつめて考えるために、登場人物の特徴や対立要素の相関図を作成しよう。

登場人物の相関図

登場人物の相互関係を図にするには、まず三つの同心円を描き、その中心に主人公を置く。矛盾を読者や観客に明かしていくには多くの描写が必要なので、対立要素の多くをこの主人公ひとりに集中させるとよい。『高慢と偏見』の相関図では、四つの矛盾をかかえるエリザベス・ベネットが中心に置かれる。

一番目の円には準主役やおもな脇役を配し、その特徴や矛盾を書き添えて主人公と対比させる。三組の対立要素を持つダーシー氏や、エリザベスの四人の姉妹の場合は、つぎのようになる。

ダーシー氏（「高慢／自制」、「尊大／親切」、「自己欺瞞／自己認識」）、ジェイン（純朴）、メアリー（学者気どり）、キティ（依存心）、リディア（不謹慎）。エリザベスはダーシー氏の三つのプラスの面を引き出す。

矛盾をかかえたキャラクターが興味深いとはいえ、それをストーリーのなかで表現するには時間がかかるので、二番目の円に配した役柄には際立った特徴だけを与える。たとえばこんな具合だ——ベネット夫妻（心配性の両親）、チャールズ・ビングリー（気のいい友人）、キャロライン・ビングリー（上品ぶっている）、シャルロット・ルーカス（分別がある）、コリンズ氏（大仰）、ジョージ・ウィッカム（欺瞞で人を惑わす）、

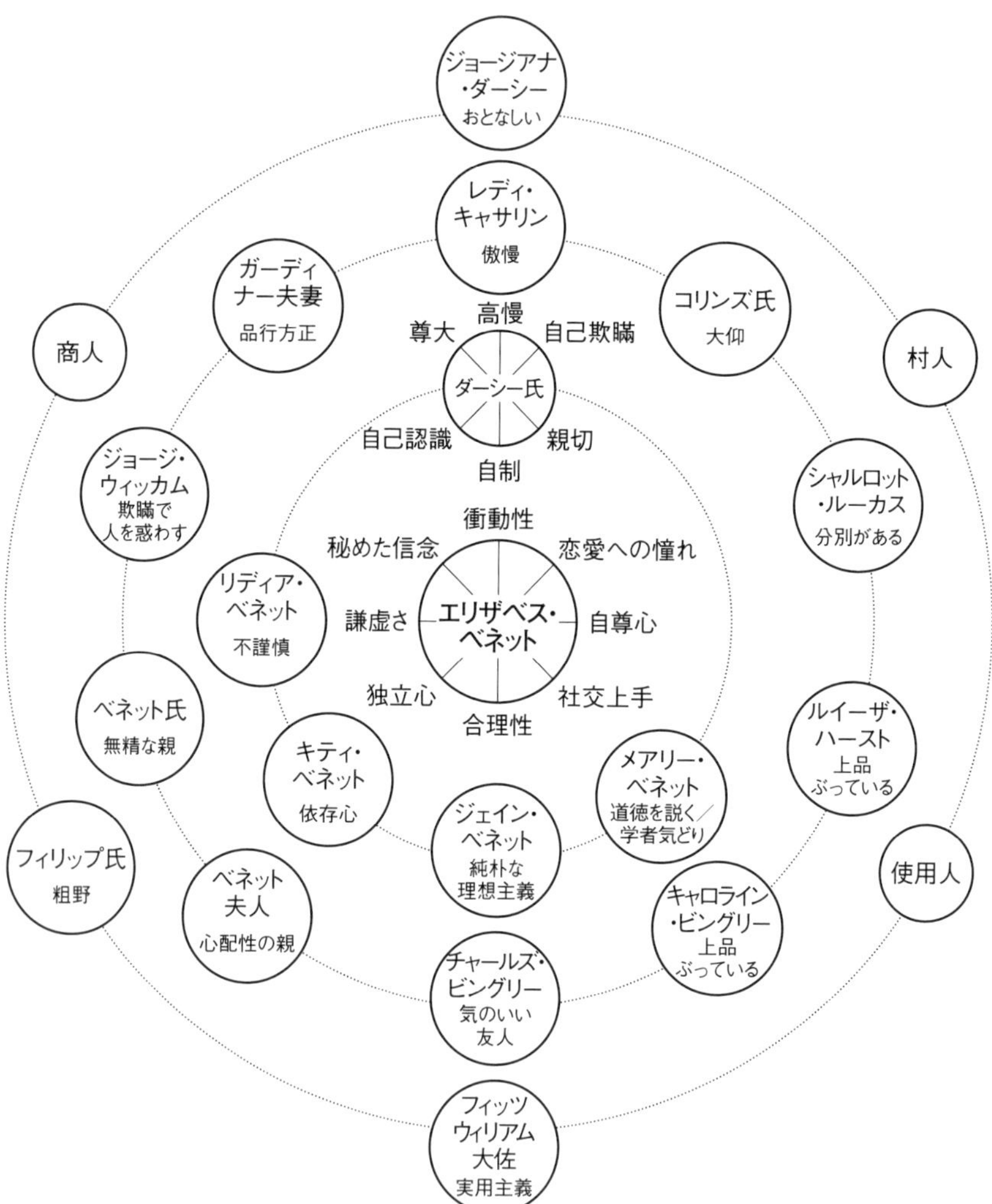
ジョージアナ・ダーシー
おとなしい
レディ・キャサリン
傲慢
ガーディナー夫妻
品行方正
コリンズ氏
大仰
商人
村人
高慢
尊大
自己欺瞞
ダーシー氏
自己認識
親切
自制
ジョージ・ウィッカム
欺瞞で人を惑わす
シャルロット・ルーカス
分別がある
衝動性
秘めた信念
恋愛への憧れ
リディア・ベネット
不謹慎
謙虚さ
エリザベス・ベネット
自尊心
独立心
社交上手
合理性
ベネット氏
無精な親
ルイーザ・ハースト
上品ぶっている
キティ・ベネット
依存心
メアリー・ベネット
道徳を説く／学者気どり
ジェイン・ベネット
純朴な理想主義
使用人
フィリップ氏
粗野
ベネット夫人
心配性の親
キャロライン・ビングリー
上品ぶっている
チャールズ・ビングリー
気のいい友人
フィッツウィリアム大佐
実用主義

ルイーザ・ハースト（上品ぶっている）、レディ・キャサリン（傲慢）、ガーディナー夫妻（品行方正）。

三番の円にはいるのは、使用人、村人、商人、遠い親戚などの周辺人物だ。

ケーススタディ――『ワンダとダイヤと優しい奴ら』

『ワンダとダイヤと優しい奴ら』は、ジョン・クリーズとチャールズ・クライトンが脚本を担当している。ふたりでアカデミー賞の脚本賞にノミネートされ、クライトンは監督賞でもノミネートされた。また、ケヴィン・クラインが助演男優賞に輝き、オスカー像を手にする一方、ジョン・クリーズとマイケル・ペイリンが、それぞれ英国アカデミー賞の主演男優賞と助演男優賞を獲得した。英国映画協会はこの作品を二十世紀で最もすぐれたイギリス映画のひとつに選出している。作品のアイディアが最初にひらめいたのは、クリーズとクライトンが昼食をとっているときだった。

ふたりでビデオ用の作品を制作していたある日、ケンブリッジ大学で法学専攻だったクリーズが、法廷弁護士の役を演じるのが長年の夢だと言いだした。それに応えてクライトンは、自分の夢はロードローラー車を使ったシーンを撮ることだと語った。そこでふたりは、法廷弁護士とロードローラー車の両方が登場する映画をいっしょに作ろうと決めた。

クリーズが考え出したのは、愛犬家なのに犬を殺しつづけてしまう男という奇抜なアイディアだった。当然ながらクライトンは、なぜ殺すのかと理由を尋ねた。答えはこうだ。ほんとうは犬の飼い主を殺そうとして、失敗しつづける。なぜ飼い主を殺そうとするのか。目撃されたからだ。何を見られたのか。強盗するところをだ。こんなふうにして、ふたりは犯罪映画のプロットを皮肉り、愉快な犯罪コメディ（クライメディ）に仕上げた。

ストーリー

アメリカ人詐欺師のワンダとボーイフレンドのオットーは、ロンドンの悪党ジョージと手下のケンを出し抜く計画を立てる。四人で数千万ドルのダイヤ強盗に成功した直後、ワンダとオットーはジョージを警察に売るが、実はジョージのほうも裏切ってダイヤをひそかに隠していたことが発覚する。

ジョージの隠し場所の手がかりをつかんだワンダは、ケンの水槽のなかから金庫の鍵を見つけ出し、それを自分のペンダントに隠す。そこからラブストーリーのサブプロットが加わり、ワンダがジョージの弁護士アーチーを誘惑するが、これはダイヤのありかを探るためだ。ところが、ワンダはアーチーの家でペンダントを落としてしまい、それをアーチーの妻ウェンディが夫から自分への贈り物だと思いこむ。

ジョージはケンに、強盗の唯一の目撃者であるコーディ夫人を殺害するよう命じる。この偏屈な老婦人は三匹の小型犬を飼っている。ケンは夫人の始末を三度試みるが、そのたびに誤って犬を一匹ずつ殺してしまう。ついには成功するものの、それはケンが三匹目の犬を巨大な建築用ブロックでぺちゃんこにして、それを見たコーディ夫人があまりのおぞましさに心臓発作を起こしたからだった。

目撃者がいなくなり、ジョージはすっかり釈放される気になってケンに逃亡計画を話し、ダイヤの隠し場所も告げる。だが、法廷での審問でワンダがジョージを裏切る。あっけにとられたアーチーは、思わずワンダを「ダーリン」と呼ぶ。それを傍聴席で見ていたウェンディは、アーチーがワンダと浮気していたことに気づき、離婚を宣言する。

一方、オットーはケンを拷問し、宝石がホテルの貴重品金庫に隠されていることを吐かせる。オットーは隠し場所を知っていて、ワンダは鍵を持っているので、ふたりは力を合わせる。

アーチーは、こうなってはやむをえないと腹を決め、お宝を横どりしてワンダといっしょに南米へ逃げることにする。ワンダを自分のジャガーに乗せ、ケンのアパートメントへと急行する。しかし、アーチーひとりがケンの家に駆けこむあいだに、オットーがワンダごと車をかっさらう。

ケンとアーチーがそれを追う。オットーはダイヤを奪い返すが、ワンダはオットーを裏切り、掃除用具入れのなかで殴って気絶させる。オットーは意識を取りもどすと、ワンダが乗る飛行機へと走り、空港の滑走路でアーチーと対決する。オットーがアーチーを撃とうとしたところにケンが現れ、ロードローラー車でオットーを轢く。アーチーとワンダは飛行機のなかで再会する。

この『ワンダとダイヤと優しい奴ら』の登場人物を相関図にし、それぞれが持つ執着心や対立要素を表すと、つぎのようになる。

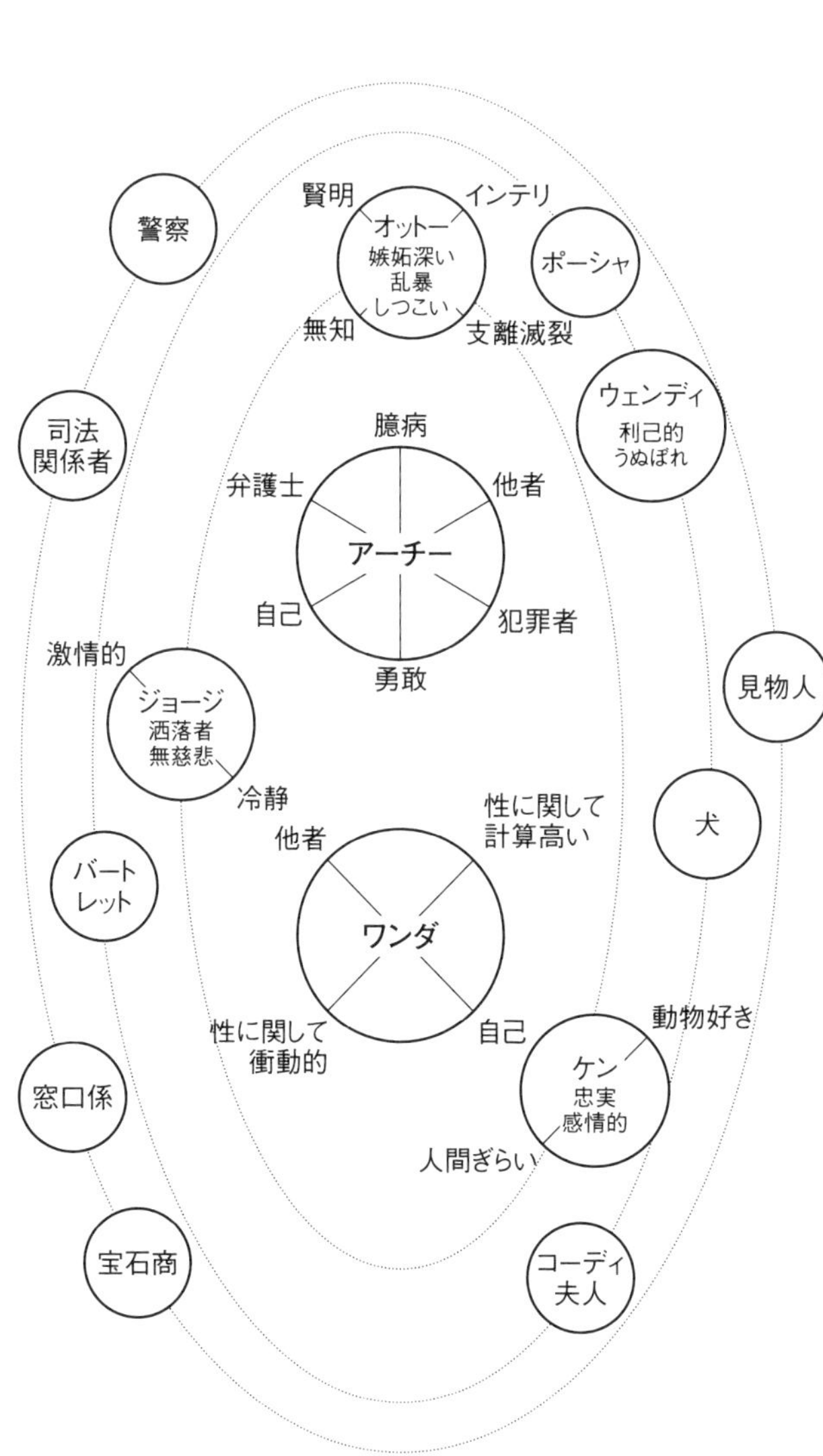

第13章で見たように、喜劇的なキャラクターは病的な執着心を特徴とし、融通がきかないことに本人は気づかないが、行動パターンを変えることができない。

アーチー・リーチ（ジョン・クリーズ）は体面を失う恐怖に取り憑かれている。だが、自分でそれに気づいたのを機に「ケーリー・グラント」役、つまり恋愛物語の主人公へと変わる（アーチー・リーチは名優ケーリー・グラントの本名の愛称だ）。

アーチーの三組の対立要素

アーチーは臆病で、勇敢でもある。最初は凶暴なオットーに恐れをなすものの、やがて勇気を持って立ち向かう。

アーチーは弁護士であり、犯罪者でもある。それを矛盾と思わない人も多いだろうが、アーチーの場合はまさしくそうだ。法に身を捧げつつ、愛のために罪を犯す。

アーチーは他者に尽くすが、やはり自分も大事だ。妻や娘や依頼人のために我慢して働いているものの、ワンダと恋に落ちると、ついに自分が人生で手に入れたいもののために闘う。

ワンダ・ガーシュイッツ（ジェイミー・リー・カーティス）は外国語を話す男にめっぽう弱い。

ワンダの二組の対立要素

ワンダは性に関して計算高く、衝動的でもある。登場人物のなかでは男性陣よりはるかに頭の回転が速く、色仕掛けで男たちを手玉にとるものの、みずからが病的な執着心にとらわれることもある。

ワンダにとって大事なのは自分だが、アーチーにも尽くす。金さえあればいいという人間なのに、アーチーに惚れこんで心を捧げる。

オットー・ウェスト（ケヴィン・クライン）はニーチェの信奉者だ。

オットーの二組の対立要素

オットーはインテリでありながら無知な男だ。元ＣＩＡ捜査官で、ニーチェの哲学を引用するくせに、ロンドンの地下鉄（アンダーグラウンド）を政治がらみの地下運動（アンダーグラウンド）と勘ちがいする。

オットーは賢明なのに支離滅裂だ。切羽詰まった場面では機転をきかせてたやすく嘘を思いつくが、会話の途中で集中力を失って話の中身を忘れる。

ケン・パイル（マイケル・ペリン）は動物愛好家だ。

ケンの一組の対立要素

ケンは異常なまでに動物を愛する一方、人間を軽蔑している。動物が死ぬと悲嘆に暮れてペット墓地へ出向くが、通りで人間を殺すときは嬉々としている。

ジョージ・トマソン（トム・ジョージソン）は、頭脳労働としての犯罪に執着している。

ジョージの一組の対立要素

ジョージは冷徹でありながら激昂もする。冷静で計算高く無慈悲な洒落者で、犯罪のプロに徹しているが、法廷でワンダに裏切られると、なりふり構わず怒りを爆発させる。

ウェンディ・リーチ（マリア・エイトキン）は、つねに優越感に浸っていないと気がすまない。傲慢で上品ぶっていて、自分以外の人間にはわが娘だろうと愛情を注がない。

ポーシャ・リーチ（シンシア・クリーズ）は、自分の鼻のことばかり気にかけている。おもな特徴はわがままな性格だ。

アイリーン・コーディ（パトリシア・ヘイズ）は、飼い犬を溺愛している。際立った特徴は怒りっぽいところだ。

ほかの登場人物としては、判事、裁判官、宝石商、錠前屋、窓口係、依頼人、看守、通行人などがいる。

結論

批評家がコメディを真剣に扱うことはめったにないが、巧みに語られたストーリーには、どれも深い意味がある。『ワンダとダイヤと優しい奴ら』の中心にある考えは、仕事も家族も捨てる覚悟があれば、だれでも二千万ドルのダイヤを手にして理想の恋人とともにリオデジャネイロに移り住めるかもしれない、というものだ。

ケーススタディ――『Slave Play』
ジェレミー・O・ハリス作の戯曲

『Slave Play（未）』は現代の寓話だ。タイトルからは、奴隷（スレイブ）についての芝居だとわかるだけでなく、鞭や拘束具、鞭打ちの跡やオーガズムへの言及も想像できる。登場人物はそれぞれが心の奥底にかかえた個人的な問題と格闘していて、現実味があるが、それと同時に、強さと弱さのあいだで葛藤しつづけるさまざまなタイプの人間の象徴にもなっている。

ジェレミー・O・ハリスは、イェール大学在学中にこの『Slave Play』を書きはじめた。二〇一八年にオフ・ブロードウェイで初演されると、たちまち論争を巻き起こした。翌年、ブロードウェイへ舞台を移し、新型コロナウイルス感染症ですべての劇場が閉鎖されるまで、連日満席がつづいた。

『Slave Play』は以下の問題を提起する。何が人を人種差別へ向かわせるのか。なぜアメリカの人種間の関係は、これほどまで機能不全に陥っているのか。それは生まれつきのものなのか、まわりの環境がそうさせるのか。人の心のなかに権力を欲する衝動があるからなのか。それとも、人を隔離して集団で閉じこめていた非道な社会制度のせいなのか。答えを探すために、この演劇は四組の悩める異人種間カップルを登場させる。

黒人の登場人物たちは人種差別による苦難の歴史に対して熱い思いをいだいているが、その恋人である白人たちはそれを理解も感じもしないか、できないか、しようとしない。パートナーを大切に思う気持ちに嘘はないものの、相手が黒人であることから目を背けたり、ただ欲情の対象としてとらえたりしている。そうした状況で、もし黒人のほうが心を開いて自分の苦しみを打ち明けたとして、白人の恋人はそれを理解できるだろうか。あるいは、黒人たちは永遠に恋人の目に映らない世界で生きる運命にあるのだろうか。この袋小路にはまった黒人のキャラクターたちは、セックスで快感が得られない無快感症を患う。

この作品の舞台は、ヴァージニア州の大農場だった場所だ。マルチプロットの設計で、フィリップとアラーナ、ゲイリーとダスティン、カネイシャとジムという、葛藤をかかえる異人種間カップル三組のストーリーラインが交互に描かれる。脇役としてレズビアンの異人種間カップル、ティアとパトリシアのふたりが登場し、緊張感を醸し出しているが、このふたりの関係がサブプロットへ発展することはない。

舞台は三幕構成で、つぎのように進行する。

第一幕——「労働」

第一幕では、三つの場面でサドマゾヒズム趣味の誘惑とセックスが描かれる。南北戦争前の衣装を身をつけた三組のカップルが野蛮で卑猥な交わりを繰りひろげ、あたかも十九世紀が舞台のように思えるが、ところどころに現代の音楽、現代の名称、時代の異なる会話が差しはさまれる。

第一場——カネイシャという奴隷の女が監視人を「ジムのだんな」と呼び、自分を痛めつけるつもりかと尋ねる。なぜそんなことを考えるのかと訝る（いぶか）ジムに、カネイシャは「鞭をお持ちですよねえ」と返す。ジムは鞭使いの訓練を受けたことがなく、鞭を鳴らそうとして自分の顔を打ってしまう。カネイシャはジムを誘惑しようと、床から直接拾って物を食べ、腰を激しく振って踊る。

第二場——欲求不満の南部美人アラーナが天蓋つきのベッドで誘うように身悶えし、恐ろしく大きなディルドをこれ見よがしに振りまわす。浅黒い肌のハンサムな奴隷フィリップがアラーナの性欲に奉仕し、アラーナはフィリップの尻にディルドを無理やり挿入する。

第三場——農場の納屋で白人の年季奉公人ダスティンが干し草の俵をこしらえるのを、威圧的な黒人の監視人ゲイリーがそばで見張っている。ダスティンが反抗して荒々しいやりとりがはじまり、やがてレイプの様相を呈する。ダスティンがゲイリーの靴を舐めると、ゲイリーはオーガズムに達し、わっと泣きだす。

いきなり舞台はがらりと転換し、クリップボードを持ったふたりの心理療法士、ティアとパトリシアが部屋に飛びこんできて、実は三つの場面が異人種間カップルのセックスセラピーだったことを明かす。

第二幕——「治療」

心理療法士のふたりは、奴隷制度廃止前の時代設定を用いた「南北戦争前セックス実践セラピー」という過激な療法で無快感症を治せると考えていて、それは「白人パートナーとのセックスで快感を得られなくなった黒人が、相手との親密な関係を取りもどせるから」だという。だが、ティアとパトリシアが「治療」

として三組のカップルに奴隷役と主人役を経験させていくと、第一幕のサドマゾヒズムの妄想劇で演じた役柄のせいで、その奥にある真の自己と自己が目を合わせることになり、鞭や靴やディルドよりもはるかにひどい痛みを与え合う。六人はそれぞれに、実生活での自己と隠れた自己の衝突、自分の恐れと欲求の衝突について、身を切るような思いを口にする。

たとえば、ふだんは寡黙なフィリップから、こんなことばが出る。「じゃあ、ぼくの……ぼくが……勃たないのは……ちゃんとできないのは、つまり……人種差別のせいだって？」作品全体を通し、こうした台詞から苦痛による快楽が生まれ、それが喜びにも傷にもなる。

第二幕が進むにつれて、心理セラピーは心理的な拷問になっていく。人種差別による傷口が、実験的なセラピーによって、癒されるどころか焼けるように痛みだす。互いが相手に怒りをぶつける。「治療」が崩壊して燃えあがる。仮面が剥げ落ちる。真の自己があらわになる。フィリップとアラーナ、ゲイリーとダスティンのプロットがクライマックスを迎え、第二幕は終了する。あとは、作品のメインとなるカネイシャとジムのストーリーが第三幕へつづいていく。

第三幕――「悪魔祓い」

最終幕では、人種によるジレンマが痛烈に表現される。寝室でジムとふたりきりになったカネイシャは、夫に対して心の底で感じる嫌悪の正体を突き止めようともがく。ジムはカネイシャがセラピーでトラウマを負ったのではないかと心配し、それはそのとおりなのだが、理由は理解できない。

もともとカネイシャが白人のジムに惹かれたのは、ジムがイギリス人で、アメリカ人が持つ偏見に侵されていなかったからだった。けれども、やがてカネイシャは、ジムが白人であるがゆえに目に見えぬ鞭を持ち、自分は黒人であるがゆえに何も持っていないことに気づく。力を手にしているのはジム。そういうことだ。その苦い真実をジムは認めようとしない。カネイシャはわかってもらいたいが、ジムは聞く耳を持たない。

舞台がクライマックスを迎えると、ふたりは唐突に、第一幕と同じサドマゾヒズム趣味の主人役と奴隷役を演じはじめる。レイプのアドリブが激しくなりすぎたところで、カネイシャがセーフワード〔その行為はやめてくれという合図のことば〕を叫ぶ。ふたりはゆっくりと平静を取りもどし、カネイシャはジムに対して、聞く耳を持ってくれたことを感謝する。幕。

この演劇では、各キャラクターが持つふたつの自己が明らかにされる。第一幕では象徴としての自己が描かれ、それとは対立する中核の自己が第二幕であらわになり、第三幕では中核の自己と象徴としての自己がひとつに合わさって——それぞれのキャラクターを完成させる。

登場人物

ジェレミー・O・ハリスは、鋭く見抜く目を持つ人物から目が曇って何も見えていない人物まで、気づきの度合いがさまざまなキャラクターを並べて登場人物全体を設計した。一方の端には、痛々しいまでに自己を認識している黒人のカネイシャがいる。もう一方の端にいるのが、嬉々としてみずからを欺いている白人のジムだ。ほかの六人は、黒人というものに対する好感度のちがいに従って、それぞれ異なるタイプを象徴している。ゲイリーは黒人であることがいやでたまらない。パトリシアは黒人であることから目を背けている。ティアは黒人を合理的に分析する。フィリップは黒人であることを超越している。ダスティンは黒人を愛しく思っている。アラーナは黒人に性的魅力を感じている。

登場人物を相関図で示す前に、この八つの役柄を複雑さの度合いが低いほうから順に見ていこう。

パトリシアとティア

パトリシアとティアはふたり組のセラピストで、話すときに退屈きわまりない心理学用語をやたらと使う。ふたりにかかると、感情は「心理空間およびコミュニケーション領域におけるデータ処理」だ。「物質性」

や「地位性」といった専門用語がお得意で、黒人は「マイノリティ主義者」、白人社会は「異性愛者による父権集団」となる。

ふたりは人種差別の不快な作用を調べ、それを無謀なほど危険な実験で患者に対して試みる。共感を持って気配りをしているようで、実は心理的苦痛を記録して論文のデータにしようとしているだけだ。ふたりにとって、科学は癒しにまさる。繊細を装った信念と無神経な科学という外面と内面の対立要素が、このふたりがともにかかえる第一の矛盾だ。

第二は実像と性格描写の矛盾、つまり本質と外見の矛盾で、これがそれぞれに複雑さの層をもうひとつ加えている。明るい褐色の肌を持つパトリシアは自分が白人だとひそかに信じていて、白人なのに自分を黒人だと言うダスティンとは正反対だ。冷静な職業人だが内面に問題をかかえるティアは、自分もフィリップのように超然としていられたらいいのにと思っている。こうした満たされない願いが、確固たる職業人としての自己と不安な個人としての自己という、二組目の対立要素をふたりに与えている。

フィリップ

フィリップは屈強な混血の男で、モデルのようにハンサムなうえに教育も受けているが、あまり聡明ではない。白人の恋人アラーナがフィリップのぶんまでしゃべるので、いつも後ろでおとなしくしている。人種など関係ないと考えるフィリップは、自分を「黒も白も超越した人間」と見なしている。相手を支配したがる恋人と、人種にとらわれない自己との板ばさみで無快感症を患う。心の奥底にある矛盾のせいで、傍目にはセクシーな男に見えるが、実は性不能者だ。

アラーナ

第一幕で、アラーナは神経質で欲情した手のつけられない大農場の女帝を演じ、家働きの奴隷への変態行為を切望して、それを実行したあと、「ああ、興奮した、すごくいい」と打ち明ける。ところが、つぎの幕では、まじめに手をあげてノートをとる生徒にもどる。このタイプA〔攻撃的で競争を好む人物を表す心理学用語〕の完璧主義者がついに自分の人間関係の真実に気づく。フィリップが黒人であるという事実に自分があえて目を向けなかったせいで、ふたりの愛が壊れたのだと知ると、突如として現実逃避の殻に閉じこもり、呪文のように「人種のせいじゃない」と繰り返す。

アラーナがかかえる矛盾は、好奇心と自己欺瞞、そして過度に抑制された生き方と歯止めのきかない性衝動との対立だ。

ゲイリー

ゲイリーは黒人であることを嫌悪している。静かな憤りを見せる仮面の裏には、抑えこまれたまま生涯ゆっくりと燃えつづける激しい怒りが隠れている。第一幕の妄想劇で、ゲイリーは十年来の恋人であるダスティンに無理やり靴を舐めさせ、身を震わせてオーガズムに達する。ゲイリーの核となる対立要素は、内なる怒りと外面の冷静さだ。

ダスティン

ダスティンは白人であることを忌みきらっている。ヒスパニックなのかイタリア系なのかはっきりしないが、自分は黒人だと宣言する。パートナーのゲイリーからすれば白人にしか見えないのに、ナルシストのダスティンは明らかに根拠があると言い張る。ついに真実と向き合わざるをえなくなると、癇癪を起こしてこう叫ぶ。「白と黒のあいだには、いろんな濃淡があるじゃないか！」自分は黒人だと言い張る白人の男――その矛盾は火を見るより明らかだ。

ジム

第一幕で、ジムはカネイシャに対して腰の引けた主人を演じるが、床に落ちたものを拾って食べるようカネイシャに命令するや、欲情に身を震わせる。カネイシャを「王妃」と呼ぶことで、暗黙のうちに自分を王の立場に置く。王は王妃を支配するものだ。

作品の最後になって、ジムはずっと心に抑えこんでいた真実に気づく。力を手にしているのはつねに白人男性だという真実だ。ついにはカネイシャが懇願するのを聞き入れ、求められるがままに荒々しいセックスをする。ジムはカネイシャを安心させようとして、こう話す。「ぼくらの立場は同じさ。ちがうのは、ぼくが、ほら、きみを管理してることだけだ」と。ジムを切り裂く内なる矛盾は、意識上では妻を愛していながら、意識下では妻を罰するのを愛していることだ。

カネイシャ

カネイシャを苦しめているのは白い悪魔たちだ。それなのに、第一幕の妄想劇では、ジムに自分を「黒人女（ニグレス）」と呼ぶよう懇願する。そして、恐怖と性欲が混ざり合うなか、ベッドで白人の男に奉仕する黒人の女の役にはいりこむ。第三幕ではさらにその役にのめりこみ、ジムの愛は本物だが、それでもジムはサディスティックな白い悪魔だと本人に無理やり認めさせる。その部分を演じるようジムに誘いをかけながら、カネイシャは役柄から自分自身へもどり、第一幕で演じたマゾヒストが真の自己だったと悟る。アドリブで演じた自己と真の自己との矛盾が解消され、作品の終わりには、カネイシャは完全なひとりのキャラクターとなる。

以上の関係を踏まえて、この作品の登場人物の相関図を表すと、つぎのようになる。

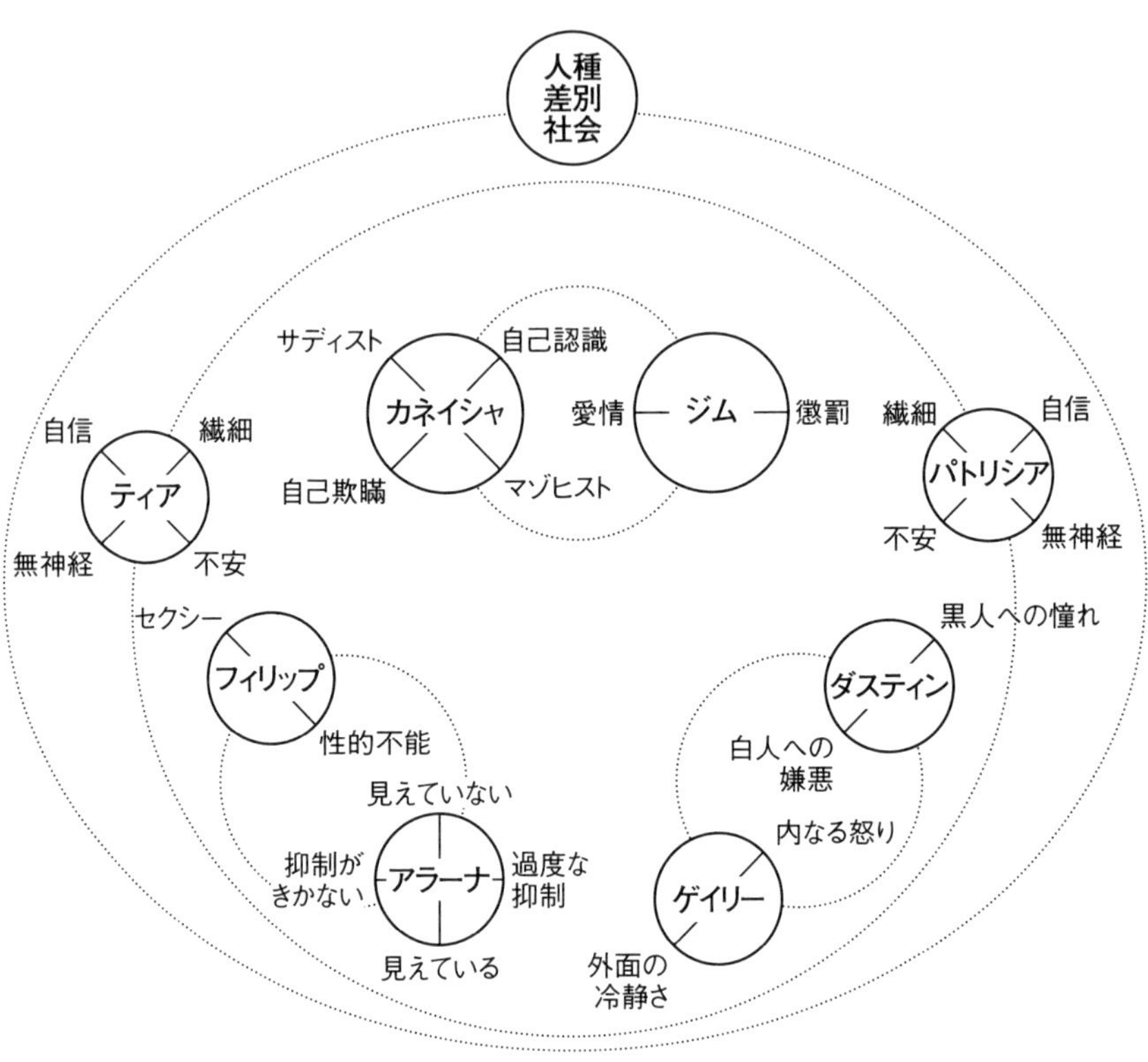

いちばん外側の円を形成するのは、人種差別がはびこる社会だ。

その内側には、円の左右にティアとパトリシア（「繊細／無神経」、「自信／不安」）が位置する。

それに囲まれて、いちばん内側には三つに分かれた円がある。第一の円にはゲイリーとダスティン（「内なる怒り／外面の冷静さ」、「白人への嫌悪、黒人への憧れ」）がいる。第二の円は、フィリップとアラーナ（「セクシー／性的不能」、「見えている／見えていない」、「過度な抑制／抑制がきかない」）だ。そして第三の円にいるのがカネイシャとジム（「自己認識／自己欺瞞」、「愛情／懲罰」、「サディスト／マゾヒスト」）で、この円はメインプロットであることを示すために、ほかのふたつより少し大きく描かれている。

結論

『Slave Play』というタイトルは、この作品の核心を突いている。その意味するところは、奴隷制度はサドマゾヒズムの実践だということだ。奴隷制度がもたらした巨万の富は、人間の最も邪悪な欲望の副産物にすぎない。金は手段であって、目的ではない。奴隷制度の根底にあるのは――どんな下層階級を抑圧する場合でも同じだが――権力への欲望と苦痛から得られる快楽、つまりサドマゾヒズムだ。

第8章で掲げた「なぜそれをするのか」という動機の問題を振り返ってみよう。何世紀にもわたって、哲学者や心理学者はこの重大な問いに対する唯一の完全な答えを探し求めてきた。ジークムント・フロイトは性だと言い、アルフレッド・アドラーは力だと言い、アーネスト・ベッカーは死だと言った。それを考えてみると、性も力も――自分を再生産して死を打ち負かすか、敵を打ち負かして死を食い止めるかという方法のちがいがあるだけで――本質は死と同じだ。だから、ベッカーの論を採用することにしよう。

サドマゾヒズムがたどる道筋は、つまりこういうことだ。不安とは身震いするような感情であり、何が起こるかわからないときにいだくものだ。恐怖とはおぞましい認識であり、何が起こるかわかっていて、どうにもそれを止められないときに心に押し寄せる。人は幼くして、死が人生の真実であることを知る。遅かれ早かれ人はみな死に、どうあがいてもその事実を変えることはできない。ほかの人よりうまく死の恐怖に対処する人もいるが、死を感じることに相違はない。

ある時点で、子供は力を持つことが気持ちよいものだと……少なくともその瞬間は……気づくかもしれない。虫を押しつぶして命を奪ったときに、突如として快感が湧き起こることもあるだろう。つかの間、生と死を手中にした神のごとき力が体を燃え立たせる。その快感をもう一度、もっと頻繁に、もっと強く味わいたいと思う。力を追い求めるうちに、意のままに死の恐怖を操れる相手から、死を支配する力を奪いとることで、自分自身には――少なくともときどきは――サディスティックな傾向が宿る。奴隷の所有者はその快感を日々味わっていたし、大富豪はいまでもそうだ。

あるいはその子供は、いまもこれからも自分には力がないけれど、力のあるだれかの庇護のもとでなら死の不安から逃れられると悟るかもしれない。その人物が自分を苦しめることで力を見せつけつづけるかぎり、かりそめにでも恐怖から解放されるマゾヒスティックな安堵感、つまり苦痛の快楽を感じていられる。奴隷は主人に屈服するとき、この高揚を味わっていた。いまでも、使用人が雇い主を称賛するときには似たものを感じている。［原注1］

ハリスの戯曲は、鋭く気のきいた方法で個人の力関係を語っている。力関係が変動する余地を作れば、あなたにもそうしたものが書けるだろう。というのも、どんなふうにストーリーを設定しようが——登場人物が何千人いようと、ひと組の恋人たちだけであろうと——力関係は変動するものだからだ。それゆえ、物語の冒頭で登場人物の力関係がどうなっているかを検討し、そこから最後のシーンに向けて変化の動き（だれが上になり、だれが下になるか）を追っていくとよい。登場人物を造形しながら力関係を調整しているうちに、思いがけないアイディアがひらめくことも少なくない。

ケーススタディ——「血を分けた子ども」

オクテイヴィア・E・バトラー作の短編小説

「血を分けた子ども」は、種族のちがいを超えた愛の物語だ。『アイザック・アシモフズ・サイエンス・フィクション・マガジン』誌で一九八四年に発表された。その後、ヒューゴー賞とネビュラ賞の両方を受賞し、『ローカス』誌と『サイエンス・フィクション・クロニクル』誌でも最優秀短編小説に選ばれている。［原注2］

バックストーリー

何世代も前に人類の末裔が移住した惑星には、巨大な虫の姿をしたトリクという先住種族が住んでいた。この種族は動物の体内に卵を産みつけて繁殖する。地球人がやってきたとき、トリクは人間が体内で卵を孵化させる宿主として最適だと気づいた。そこでトリクの政府は隔離された保護地域を作り、卵を産みつけようと押し寄せる者たちから人類を守ることにしたが、人類は生き延びる代償として、自分の家族のだれかひとりを選んで、トリクの幼虫を産む宿主にしなくてはならない。卵が孵ると幼虫が宿主の体を食い進んで外へ出ようとするので、宿主が死ぬ可能性はきわめて高い。人類はこの取引に応じた。

夫に先立たれて四人の子供を育てる人間のリエンは、この惑星の政府高官であるト・ガトイの卵を産む宿主として、下の息子ギャンを選ぶ。ト・ガトイは心やさしい女性で、リエン一家と何年も前から親しく付き合い、家族のもとを毎日訪れては、穏やかに眠りを誘う麻酔で癒しを与える。ギャンに対しては、母親のような特別な愛情をいだいている。

ストーリー

契機事件——リエン一家のだれかが体を差し出してト・ガトイの卵を受け入れる日がやってくる。ギャンには、母親が自分を身ごもったときに、自分をその役目に選んだことがはっきりわかっている。ギャンの気持ちは混乱したままだ。しかし、姉と妹はトリクの卵の宿主になれるのは名誉だと思っていて、兄のキーはその考えをきらっている。かつて、体内から外へ出ようとする幼虫たちに食われて、もがき苦しみながら死んでいく男を見たことがあるからだ。

いちばんいいのは、卵が孵って幼虫が出てきたら、トリクが人間の体に一種の帝王切開を施し、腹をすかせた幼虫を何かの動物の肉のなかへ移して宿主の命を救うことだ。実際にその日の午後、妊娠しているブラムという男がトリクに面倒を見てもらえなくなって、ギャンの家のドアを叩き、ト・ガトイが緊急手術をしてやる。ギャンもその男を救う手助けとして、保護地域で飼っている動物を撃ち、出てくる幼虫のために人間以外の食べ物を用意する。

ト・ガトイが男の体からつぎつぎに幼虫を引っ張り出し、ギャンは血まみれの手術と犠牲者のひどい苦しみようを目のあたりにする。あまりのおぞましさに、ギャンは妊娠するくらいなら自殺したほうがましだと考える。その日の夜のうちに卵を産みつけなくてはいけないト・ガトイは、それなら妊娠させるのは姉にしたほうがよいかとギャンに尋ねる。

いまや危機に陥ったギャンは、どちらかを選ばなくてはならない。姉の命を危険にさらして自分が助かるか、自分の命を危険にさらして名誉と男らしさの証を立てるか。ギャンは家族、人類、ト・ガトイへの愛ゆえに、運命を受け入れることを選び、自分の体を差し出す。ト・ガトイはギャンに卵を産みつけながら、けっしてギャンを見放さないとやさしく約束する。

登場人物

短編小説には、複雑な人物をたくさん登場させるのに必要なページ数がない。このストーリーで複雑なのはギャンとト・ガトイだけで、そのほかは巧みに性格描写されているものの、奥行きはない。

ギャン

このストーリーはギャンが一人称の語り手なので、ギャンの内面の葛藤や、心にひろがる三組の対立要素を読みとることができる。

1　ギャンは怯えているが、勇敢でもある。恐怖に囚われながらも、まだ表向きに見せたことのない勇気を内に蓄えている。
2　ギャンのなかには保身と自己犠牲の欲求が同居している。身勝手な理由から自分の運命に抗うが、

3　最後は道義上の理由で運命に身を委ねる。

ギャンは子供だが、大人になる変わり目にいる。この作品は、「ぼくの少年時代最後の夜……」（『血を分けた子ども』所収、藤井光訳、河出書房新社、２０２２年、10頁）というギャンのことばではじまる。

ト・ガトイ

三メートル近い体がいくつもの体節に分かれたこの虫は、それぞれの体節に肢が何本もあり、尻尾には人を眠らせる針が生えている。リエンとは古くからの友人で、ギャンには思慮と忍耐をもって献身的な愛情を注いでいるので、祖母のような雰囲気を醸している。だが同時に、遺伝子がみずからを繁殖へ駆り立てる。ト・ガトイもまた、三組の対立要素をかかえている。

1　ト・ガトイは親切だが強権的だ。動物園の飼育員のように寛大で思いやりにあふれた保護者でありながら、人間を管理する支配者でもある。

2　ト・ガトイは苦痛を癒しもするし、与えもする。自分の種族が人間に恐怖を与え、死に至らしめもするとわかっているので、後ろめたさからリエン一家に麻酔効果のあるものを与え、恐怖や不安を和らげようとする。

3　ト・ガトイは人間を大切にしつつ、殺しもする。リエンの家族、ことにギャンを愛しているが、自分の種族が生き残るために、必要とあらば命を奪う。

ほかの登場人物には対立要素がなく、それぞれ独自の特徴があるだけだ。

リエン

特徴　悲しみ。夫に先立たれたリエンは、その日の夜、息子か娘のひとりの体にト・ガトイの幼虫が産みつけられると知っているが、それを止める手立ては何もない。苦渋に満ちたあきらめの空気をまとっているせいで老けて見える。

キー

特徴　怒り。キーは人間がトリクのルールに従わなくてはならないことに激しく怒り、反抗する。

ギャンの姉と妹

特徴　従順。ギャンの姉と妹は、とらえ方がキーとは正反対だ。トリクの宿主に選ばれることは名誉だと信じている。

ブラム

特徴　恐怖。ブラムは体のなかで幼虫たちが殻を破って出てくると、恐怖で絶叫する。

ト・ホトギフ

特徴　個人的関心。ブラムに卵を産みつけたトリクであり、ブラムのもとに駆けつける。

医者

特徴　職業的関心。ト・ガトイを手伝ってブラムを救う。

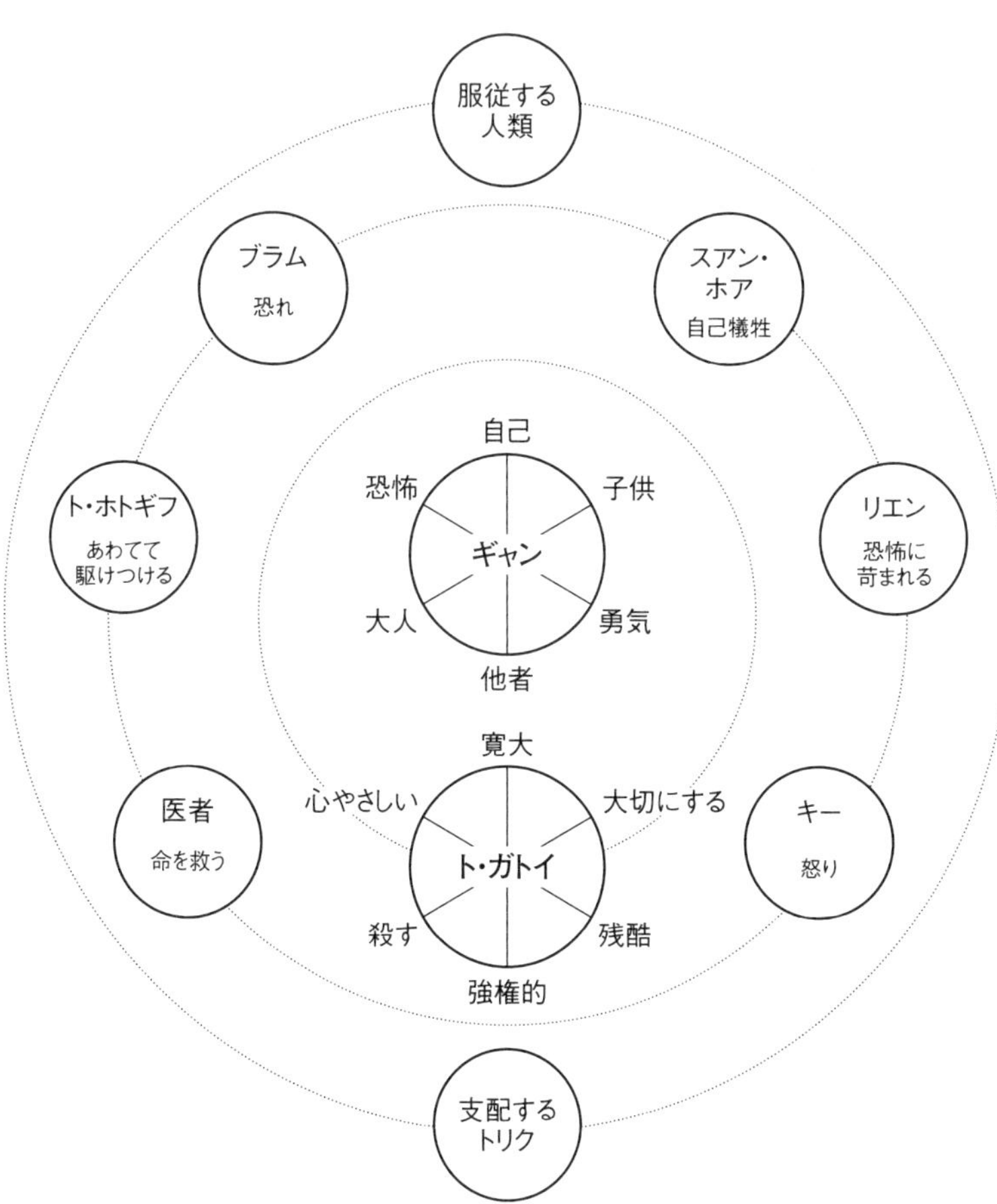

服従する
人類
ブラム
恐れ
スアン・
ホア
自己犠牲
ト・ホトギフ
あわてて
駆けつける
リエン
恐怖に
苛まれる
自己
恐怖
子供
ギャン
大人
勇気
他者
寛大
心やさしい
大切にする
ト・ガトイ
殺す
残酷
強権的
医者
命を救う
キー
怒り
支配する
トリク

結論

SFは形式ジャンルのひとつで、十六の基本ジャンルはどれでもこの手法で描くことができる。「血を分けた子ども」の場合は、ギャンが進化プロットに沿って子供から大人へ成長する。

SFは設定に決まり事があるのが特徴だ。時代は未来であることも、そうでないこともあるが、その社会はどこかゆがんでいる（ディストピアの場合まである）。［原注3］そんなふうに本来の社会秩序がおかしくなったのは、人間の愚かさが科学の使い道を誤ったからだというのがバックストーリーだ。「血を分けた子ども」では、作者は世界にどんな異変があって人々の祖先が地球を見捨てたのかを明かしていないものの、祖先の移住によって自然界での優位性が逆転している。地球では人類が支配的な種で、ほかのさまざまな種を食料や衣服やペットとして利用していた。トリクの惑星では人間が従属的な種となり、卵を孵化させる役目に利用される。

SFのジャンルで書くなら、オクテイヴィア・E・バトラーのように、このジャンルの強みを生かして現実を逆転させ、未来に警鐘を鳴らす予想不能のストーリーのなかで、共感を呼ぶ登場人物を作り出すとよい。

ケーススタディ――『ブレイキング・バッド』

長くつづくドラマシリーズは独特な表現形態であり、小説とのちがいは、映画と演劇のちがいぐらい大きい。第一シーズンの初回でストーリーがはじまってから、膨大な数の登場人物が何年にもわたって画面のなかでストーリーを展開する。ドラマシリーズは、ほかのどの形態でも描ききれない矛盾に満ちた複雑なキャラクターを生み出す機会を作者に与えてくれる。そこで、『ブレイキング・バッド』の内容を紐解く前に、それが可能なこの形態の特徴をざっと見てみよう。

ストーリーの長さと登場人物の多さが生み出す効果

登場人物が少なければ少ないほど、キャラクターの人間関係がかぎられるので、駆け引きやふるまいや欲求の数も種類も少なくなる。シーンの数や転換点の変化が少ないほど、キャラクターが迫られる選択や行動も少なくなる。こうした理由から、一幕だけの演劇、短編小説、短編映画、コミック本の登場人物は、数も深みもかぎられたものとなる。

逆に、登場人物が多ければ多いほど、キャラクターの人間関係や矛盾は複雑になる。また、シーンの数や変化が多く、ストーリーが長いほど、キャラクターはさまざまな欲求をかかえ、種々の選択や行動を迫られる。そのため、長編小説の登場人物も、舞台やスクリーンで演じられる長編のドラマやコメディやミュージカルの登場人物も、変化に富んで複雑な心を持つことになる。

ドラマシリーズは、登場人物が多く、番組がつづく期間も長いことから、ストーリーの技巧を凝らして、ほかのどの媒体にも描けない部分までキャラクターの複雑さを描くことができる。たとえば、千ページの小説や叙情詩の大作でも、そのなかで起こる出来事や登場人物の変遷はドラマシリーズの一シーズンぶんにしかならない。何シーズンもドラマがつづくとなると、作者の見識や記憶や感情表現の限界が試される。だから、ドラマシリーズの作者にとって、五年も十年もかけて五十話や百話にも及ぶストーリーを描きながら、膨大な数のキャラクターに視聴者の興味をつなぎ留めておくのは、まさに超人的な仕事となる。

二種類の興味

視聴者がストーリーに強く興味を引かれるのは、意識にのぼる好奇心と無意識の不安を刺激されるからだ。

好奇心　疑問に答えたい、謎を解きたい、未解決の問題を決着させたい、キャラクターの人生にまつわるあれこれを知りたいという知的な欲求。

不安　価値要素のプラスへの変化――死ではなく生、憎悪ではなく愛、不正ではなく正義、戦争ではなく平和、悪ではなく善など――を求める感情的な欲求。

ただし、視聴者が感情移入できるキャラクターがおもな登場人物のなかにひとりもいなければ、いくら好奇心や不安を刺激されても興味は持てない。実のところ、よくできたドラマシリーズでは、メインプロットだけでなくサブプロットの主人公たちにも善の中心がたくさんあって、共感しやすくなっている。

ストーリー上でドラマを牽引する大きな疑問は、「ここからどう展開するのか」という普遍的な疑問が具体化されたものだ。『ヴァイキング　～海の覇者たち～』では「ラグナル・ロズブロークはイングランドを征服するのか」、『キング・オブ・メディア』では「ケンダル・ロイは父親の企業帝国の後継者になるのか」という疑問が、何年にもわたって視聴者の好奇心をつなぎ留める。

とはいえ、視聴者を最も強く引きつける力、きわめて長い期間にわたって深い関心を鷲づかみにする力は、その長い物語における主要な登場人物たちの心の深淵から湧き起こるものだ。海に魅了されるかのように、視聴者は複雑なキャラクターの内面の動きに心を奪われて、予想もしなかった特徴を見いだしたり、外で見せる顔とほんとうの顔のちがいに驚いたりする。そして、最も重要なことだが、主人公が道徳的、精神的、人間的な変化を通して自己を形成していく過程を追いながら、何十時間にも及ぶストーリーに夢中になる。

ここで忘れてはならないのは、視聴者を何年も画面に釘づけにする原動力は発見と変化だということだ。では、興味を失わせるものは？　反復と停滞だ。主人公のなかに発見できるものがなくなったとき、主人公に変化の余地がなくなったとき、主人公の心のなかがすっかり明らかにされたとき、その行動は容易に予測のつく退屈なものとなる。そうなると、視聴者は減っていく。

『デクスター』について考えてみよう。このシリーズは二〇〇六年から二〇一三年まで、八シーズンにわたってケーブルテレビ局ショウタイムで放送された。第一シーズンでデクスター（マイケル・C・ホール）は、表向きは感じがいいが陰では悪人に私的制裁を加えるサイコパスとして描かれた。感情も思いやりも良心もなく、生き生きとするのは殺人を犯すときだけという男だ。ところが、そのあとの三つのシーズンで、子供への思いやり、恋愛を求める感情、意図せぬ結果に対する罪の意識を持つようになる。となると、このキャラクターは完成だ。デクスターについて知りうることは、第四シーズンの終わりまでに全部わかってしまった。第五シーズンから第八シーズンでは、それまで見られなかった特徴が明かされるわけでもなければ、デクスターの心理が変わるわけでもない。プロットはひねりがきいていたものの、デクスターは停滞したままで、しぶとい視聴者もついに匙を投げた。二〇二一年秋に、続編が十話のミニシリーズ（『デクスター：ニュー・ブラッド』）として作られるので、視聴者が待ち望む変化が起こることを期待しよう。

五十時間も百時間もつづくドラマシリーズでは、主人公がかかえる矛盾は三つどころではすまず、それよりはるかに複雑な主人公が必要となる。

『ブレイキング・バッド』
企画・製作総指揮　ヴィンス・ギリガン

『ブレイキング・バッド』は五年にわたって六十二話が放送された。*Breaking Bad*というタイトルは南部の英語に基づくもので、不道徳な暴力の道へ人生が転落することを意味する。ヴィンス・ギリガンがこのシリーズを売りこむ際、ストーリーの変化を端的に言い表すために使ったのが、いまでは有名になった宣伝文句、「チップス先生〔一九三四年に発表されたジェームズ・ヒルトンの小説『チップス先生』の主人公で、生徒たちからの人気の高いパブリックスクールの先生〕が暗黒街の顔役に」だった。

このシリーズにはメインプロットと二十五のサブプロットがあり、台詞のある役だけで八十人以上の登場人物がいる。二〇一三年、『ギネス世界記録』は『ブレイキング・バッド』を史上最も評価の高かったテレビシリーズに認定した。主演と助演の俳優は三人合わせて九つのエミー賞を受賞し、番組自体もそれとは別に七つのエミー賞とふたつのゴールデン・グローブ賞を獲得したほか、ふたつのピーボディ賞、ふたつの批評家協会賞、四つのテレビ批評家協会賞、三つのサテライト賞に輝いた。

二〇一五年にはシリーズの前日譚である『ベター・コール・ソウル』の放送がはじまり、二〇一九年にはシリーズのその後を描いた映画『エルカミーノ：ブレイキング・バッド　THE　MOVIE』が公開された。

バックストーリー

博識な科学者ウォルター・ホワイト（ブライアン・クランストン）と恋人のグレッチェン（ジェシカ・ヘクト）は、エリオット・シュワルツ（アダム・ゴドリー）と組んでグレーマター・テクノロジーズ社を設立する。仲たがいののち、ウォルターは持ち株を売って会社を去る。エリオットとグレッチェンは残り、会社に権利があるウォルターの発明を利用して一大企業を築きあげる。やがてエリオットとグレッチェンは結婚する。

ウォルターは苦い敗北感を味わいながら、アルバカーキの高校教師になり、スカイラー（アンナ・ガン）と結婚してふたりの子供をもうける。

第一シーズン

ウォルターは、自分が喫煙者でもないのにステージ3の肺癌で、手術するには手遅れだと知る。そこで、死ぬ前に家族の将来のために金を稼ごうと、犯罪の世界に足を踏み入れる。元生徒のジェシー・ピンクマン（アーロン・ポール）を無理やり仲間に引き入れて、メタンフェタミン（メス）の製造をはじめる。ジェシーは、製造室として使うために古いキャンピングカーを買う。そのなかでウォルターは、ありふれた化学薬品を使って、青みがかった強烈なメスを作る。

ジェシーがそのドラッグを町で売ろうとしていると、下っ端の麻薬密売人エミリオ（ジョン・コヤマ）とクレイジー・エイト（マックス・アルシニエガ）が割りこんでくる。ウォルターはふたりをキャンピングカーに誘い入れて、ひとりを有毒ガスで殺し、もうひとりも首を絞めて殺す。その後、ウォルターとジェシーは、冷酷で異常きわまりないギャングのトゥコ・サラマンカ（レイモンド・クルス）と取引をはじめる。

第二シーズン

トゥコを相手に決死の銃撃戦を繰りひろげた結果、メスを卸す相手がいなくなったウォルターとジェシーは、刑事事件専門弁護士のソウル・グッドマン（ボブ・オデンカーク）のもとへ行き、大物ドラッグ・ディーラーのガス・フリング（ジャンカルロ・エスポジート）を紹介してもらう。ガスはふたりに大金を払い、ウォルターは裏社会で「ハイゼンベルク」と名乗るようになる。麻薬取締局では、ウォルターの義弟ハンク・シュレイダー（ディーン・ノリス）の率いるチームが、この謎に包まれた犯罪組織のボスの捜査に乗り出す。

ジェシーはヘロイン依存症のジェーン・マーゴリス（クリステン・リッター）と恋に落ち、自分も依存症になる。ウォルターは、ヘロインをやめるまでガスから受けとった金の半分を渡さない、とジェシーを突っぱねる。ジェーンがウォルターを脅して払わせようとするが、ヘロインで意識を失い、ウォルターが部屋の反対側から無言で見つめるなか、自分の嘔吐物を喉に詰まらせて死ぬ。ウォルターはジェシーを依存症患者の更生施設に入れる。数日後、ウォルターは町の上空を飛ぶ二機の旅客機が衝突するのを目撃する。悲しみに暮れるジェーンの父親、航空管制官のドナルド（ジョン・デ・ランシー）が引き起こした悲劇だった。責任はウォルターにある。

第三シーズン

家庭内では、ウォルターの結婚が破綻する。スカイラーが離婚を求めると、ウォルターは犯罪者としての裏の生活を打ち明け、家族のためにしたことだと弁解する。スカイラーは腹いせに上司を誘惑し、浮気することでウォルターをいたぶる。

ウォルターとジェシーはガスのもとで働きはじめ、最新設備の整った秘密の工房（ラボ）でメスを製造する。その後まもなく、トゥコの復讐をもくろむ麻薬カルテルの殺し屋ふたりがハンクを襲う。ハンクはふたりを片づけて生き延びるが、しばらく寝たきりの生活を強いられる。

ガスが町でドラッグを売るのに子供たちを利用しているので、ジェシーはガスに反発する。ガスはドラッグ製造者ゲイル・ベティカー（デヴィッド・コスタビル）をジェシーの後釜に据える。ゲイルがひとりでメスを作れるようになったら自分もジェシーもガスに殺されると恐れたウォルターは、ジェシーにゲイルを殺すよう命じ、ジェシーは実行する。

第四シーズン

ガスはウォルターとジェシーをメス製造の仕事にもどす。スカイラーはウォルターの違法な仕事を受け入れ、弁護士のソウルの助けを借りて、ウォルターの稼いだ金を洗浄（ロンダリング）するために洗車場を買いとる。

ガスはメキシコの敵を一掃し、その後ウォルターと敵対する。ウォルターはジェシーをそそのかしてガスを殺させようとする。最初の試みは失敗するが、ウォルターがトゥコの叔父ヘクター・サラマンカ（マーク・マーゴリス）にガスへの復讐を持ちかけると、ヘクターは喜んで応じ、隠し爆弾を炸裂させてガスとともに死ぬ。

第五シーズン　パート1

ウォルター、ジェシー、殺し屋のマイク・エルマントラウト（ジョナサン・バンクス）、ドラッグディーラーのリディア・ロダルテ＝クエール（ローラ・フレイザー）が手を組んでメス・ビジネスをはじめる。必要な原材料を手に入れるため、列車強盗をやってのける。ジェシーとマイクは自分たちの取り分をフェニックスの麻薬密売人デクラン（ルイス・フェレイラ）に売りたがるが、ウォルターは拒否する。代わりにリディアのためにメスを作り、リディアがヨーロッパで売りさばく。それが大成功して、ウォルターは数えきれないほどの金を手にする。いざこざを終わらせてついにドラッグ・ビジネスから足を洗うために、ウォルターはマイクを殺し、ジャック（マイケル・ボーウェン）の率いるネオナチのバイカーギャングに依頼してマイクの協力者を殺させる。麻薬取締局のハンクは、ウォルターがハイゼンベルクであることに偶然気づく。

第五シーズン　パート2

ハンクとウォルターが対決し、ウォルターはハンクを脅す。そこでハンクはスカイラーに頼るが、スカイラーはウォルターを裏切ることを拒む。厄介な事態を悟ったウォルターは、砂漠に八千万ドルを埋める。ジャックの一味は敵対するギャングを殺し、メスの製造器具を奪う。ウォルターはジャックと話し合おうとするが、ウォルターの敵にまわったネオナチ一味は、ハンクを殺してジェシーを捕らえ、ウォルターの金をほぼすべて奪いとる。

ウォルターはスカイラーといっしょに逃げようと考えるが、スカイラーはナイフを突きつけ、ふたりの結婚は終わりを迎える。最初は身を隠していたウォルターだが、考えを変え、会社時代に仲たがいをしたエリオットとグレッチェンに無理やり子供たちの世話を託す。

ジャック一味のアジトで、ウォルターは遠隔操作のマシンガンを使ってジャックと手下たちを殺し、囚われていたジェシーを解放する。傷を負ったウォルターは、ジェシーに自分を殺すよう頼むが、ジェシーは拒み、車で走り去る。しばしのあいだ、ウォルターは自分が築いたドラッグ帝国に思いをはせ、やがて息を引きとる。

登場人物の設計

三番目の円の役柄

三番目の円に属する登場人物がみずから大きな決断をすることはない。ほかのもっと重要なキャラクターに対してリアクションしたり、援助したり、対抗したりするだけの役だ。『ブレイキング・バッド』には三番目の円の役柄が五十以上ある。その一部を、各役柄が支える主要なキャラクターごとに分類すると、つぎのようになる。

ウォルター　高校の校長カルメン、校務員ヒューゴ、銃の売人ローソン、癌専門医デルカヴォリ、自動車解体業者オールド・ジョー、麻薬密売人デクラン。

ジェシー　ピンクマン一家のブロック、コンボ、アダム、ウェンディ、断薬グループのリーダー、クロヴィス、エミリオ、スプージとその情婦、ドリュー（モトクロスバイクの少年）。

スカイラー　赤ちゃんのホリー、ウォルター・ジュニア、ウォルター・ジュニアの友人ルイス、離婚弁護士パメラ、洗車場オーナーのボグダン。

ハンク　警察官、捜査官仲間のカランチョー、マン、マーカート、レイミー、ロバーツ。

ガス　犯罪者一味のマックス、ゲイル、ドウェイン、ロン、バリー、タイラス、クリス、デニス、ヴィクター、ダン。

ヘクター　ギャング仲間のホアン、トゥコ、ガフ、ゴンゾ、ノー・ドーズ、トルトゥーガ、老人ホームの看護師。

マイク　義理の娘ステイシー、孫娘ケイリー。

ソウル　部下——ヒューエル、エド、フランチェスカ、クビー。

脚本家が三番目の円の役柄を細かく描写することはほとんどない。役柄の特徴を出すために、監督はキャスティング担当者の助言に頼り、衣装担当者やヘアスタイリストとも相談しながら、その役柄らしい風貌を作りあげる。その後、それをうまく生かすのは俳優の力量だ。

二番目の円の役柄

二番目の円に属するキャラクターは複雑ではないものの、その行動によってストーリーラインが新たな方向へと進むことがときどきある。こうした役柄は、脚本家が個々の人物像を描き、俳優が魅力的な個性で肉づけしていくが、内面の人間性には対立要素がなく、したがって矛盾もない。

たとえば、テッド・ベネキーはスカイラーと不倫関係になり、最後はスカイラーから大金を受けとるが、それはウォルターが隠していた金だった。グレッチェンとエリオットのシュワルツ夫妻は、ウォルターが会社を辞めたあとに大金持ちになる。ドナルド・マーゴリスは娘の死を受けて、悲惨な飛行機事故を引き起こす。これらのキャラクターはウォルターのおこないから影響を受けているとはいえ、自分で人生の進路を決定している。

『ブレイキング・バッド』には、二番目の円に属する登場人物が十七人いる。

1　スティーヴン・ゴメス（スティーヴン・マイケル・ケサダ）　ハンクの相棒の麻薬捜査官
2　ゲイル・ベティカー（デヴィッド・コスタビル）　ガスのメス製造者
3　エラディオ・ブエンテ（スティーヴン・バウアー）　麻薬カルテルのドン
4　ヘクター・サラマンカ（マーク・マーゴリス）　麻薬カルテルの元幹部
5　トゥコ・サラマンカ（レイモンド・クルス）　麻薬密売の元締め
6　レオネル・サラマンカ（ダニエル・モンカダ）　殺し屋
7　マルコ・サラマンカ（ルイス・モンカダ）　殺し屋

8　クレイジー・エイト（マックス・アルシニエガ）　麻薬密売人
9　ジャック・ウェルカー（マイケル・ボーウェン）　白人至上主義のギャングのボス
10　アンドレア・カンティージョ（エミリー・リオス）　ジェシーの恋人
11　ジェーン・マーゴリス（クリステン・リッター）　ジェシーの恋人
12　バッジャー・メイヒュー（マット・L・ジョーンズ）　ジェシーの仲間
13　スキニー・ピート（チャールズ・ベイカー）　ジェシーの仲間
14　テッド・ベネキー（クリストファー・カズンズ）　スカイラーの上司で不倫相手
15　ドナルド・マーゴリス（ジョン・デ・ランシー）　ジェーンの父親
16　グレッチェン・シュワルツ（ジェシカ・ヘクト）　ウォルターの昔の恋人
17　エリオット・シュワルツ（アダム・ゴドリー）　ウォルターの元ビジネスパートナー

一番目の円の役柄

一番目の円のキャラクターは、サブプロットの主人公になることが多い。決断したり重要な行動をとったりする能力と機会があり、それがメインプロットやほかのストーリーラインに影響を与える。『ブレイキング・バッド』には、一番目の円に属する複雑なキャラクターが十人いる。

《トッド　対立要素が一組》

人物像　トッド（ジェシー・プレモンス）は礼儀正しい若者だが、迅速かつ有効に暴力を使い、人を殺したり拷問したりすることになんのためらいも良心の呵責もない。気味が悪く、穏やかで、不必要なほど礼儀正しい――トッドは知能指数の低いハンニバル・レクターだ。

実像　究極のソシオパス。

トッドは視聴者にとって、ウォルターがどこまで凶悪になれるかを測るものさしだ。ソシオパスは穏やかな者から凶暴な者まで幅が広い。ウォルターはある程度までソシオパスだが、トッドは暗黒の極限に達している。ウォルターは他人を苦しませることに喜びを感じないが、トッドは残虐行為を生きがいにしている。ウォルターには感情ばかりか情熱まであるが、トッドには何もない。

対立要素　「礼儀正しい／冷酷」

《リディア・ロダルテ＝クエール　対立要素が一組》

人物像　リディア（ローラ・フレイザー）は神経質で冷淡な企業幹部だ。

実像　原材料を会社から盗み、ドラッグの密売人に売る。窃盗犯であり、他者と関係を築かない一匹狼のリディアは、だれであろうと自分のやり方で殺す。

対立要素　「上品／残忍」

《マイク・エルマントラウト　対立要素が一組》

人物像　マイク（ジョナサン・バンクス）は孫娘を溺愛しつつ、計算しつくした巧みな実行流儀で手際よく犯罪を実行する。

実像　マイクにとって、法を犯すことは生計を立てるための一手段にすぎない。雇い主や仕事仲間には誠実で、無関係な人間はけっして傷つけない。犯罪者でありながら道義を重んじるアンチヒーローだ。

対立要素　「温厚／冷血」

《ソウル・グッドマン　対立要素が一組》

人物像　ソウル（ボブ・オデンカーク）は派手な服に身を包んで、法廷では有能ぶりを発揮し、けたたましいテレビCMで自分を宣伝する。絶望的な状況にあっても、珍妙な作戦で切り抜ける。皮肉屋のソウルはこの作品の喜劇的要素だ。

実像　ソウルの本名はジミー・マッギルだが、ユダヤ系の弁護士のほうが信用されるという理由で「ソウル・グッドマン」に改名した〔Saul はイスラエル王国の初代の王。ユダヤ系の名前〕。腕のよい弁護士で、真っ当な助言をしたり、巧妙な抜け道を見つけたりして、依頼人たちの悪しき問題を解決する。ほかにもさまざまな仕事を請け負い、証拠の隠滅、不正利益の隠匿、銀行口座の偽造、文書の偽造、贈収賄、脅迫、逃亡の幇助などの犯罪に手を貸している。

対立要素　「犯罪者／弁護士」

《マリー・シュレイダー　対立要素が二組》

人物像　マリー・シュレイダー（ベッツィ・ブラント）は、夫のハンク、姉一家、そしてあらゆる紫色のものを愛する医療技術者だ。

実像　マリーには盗癖があり、満たされない日常を万引きのスリルで埋めている。自分が夫に依存し、姉より道徳的に劣ると感じている。スカイラーの犯罪が発覚すると、道徳的優越感で高揚する。夫の死によって、自分が自立したひとりの強い人間だと気づく。

対立要素　「依存／自立」、「弱い／強い」

《ウォルター・ホワイト・ジュニア　対立要素が二組》

人物像　ウォルター・ジュニア（RJ・ミッテ）は脳性麻痺のあるティーンエイジャーだ。

実像　仲たがいする両親にはさまれ、忠誠心の対象が母から父へ、そしてまた母へと揺れ動く。父親がメスの密売人で叔父を殺したと知ってショックを受けるが、それをきっかけに成長して自我を確立し、守られる弱者の立場から母親と妹を守る立場へ変わる。

対立要素　「子供／大人」、「守られる者／守る者」

《スカイラー・ホワイト　対立要素が三組》

人物像　スカイラー（アンナ・ガン）は魅力的な専業主婦で、障害のある息子の母親でもあり、イーベイで商品を販売したり、経理のパートをしたりして収入を得ている。

実像　夫に虐待されて、ずっと薄氷を踏む思いで結婚生活を送ってきた妻だと言う人もいれば、ウォルターを虐待し、尻に敷いて見くだしていると責める人もいる。

おそらくどちらも真実だろう。多くの結婚がそうであるように、ウォルターとスカイラーも互いに傷つけ合い、支え合っている。どちらもひそかに自分のほうが上だと思っていて、どちらも人生に傷つき（ウォルターのほうが傷ついている）、どちらも人生の失望を相手にぶつけている。

だが、ウォルターが癌だとわかり、その後ウォルターが隠れて犯罪に手を染めていたことも発覚する。スカイラーは腹いせに上司を誘惑する。ところが、ウォルターの犯罪で大金が転がりこむと、スカイラーはウォルターを許し、家族のためにしたことだからと正当化する。その金をロンダリングし、ハンクをだまらせるためのビデオテープを作る。

スカイラーのことを、加害者に感情移入するストックホルム症候群の犠牲者と呼ぶ者もいるだろうが、もしスカイラーがほんとうに虐待された妻だとしたら、なぜ洗車場を隠れ蓑にして大金をロンダリングするような、冷静で頭の回転が速いビジネスウーマンになれたのだろうか。

こうした矛盾から明らかになるのは、心のなかでマイナスをねじ曲げてプラスにする複雑なキャラクターだ。「まずい事態だけど、最悪ってわけじゃない。ウォルターは足を洗うと約束したし、お金の出所さえばれないようにすれば何も問題ない。もとのウォルターにもどってくれるはず。いまはただ、そういう時期なのよ」といった具合だ。
ウォルター・ジュニアを除いて、『ブレイキング・バッド』のキャラクターのほとんどは道徳観を持っていないか、都合よく道徳をねじ曲げるか、スカイラーのように道徳観が分裂しているかだ。頭では善悪の区別がつくのに、気持ちには芯がない。逃げおおせるなら、犯罪者になることもいとわない。スカイラーは感情に流されて行動する。
対立要素　「論理的／感情的」、「愛情深い／手きびしい」、「道徳／不道徳」

《ガス・フリング　対立要素が三組》
人物像　ガス・フリング（ジャンカルロ・エスポジート）はチリ出身の礼儀正しいレストラン経営者で、市民のリーダー的存在であり、麻薬撲滅の慈善活動の後援者でもある。寛大かつ実直な遵法主義者だ。
実像　マキャヴェリ流の抜け目ない策略を冷酷に実行し、自分の犯罪帝国を取り仕切っている。ガスを内側から駆り立てる力の源は、恋人であり犯罪のパートナーでもあったマックスを殺されたことへの復讐だ。
対立要素　「善良な外面／邪悪な内面」、「公の場では穏やか／私的な場では激しやすい」、「実直／狡猾」

《ハンク　対立要素が四組》
人物像　麻薬取締局の同僚たちにとって、ハンク（ディーン・ノリス）は活力みなぎる陽気で騒がしい捜査官だ。家庭では愛妻家で、鉱石を収集し、自家製ビールを醸造している。
実像　軽口を叩く腕利き捜査官の顔の裏に、粗野な人種差別主義者の顔がひそんでいる。男には強いが女に弱く、妻には頭があがらない。内面ではＰＴＳＤやパニック発作と勇気が闘っていて、分析的な思考と激情的な気質のあいだで第二の闘いも繰りひろげられている。
対立要素　「粗野／聡明」、「弱い／強い」、「不屈／狼狽」、「分析的／激情的」

《ジェシー　対立要素が六組》

人物像　ジェシー・ピンクマン（アーロン・ポール）は、ウォルターの元教え子でメス製造のパートナーだ。ふざけたスラングで話し、流行りの服を着て、テレビゲームで遊び、パーティーとハイテク機器が大好きで、ラップとロックを聴き、気晴らし程度にドラッグを使用する。ドラッグのせいで自分の家族からは勘当されるが、恋人のことは大切にしていて、恋人の子供に危険が迫るとその子を守る。

実像　ジェシーは登場人物のなかで唯一、『ブレイキング・バッド』の中心で道徳上の葛藤を経験する。敵のメス製造者を殺した瞬間、ジェシーはそれが自己防衛の行為ではないことに気づく。凶悪な男と関係を結んでしまい、シリーズ全編を通して自由になろうともがきつづけることで、不道徳な人間から道徳的な人間へ、自滅的な人間から自制のきいた人間へと変わっていく。

対立要素　「不十分な教育／底辺で身につけた知恵」、「短絡／慎重」、「快楽主義／禁欲主義」、「臆病／大胆」、「意志が弱い／意志が強い」、「金のために命を危険にさらす／金を投げ捨てる」

ここまで複雑なキャラクターの場合、いくつもある外面の特徴を描いて、さらに六つの対立要素と変化を引き出すには、多数の脇役と長い放送時間が必要となる。ジェシーとかかわる周辺人物は、一番目の円、二番目の円、三番目の円を合わせて数十人にのぼる。

《ウォルター・ホワイト　対立要素が十六組》

人物像　ウォルター（ブライアン・クランストン）は科学研究の道に挫折して高校教師になった五十歳の男だ。仕事熱心で、授業をおもしろくするために幅広い論理的知識を生かしている。家庭ではやさしい夫であり父親でもあるが、肺癌を患う。

実像　当初、ウォルターは未完成のキャラクターであり、人間の可能性の限界ぎりぎりのところで強烈な

ジェシー・ピンクマンの
6組の対立要素

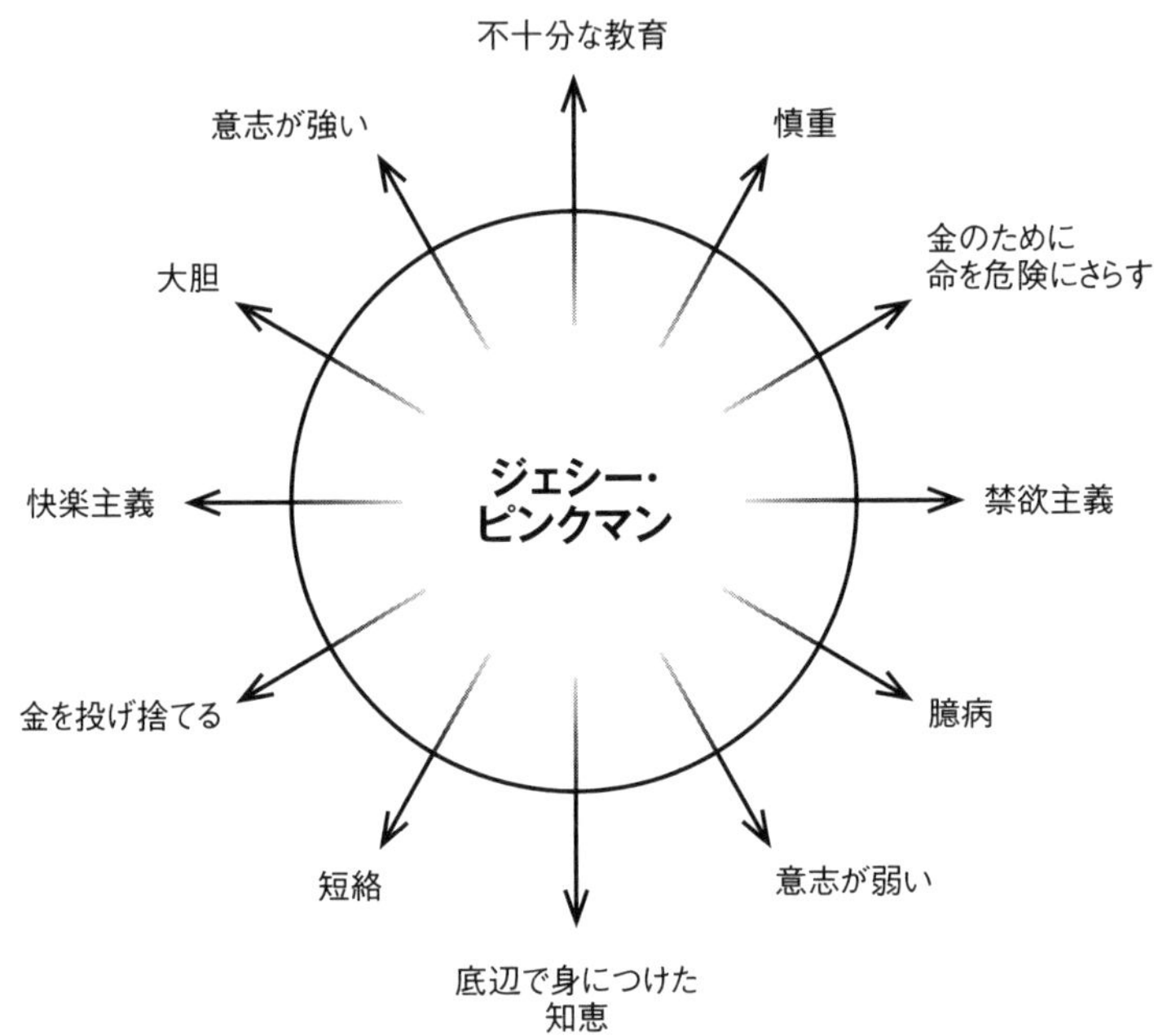

ジェシーの贖罪
プロットの相関図

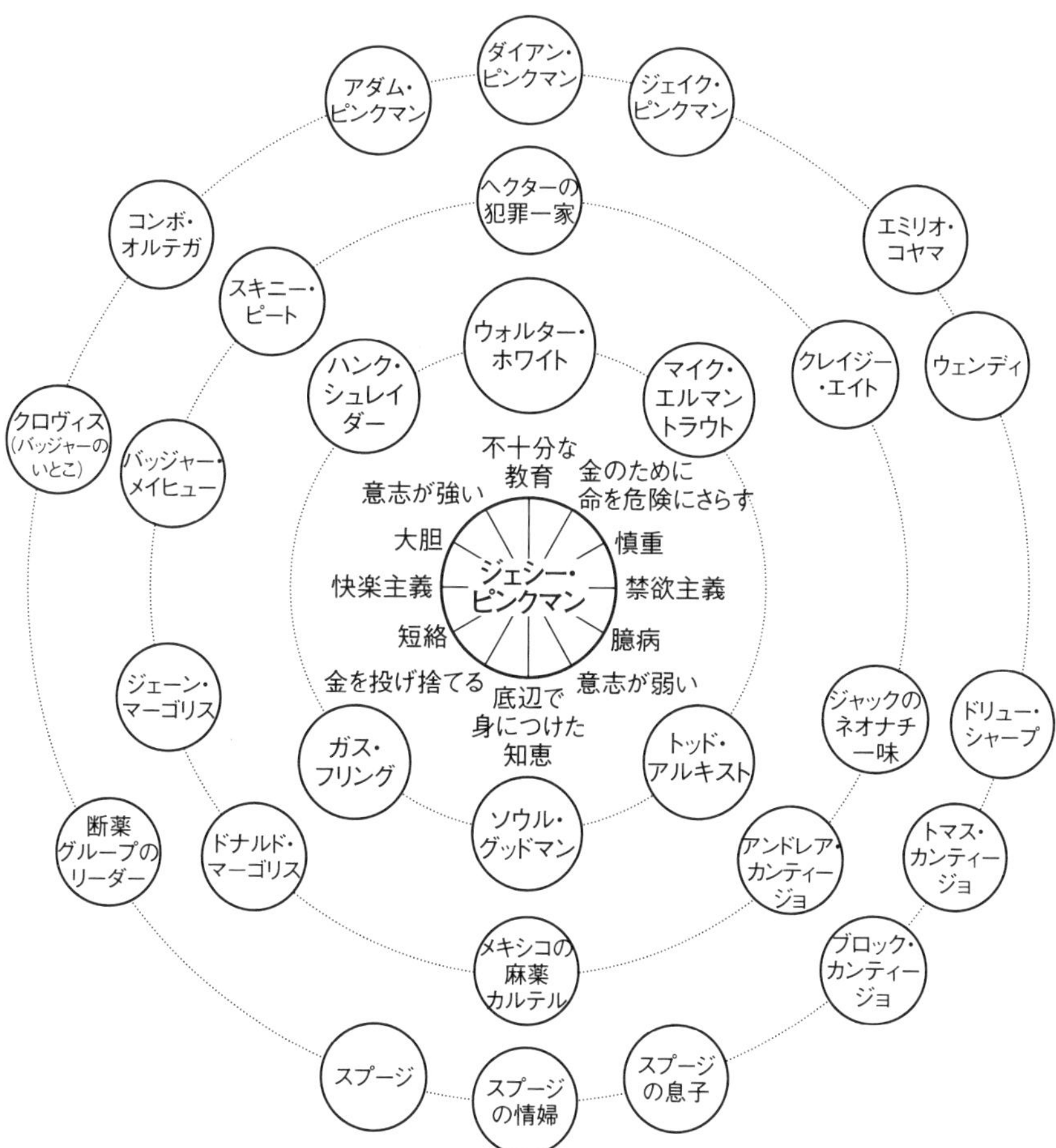

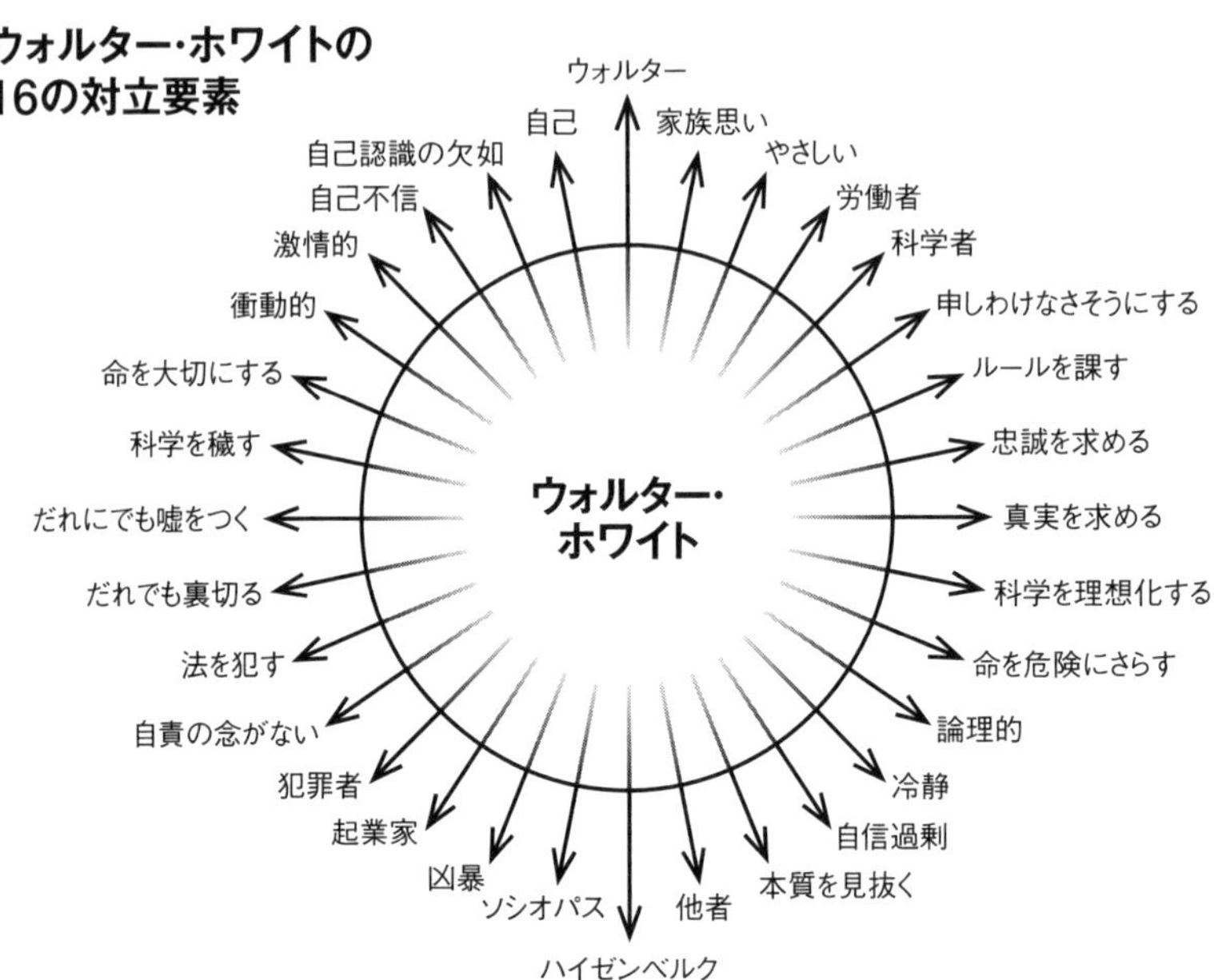

体験をしたいという強い思いに駆られている。恐ろしくプライドが高いエゴイストで、人から認められたくてたまらない。嘘に嘘を重ねるうちに、どれほど残忍な行為も正当化するようになる。自己欺瞞に満ちた心のなかで、家族の価値と起業の自由と科学の進歩を唱えているが、実際は冷酷で凶暴な人間で、人を殺してもほとんど後悔せず、自分の犯罪帝国を築くことを夢見ている。

対立要素　ウォルターがかかえる十六組の対立要素は二種類に分かれる。一方は性格描写と真の自己の対立、他方は内的自己と隠れた自己の対立だ。

対立要素　性格描写と真の自己

1　家族思いの男だがソシオパスでもある。
2　やさしいが凶暴でもある。
3　労働者だが起業家でもある。教師をしながら数億ドル規模のドラッグ帝国を築く。
4　科学者だが犯罪者でもある。幼稚なことに、われわれは科学者は道徳的だと思いこむ傾向がある。ウォルターは、ほかの変人に自分はまともだと思わせるほどの決定的な変人だ。

5　申しわけなさそうな態度はとるが、ほんとうに悪いことをしたとは思っていない。

6　他者にはきびしいルールを課すが、自分はためらうことなく法を犯す。

7　相手には忠誠を求めるが、自分はほぼだれでも裏切る。

8　真実を求めるが、きわめて巧みに嘘をつきつづける。

9　科学で生活が豊かになることを理想とするが、人を殺すために科学を利用して穢す。

以上の対立要素はウォルターの性格描写と実像の対立にすぎないので、最大の矛盾を生じさせてはいない。より深いところにある対立要素は、行動の表面には現れない。行動の合間にそれとなく見え隠れするだけだ。

対立要素　内的自己と隠れた自己

1　癌で余命いくばくもないので、躊躇なく命を危険にさらすが、癌で死にかけているからこそ命を大切にし、限界まで生きようとする。

2　論理的だが衝動的で、慎重に勝算を見きわめておきながら、結局は勝ち目があろうとなかろうと命を懸けて勝負に出る。

3　感情面では冷静だが、怒りが高じると爆発し、思いどおりに事が運ばなければ苛立つ。

4　自信過剰でプライドが高いが、自己不信に陥って劣等感をいだいてもいる。

5　他者の本質を見抜く洞察力はあるが、自分のことはほとんどわかっていない。

6　家族を愛し、家族の幸せのために尽くす。だが、自己愛を満足させるために、家族だけでなくパートナーのジェシーや義弟のハンクまでも、生きるか死ぬかの危険に絶えずさらす。自己と他者が対立した場合、つねに自己を選ぶ。

7　最大の対立要素　ウォルターの内面における最大の矛盾は、自分自身ともうひとりの自分、自分が考える自己と真の自己、つまりウォルターとハイゼンベルクの対立だ。

ウォルターはこのふたりの男、冷酷で計算高い麻薬密売人であるハイゼンベルクの側面と、善良な父親であり夫でもあるウォルター・ホワイトの側面を使い分けようとする。たとえば、ネオナチのジャックにハンクの命乞いをするときのウォルターはウォルターだが、ジャックにジェシーを殺すよう依頼するときのウォルターはハイゼンベルクだ。

ホリーを連れ去るのはウォルター・ホワイトの側面であり、それはこの幼いわが娘だけが、いつか自分を愛してくれるかもしれない人間として、自分の人生に残された唯一の存在だからだ。しかし、娘のおかげでウォルターはついに真実に気づく。自分がしたことは家族のためなどではなく、真の自己であるハイゼンベルクのためだったのだ。ホリーを母親へ返すと、ウォルターはウォルターとして残っていた最後の一片を捨て去る。そこから先は完全にハイゼンベルクだ。

『ブレイキング・バッド』の主人公に十六もの対立要素を持たせるには、ウォルター・ホワイトと、物語の歴史のなかでも屈指の数を誇る脇役たちとのあいだで、約六十時間に及ぶ絶え間ないやりとりが必要だった。この集団を理解するためにわたしが作成したのが、ウォルターのギャング集団の相関を示した図だ。ウォルターの企ての助けとなる登場人物はすべて内側の円に、危険な試みの妨げとなる登場人物はすべて外側の円に配し、スカイラーはどちらにもはいるので中間に、警察官とギャングの面々は円の外に配置した。

ウォルター・ホワイトのキャラクターの変化

わたしは『ブレイキング・バッド』のメインプロットに「ハイゼンベルクの勝利」というタイトルをつけた。ハイゼンベルクは新たな自己ではない。ウォルターはずっとハイゼンベルクを抑えこんで生きてきた。

ウォルターのギャング集団

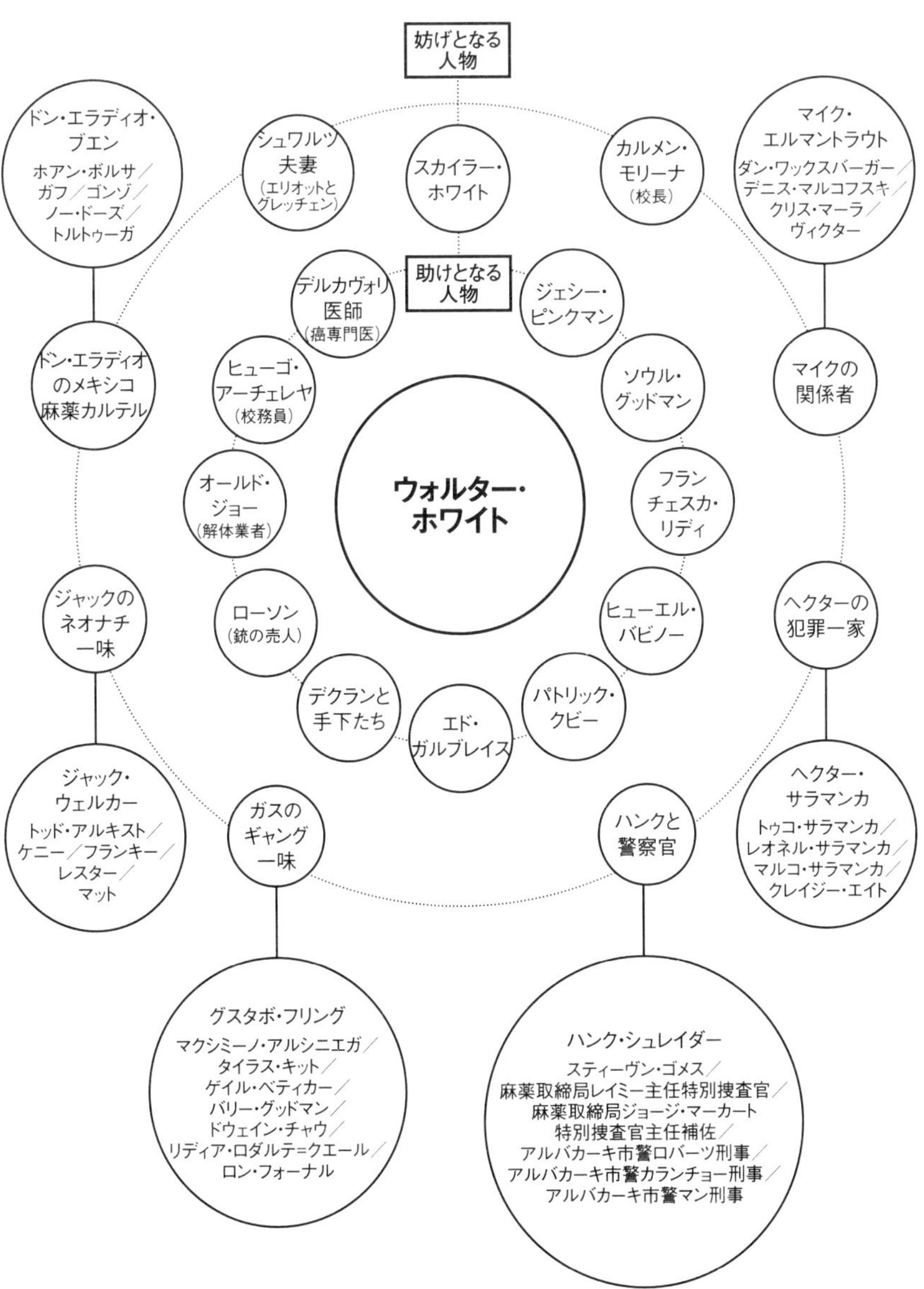

ついにハイゼンベルクを解き放って肥大する余地を与えたとき、ハイゼンベルクは自分の人生を生きはじめる。そしてウォルターを破壊し、ウォルターが大切にしていたものすべてを破壊する。

うわべだけを見ると、『ブレイキング・バッド』の中核のストーリーは、ウォルターが善人から悪人へと変わる懲罰プロットのように感じられる。しかし、ウォルターは最終話で贖罪を果たしたと論じる者もいるだろう。

五シーズンかけて明かされるさまざまなことを知ってはじめて、われわれは、生徒の前でぎこちなく歩きまわっていた一介の教師も、義弟の目に冴えなく映っていた男も、気弱に妻とベッドをともにしていた夫も、すべて偽りの姿だったことに気づく。ハイゼンベルクという偽りの名（ノム・ド・ゲール）を持つ麻薬密売組織の大物こそが、ウォルターの真の自己なのだ。

自分のなかのウォルター・ホワイトの側面を切り捨てて悪行を重ねても、ウォルターは動じない。第一シーズンのクライマックスでは、はじめて人を殺したあとで家に帰り、それまでのウォルターには考えられないほど情熱的に妻を抱く。

だが、自分のなかのハイゼンベルクの側面を切り捨てようとすると、怒りが爆発する。

『ブレイキング・バッド』のクライマックスは、ウォルターの懲罰プロットから贖罪プロットへ傾く。ウォルターとハイゼンベルクの対立は、ふたつの側面がひとつに合わさり、悪をもって善をなすひとつの人格として完成することで解消される。

しかし、ウォルターはアンチヒーローではない。いたって皮肉な結末ではあるが、充足を見いだす悪魔のヒーローだ。すべてを失いはするものの、ほとんどの人間が知る由もないものを手に入れる。ウォルターは人間が体験しうる限界まで人生を生きたのだ。

まとめ

『ブレイキング・バッド』は、ストーリーが描き出す登場人物たちの意味や奥深さに力強い人間味があるので、どの時代でもこのストーリーのままで成功しただろう。それにしても、なぜこのシリーズはあらゆる予測を上まわる驚異的な人気を獲得できたのだろうか。わたしが思うに、それはヴィンス・ギリガンが、語るべきことを語るべきときに語ったからだ。ギリガンの『ブレイキング・バッド』は、現代の起業家至上主義のイデオロギーを風刺している。

二〇〇八年には、大きな出来事がふたつあった。金融危機による大不況と、『ブレイキング・バッド』第一シーズンの放送開始だ。現実の世界でもフィクションの世界でも、一部の人間が多くを手にし、残りの人間は搾取される。そんな時代に、もともと自分が手にしていたはずのものを、なんとしても取りもどそうとする男に、視聴者が共感してなんの不思議があるだろうか。

ウォルターは、パートナーの裏切りと自分のひどく頑なプライドのせいで、階層社会である科学界を追われた。心のなかでは自分の優秀さを自覚していて、偶然にも自分の天職を見つけ、世界の精鋭のなかに自分の正当な居場所を求めて奮闘する。そして、アイン・ランドの小説から抜け出した帝国の建設者さながらに、復讐の筋書きを考えながら弱者にまぎれて好機を待つ。

ウォルターはすぐれた技術ノウハウを生かし、競合者よりも良質な高級品を作る会社を起業する。容易なことではない。この叩きあげの男は、信用ならないパートナーや無情なライバルと渡り合わなくてはならない。一方では原材料の不足に、他方では供給ルートの問題にしじゅう悩まされる。さらに、あらゆる起業家の悩みの種、法律や規制がある。ウォルターの場合、敵は米国麻薬取締局だ。

独力で成りあがった者がみなそうであるように、ウォルターが相手にするのは、こちらの才気を脅威に感じたり、ヴィジョンを理解できなかったりする愚かな者たちだ。

第一シーズンでは、全員が罪人（つみびと）だった。マリーは万引きをし、その夫は法律をねじ曲げる。登場するのは、罪を犯すビジネスマン、刑事事件専門の弁護士、腐敗した警察官、麻薬密売人、薬物依存者がほとんどだ。だから、最初はウォルターがメスを製造したり人を殺したりしても、程度の問題のように感じられる。しかしヴィンス・ギリガンは、程度こそが問題なのだとわれわれに気づかせる。

ウォルター・ホワイトはただの罪人ではない。彼はどす黒い魂のなかから、町や家族に破滅を解き放つ。何件もの殺人を犯し、薬物依存者を生み出す。ジェシーのようにウォルターのほんとうの顔を知る者なら、だれでもウォルターが悪魔だと見抜く。

このシリーズがすばらしいのは、それでも視聴者が共感するところだ。われわれはこの悪魔のなかに自分を見いだす。おおぜいの視聴者と同じように、ウォルターも怒りと恨みを心の奥底にずっとかかえている。妻に向かって、どいつもこいつもおれの偉大さをわかろうともしない、とぶちまける。社会構造に踏みにじられているすべての人たちと同じく、ウォルターのひとつひとつの行動が「おれに気づいてくれ！」と叫んでいる。

『ブレイキング・バッド』がウォルターに与える場所は、ガレージで起業し、やがて社会を揺るがす製品を生み出した創造的破壊者や革新者と同じだ（何もマーク・ザッカーバーグやスティーブ・ジョブズが麻薬密売人だと言っているわけではない――彼らの製品やサービスは癖になるようではあるが）。

ウォルター・ホワイトがすばらしいキャラクターなのは、家族を養い、ジェシーの命を救い、ジャック率いるネオナチのバイカーギャングを壊滅させ、そして自分の帝国を法律ではなく自分のルールで終わらせるからだ。

『ブレイキング・バッド』の中核をなすジャンルは、人生がプラスへ変化する啓発プロットだ。結局のところ、自分の持てる可能性を限界まで発揮して、内なる人間性を完成させるというウォルターの欲求は満たされたのである。

結び　革命的な作家

芸術家になりたい、金銭より美を優先する人になりたいという欲求は、ときには拒絶され、貧困や嘲笑もともなう。このような恐怖が、多くの才能ある作家の意志をくじいてきた。それに立ち向かうためには、作家は反逆者ではなく革命家にならなくてはならない。愛されていない、認められていないと思うから、反逆者は権威に楯突く。真の革命家による革命は、その人の内側で、人目につかず、ひっそりと起こる。本人は自分の真価を知っているので、他者からそれを教えてもらう必要がない。反逆者は、権威を転覆させて自分がその座に就こうとする。静かな革命家にはそんな願望がない。孤高の革命家は平和主義者だ。

真の革命家は狂信者ではなく、自立している。

人間の創造性の中心と、思いやりをはじめとする自覚的なものの最高の価値要素を信じている。その周囲には、よい仲間がいる。実のところ、友人や知人を深く理解したことが、キャラクターに魅了される最初のきっかけとなったはずだ。

疑念はつねにいだいているが、世を拗ねてはいない。人々が信じこんでいる嘘や、現実とすり替えられた妄想を否定する。あらゆる集団、あらゆる社会の限界を見据え、地縁や血縁にとらわれず、国家、階級、人種、党派、宗教、さらには家族に対する盲目的な忠誠心から自分を解放する。

けっして人生を模倣しない。実在の人物から着想を得ることはあっても、出発点にすぎず、それで満足することはない。

直感と洞察力が示す道筋をたどり、技巧の熟達にいそしむ。

うわべだけの性格描写でよしとすることはけっしてない。隠れた人生の探求は周囲の人々だけにとどまらず、われわれが興味津々となる登場人物を生み出す。

けっして見せびらかさない。技巧をこれみよがしに見せる作品は書かない。

奇抜さは独創性ではないことを知っている。

自己認識がキャラクターの最大の源泉であることを知っているので、そのなかで時間を過ごす。

発想のための情報源を限定しない。出来事、他者、自分自身など、どこからでもアイディアを見つけて採り入れることができる。

対立や葛藤を探り、複雑さを楽しむ。

人間の精神を、驚くべき幅広さと深遠な奥行きで照らし出す。

キャラクターに与えたストーリーの道筋を、彼らが到達すべき人間性を得るまでけっして閉ざさない。

革命的な作家は、われわれの夜を喜びで満たす。

最後のページも終わりが見えてきたので、時間切れになる前にグラスを掲げよう。ストーリーの航行者、キャラクターの探求者である作家のみなさんに、乾杯。あなたが人類の荒野で道を見つけて、埋もれた宝物を発掘し、そして無事に家へ帰り着くことができますように。

謝辞

初稿というのは、粗いだけでなく、生煮えでもある。アシュレイ・ブレイクとシャーマン図書館ブッククラブのメンバー——アンドレア・オコナー、スザンヌ・アシュリー、コリン・ケヴォーキアン、キャサリン・ダンドレア——にお礼を申しあげる。分厚くて粗削りなページを探検して、知恵を生かすアイディアをもたらしてくれた。

章や段落、さらには文頭から文末までの論理の流れについて、担当編集者のマーシャ・フリードマンほど鋭い目を持つ人物はいない。いつものことながら感謝に堪えない。

図案担当のオリヴァー・ブラウンには、役柄やキャラクターの特性を図式で明確に表現してもらい、感謝している。

そして、最後のひとり。初稿を読んで、おざなりの世辞を述べられても、たいして役に立つものではない。だから、わが友クリスタ・エクテルの計り知れない知性と誠実さに心から感謝する。

用語集

アクション　登場人物がなんらかの変化を起こすために、目的を持って心理的あるいは身体的におこなうあらゆる行為。

アクティビティ　登場人物が特に目的もなくおこなうあらゆる行為。目的のない行為や思考は、時間をつぶすが何も変えない。

一人称の語り手　フィクションのストーリーを自伝のように語る声。作者はこの語り手の知識を、ひとりの人間が知りうる範囲に限定する。

運命　出来事をあらかじめ定めている、目に見えない力。運命を信じることは、決定論的な見方に根ざしていて、これはつまり、人生で起こることは神のような力によって事前に決められているので、起こるべくして起こるという考えだ。人生の出来事は、どんなに複雑であっても、とりうる道はひとつで、起こりうる結果もひとつしかない。このような見方では、自由意志は幻想にすぎない。

解決　中心となるプロットのクライマックスのあとにつづくシーンや説明。

隠れた自己　潜在意識。静かだが、しばしば矛盾した衝動が、意識下ににじみ出る。この精神的なエネルギーは、勇敢、臆病、親切、残酷、暴力的、冷静など、アイデンティティをなすものに燃料を供給し、キャラクターが突然の重圧に対しておのずと反応するときに姿を現す。

価値要素　「生／死」、「快楽／苦痛」、「正義／不正」などのように、人間の状態をプラスからマイナス、またはマイナスからプラスへ逆転させる、ふたつの向きを持った要素。

危機　主人公にとって最後の、そして最も激烈な対決。このシーンでは、ストーリー最大の敵対する力が立ちはだかり、主人公はどんなアクションを起こすべきか、苦渋の選択を強いられる。最終的に選択したアクションによって、ストーリーはクライマックスを迎える。

基本ジャンル　内容の相違（キャラクター、出来事、価値要素、感情など）に基づくストーリーの分類。

キャラクター主導のストーリー　主要なキャラクターたちが重大な出来事を引き起こすストーリー。物理的、社会的、偶発的なものが外部へ引き起こす影響は小さい。

キャラクターの深み　欲求と意識の下に隠れている底流。深みのあるキャラクターの意識には静かな知の水脈があり、さらにその下の領域には、より重要な認識が渦巻いている。このようなキャラクターに読者や観客が自分自身を重ね合わせるときには、その人物の広大な意識を感じとり、表現されていない思考を読みとり、さらに深くで、目の奥に輝く潜在的な欲求を感じとる。

究極目標　人生のバランスを取りもどしたいという欲求。契機事件が起こったあと、主人公は究極目標に突き動かされて、欲求の対象に到達するために奮闘し、人生のバランスを取りもどそうとする。

寓意キャラクター　普遍的な概念の一面を表す役柄。たとえば、ある作家が創造性という概念をドラマにしたいと考えた場合、登場人物は、詩、絵画、ダンス、音楽、彫刻、映画、演劇などの芸術を象徴するキャラクターで構成されるだろう。

契機事件　ストーリーラインにおける最初の大きな転換点。この出来事によって人生のバランスが大きく崩れ、主人公の究極目標、すなわち、均衡を取りもどしたいという欲求が喚起される。

形式ジャンル　形式の相違（様式、雰囲気、表現媒体など）に基づくストーリーの分類。

劇的アイロニー　過去、現在、未来を同時に認識すること。読者や観客の意識は、ミステリー（登場人物よりも知っている量が少ない）、サスペンス（登場人物と知っている量が同じ）、劇的アイロニー（登場人物より知っている量が多い）の三つのちがいに応じて、好奇心のあり方が「この先どうなるだろう」から「この人物があのことに気づいたら、どう反応するだろう」へと移っていく。登場人物の身に何が起こるかを事前に知っていると、好奇心は恐怖へ変わり、共感は同情と化す。

元型キャラクター　普遍的な概念を象徴する役柄。母性、時間、力、善、悪、生、死、不死など、最も純粋な形で理想を表す。

行動する自己　登場人物のアクションを実行する心の一面。行動する自己は、中核の自己がじっと観察と感知をおこなうあいだに、中核の自己の望むことを実行する。中核の自己は行動する自己を「わたし」と呼び、「わたしがそれをした。わたしがそれをしている。わたしがそれをするつもりだ」のように表現する。

サスペンス　感情をともなう好奇心。合理的な興味と共感の組み合わせが、読者や観客をストーリーに引き入れる。

サブテクスト　表現されない内面の人生。読者や観客は、複雑なキャラクターの表向きのふるまい（テクスト）を通して、口にされない、あるいは口にできない思考、感情、衝動（サブテクスト）を発見する。

三人称の語り手　作者が自分のストーリーを語るために設定する声。この声は、フィクション作品を登場人物の伝記であるかのように扱う。語り手の知識は、ストーリーにおける歴史、設定、登場人物を全知全能の立場で理解している場合から、ただひとりの登場人物の内と外の世界だけを知っている場合まで、さまざまだ。

支援キャラクター　ストーリーの出来事の成り行きに影響を与えるアクションを起こす登場人物。

実像　意識的な「中核の自己」、能動的な「行動する自己」、潜在的な「隠れた自己」という三つの自己で構成される、キャラクターの内なるアイデンティティ。

視点人物　物語全体を通して読者や観客を導く役柄。ほとんどのストーリーは、主人公を出来事から出来事へ追っていくが、ときおり作者はわけありげに主人公から距離を置き、脇役の視点からストーリーを進めることがある。

焦点キャラクター　最も注目を集めるキャラクター。焦点キャラクターは、ほとんどの場合主人公だが、きわめて個性的な脇役にスポットライトがあたることもまれにある。

シーンの目的　キャラクターがその場で望み、それによって究極目標に一歩近づける物事。

信頼できない語り手　混乱していたり、無知であったり、不誠実であったりする語り手のこと。信頼できない三人称の声がストーリーを語る場合、自分は信頼できない語り手であることを読者に明言するか、読者みずからに気づかせるか、どちらもありうる。信頼できない一人称のキャラクターがストーリーを語る場合、その人物は誠実ではあるものの、考えが偏っているか、真実が見えていないだけかもしれない。

信頼できる語り手　ストーリーを語る正直な声。作家がストーリーを語るとき、登場人物や歴史について神のような知識を持つ三人称の声を設定する。登場人物が語り手である場合、持っている知識はみずからの個人的な経験に限定され、一人称で語る。どちらの場合でも、真実を曲げない人物だと読者や観客が信じることができれば、信頼できる語り手となる。

性格描写　キャラクターの表向きのアイデンティティ。身体と声のあらゆる特徴と、行動する自己とが引き受ける社会的、個人的な人格すべてが組み合わさった、目に見える個性。

善の中心　主要な登場人物の心の奥底にあるプラスの資質。勇気、やさしさ、強さ、知恵、誠実さなどの特質は、たいがい主人公に見られるもので、読者や観客の共感を呼び起こす。このプラスの中心は、ほかの登場人物や周囲の社会におけるマイナスの要素と対照的であればあるほど魅力を増す。

多元性　現存する矛盾。多元的なキャラクターは、正反対の性質や特徴（対立要素）のあいだで行動が変化する。たとえば、あるときは賢く、あるときは愚かであり、善行のあとに悪行を働き、ある者には寛大で、ほかの者には狭量であり、ある状況では強いが、別の状況では弱い。

中核の自己　心の声。「わたしはだれ?」と尋ねられると、この意識の中心は、「わたしに起こったこと」、「わたしにいま起こっている」、「わたしにいつか起こるかもしれない」というときの「わたし」だと答える。行動する自己が役目を果たすのを観察し、その結果を判断する意識の中核でもある。また、周囲の人々を研究し、観察することで、過去の出来事を思い出したり、未来の出来事を予想したり、ありえない出来事を空想したりもする。

定型キャラクター　職業や社会的立場に応じた役割を果たすが、出来事の成り行きには影響を与えない登場人物。

敵対する力　キャラクターの欲求を阻む、対立する力。敵対する力は、自然、社会制度、個人的関係、あるいはキャラクター自身にひそむ暗い衝動から発生する。

テクスト　芸術作品において、感知できる表層。小説ならページ上の文字、映画やテレビなら音や映像、演劇なら俳優やセット。

転換点　キャラクターの人生における価値要素をプラスからマイナスへ、マイナスからプラスへ変化させる出来事。

動機　満足したいという内在的な渇望。安全への希求、セックスへの衝動、飢餓への恐れなど、動機を取り巻くあらゆることが、キャラクターをゲートつきの住宅地、官能的な恋人、満腹の食事といった具体的な欲求へ向かわせる。このような進行中の情熱や満足感は、たいてい長つづきしない。

登場人物相関図　登場人物の関係を表したもの。この図によって、登場人物が互いの特徴をどのように際立たせ、活性化させているかが明確になる。

登場人物の複雑さ　一貫して矛盾する行動パターン。起伏に富んだこの多元性が、登場人物の表向きの人格と内なるアイデンティティを構成する。

発覚　隠されていた真実が明らかになること。

引き立て役のキャラクター　主人公を際立たせるキャラクター。引き立て役の対照的な性質は、主人公の定義づけに役立つが、必要に応じて、とっつきにくい主人公や謎めいた主人公の説明や解釈までも提供することもある。

プロット　ストーリーで起こる出来事を順序づけ、連結して組み立てたもの。

プロット主導のストーリー　物理的、社会的、偶発的な力が重大な出来事を引き起こすストーリー。キャラクターの欲求や資質から引き出される影響は二次的なものになる。

奉仕キャラクター　シーンを円滑に進めるが、出来事の成り行きには影響を与えない登場人物。

欲求の対象　人生のバランスを取りもどすために、主人公が求めるもの。個人的なもの、社会的なもの、心理的なもの、物理的なもののどれでもよい。

原注（出典）

1　キャラクターと人間

1 Martin Price, *Forms of Life: Character and Moral Imagination in the Novel*, Yale University Press, 1983.

2 W. J. Harvey, *Character and the Novel*, Cornell University Press, 1965.

3 Martin Price, *Forms of Life: Character and Moral Imagination in the Novel*, Yale University Press, 1983.

4 James K. Feibleman, *Aesthetics: A Study of the Fine Arts in Theory and Practice*, Humanities Press, 1968; *The Aesthetic Object: An Introduction to the Philosophy of Value*, Elijah Jordan, Principia Press, 1937.

5 Martha C. Nussbaum, *Love's Knowledge: Essays on Philosophy and Literature*, Oxford University Press, 1992.

6 ヘンリー・ジェイムズ『小説の技法』（高村勝治訳、研究社出版、一九七〇）

7 Martin Price, *Forms of Life: Character and Moral Imagination in the Novel*, Yale University Press, 1983.

8 Jules Renard, *The Journal of Jules Renard*, Tin House Books, 2017.

9 "After Sacred Mystery, the Great Yawn," a review by Roger Scruton of Mario Vargas Llosa's *Notes on the Death of Culture*, TLS, November 4, 2015.

10 James K. Feibleman, *Aesthetics: A Study of the Fine Arts in Theory and Practice*, Humanities Press, 1968.

11 W. J. Harvey, *Character and the Novel*, Cornell University Press, 1965.

12 James K. Feibleman, *Aesthetics: A Study of the Fine Arts in Theory and Practice*, Humanities Press, 1968.

13 W. J. Harvey, *Character and the Novel*, Cornell University Press, 1965.

2　アリストテレスの議論——プロット対キャラクター

1　ヘンリー・ジェイムズ『小説の技法』（高村勝治訳、研究社出版、一九七〇）

2　ヨハン・ヴォルフガング・フォン・ゲーテ『ヴィルヘルム・マイスターの修業時代』（上中下巻、山崎章甫訳、岩波書店、二〇〇〇）

3　Martin Price, *Forms of Life: Character and Moral Imagination in the Novel*, Yale University Press, 1983.

3　作家の準備

1　"Dissociating Processes Supporting Causal Perception and Causal Inference in the Brain," Matthew E. Roser, Jonathan A. Fugelsang, Kevin N. Dunbar, et al., *Neuropsychology* 19, no. 5, 2005.

2　エルンスト・H・ゴンブリッチ『美術の物語』（天野衛ほか訳、河出書房新社、二〇一九）

3　Robert Ellwood, *The Politics of Myth: A Study of C. G. Jung, Mircea Eliade, and Joseph Campbell*, State University of New York Press, 1999.

4　Martin Price, *Forms of Life: Character and Moral Imagination in the Novel*, Yale University Press, 1983.

第2部　キャラクターの構築

1　August Strindberg, *Six Plays*, author's foreword to *Miss Julie*, Doubleday, 1955. Chapter Four Character Inspiration: Outside In

4　キャラクターの着想——外側から書く

1　コンスタンチン・スタニスラフスキー『芸術におけるわが生涯』（上中下巻、蔵原惟人・江川卓訳、岩波書店、二〇〇八）

2　ピーター・ベンチリー『ジョーズ』（平尾圭吾訳、早川書房、一九八一）

3　*45 Years*, film adaptation by Andrew Haigh of "In Another Country," a short story by David Constantine.

4 スティーヴン・キング『書くことについて』（田村義進訳、小学館、二〇一三）
5 Dan McAdams and Ruthellen Josselson, *Identity and Story: Creating Self in Narrative*, *The Narrative Study of Lives*, vol. 4, American Psychological Association, 2006.
6 エリック・ホッファー『大衆運動　新訳版』（中山元訳、紀伊國屋書店、二〇二二）

5 キャラクターの着想——内側から書く

1 ヘンリー・ジェイムズ『小説の技法』（高村勝治訳、研究社出版、一九七〇）
2 セバスチャン・スン『コネクトーム：脳の配線はどのように「わたし」をつくり出すのか』（青木薫訳、草思社、二〇一五）、オラフ・スポーンズ『脳のネットワーク』（下野昌宣訳、みすず書房、二〇二〇）
3 Ernest Becker, *The Birth and Death of Meaning: An Interdisciplinary Perspective on the Problem of Man*, Free Press, 1971.
4 アントニオ・ダマシオ『意識と自己』（田中三彦訳、講談社、二〇一八）
5 Bruce Hood, *The Self Illusion: How the Social Brain Creates Identity*, Oxford University Press, 2012.
6 ギルバート・ライル『心の概念』（坂本百大・井上治子・服部裕幸訳、みすず書房、一九八七）
7 Walter Burkert, *Greek Religion*, Harvard University Press, 1985.
8 Mary Ann Dwight, *Grecian and Roman Mythology*, Palala Press, 2016.
9 デイヴィッド・ロッジ『考える…』（高儀進訳、白水社、二〇〇一）
10 デイヴィッド・イーグルマン『あなたの知らない脳：意識は傍観者である』（大田直子訳、早川書房、二〇一六）
11 William James, *The Principles of Psychology*, vols. 1–2, 1890; repr., Pantianos Classics, 2017.
12 ドナルド・ウィニコット『精神分析的探究』（『ウィニコット著作集』六〜八巻所収、舘直彦・小坂和子・若山隆良・倉ひろ子ほか訳、岩崎学術出版社、一九九八・二〇〇一）
13 スーザン・ブラックモア『意識』（筒井晴香・信原幸弘・西堤優訳、岩波書店、二〇一〇）

14 Harold Bloom, *Hamlet: Poem Unlimited*, Riverhead Books, 2004.
15 Raymond Martin and John Barresi, *The Rise and Fall of Soul and Self: An Intellectual History of Personal Identity*, Columbia University Press, 2005.
16 William James, *The Principles of Psychology*, vol. 1, chap. 9, “The Stream of Thought,” Dover Books, 1950.
17 Michel de Montaigne, *The Complete Essays*, Penguin Classics, 1993.
18 Andre Green, *The Work of the Negative*, Free Association Books, 1999.
19 ティモシー・ウィルソン『自分を知り、自分を変える：適応的無意識の心理学』（村田光二訳、新曜社、二〇〇五）
20 Terrence Rafferty on E. L. Doctorow, *New York Times Book Review*, January 12, 2014.

6 役柄とキャラクター

1 W. J. Harvey, *Character and the Novel*, Cornell University Press, 1965.

7 表向きのキャラクター

1 ルートヴィッヒ・ウィトゲンシュタイン『哲学探究』（鬼界彰夫訳、講談社、二〇二〇）
2 Martin Price, *Forms of Life: Character and Moral Imagination in the Novel*, Yale University Press, 1983.
3 Ibid.
4 Ibid.
5 Rene Wellek and Austin Warren, *Theory of Literature*, Harcourt, Brace, 1956.
6 W. J. Harvey, *Character and the Novel*, Cornell University Press, 1965.
7 フィリップ・ジンバルド、ジョン・ボイド『迷いの晴れる時間術』（栗木さつき訳、ポプラ社、二〇〇九）

8 ジェローム・ブルーナー『可能世界の心理』(田中一彦訳、みすず書房、一九九八)

9 ロバート・マッキー『ダイアローグ』(越前敏弥訳、フィルムアート社、二〇一七)

10 Edmund Burke, *Revolutionary Writing: Reflections of the Revolution in France and the First Letter on a Regicide Peace*, 1796.

11 Theophrastus's full list of character types: the Ironical Man, the Flatterer, the Garrulous Man, the Boor, the Complaisant Man, the Reckless Man, the Chatty Man, the Gossip, the Shameless Man, the Penurious Man, the Gross Man, the Unseasonable Man, the Officious Man, the Stupid Man, the Surly Man, the Superstitious Man, the Grumbler, the Distrustful Man, the Offensive Man, the Unpleasant Man, the Man of Petty Ambition, the Mean Man, the Boastful Man, the Arrogant Man, the Coward, the Oligarch, the Late-Learner, the Evil-Speaker, the Patron of Rascals, and the Avaricious Man. For an amusing explanation of each unpleasantness, read Characters: An Ancient Take on Bad Behavior, Theophrastus, annotated by James Romm, Callaway Arts and Entertainment, 2018.

12 Thomas A. Widiger, *The Oxford Handbook of the Five Factor Model*, Oxford University Press, 2016.

13 ロバート・マッキー『ストーリー』(越前敏弥訳、フィルムアート社、二〇一八)

8 内なるキャラクター

1 アリストテレス『ニコマコス倫理学』(上下巻、高田三郎訳、岩波書店、一九七一)

2 アルフィ・コーン『報酬主義をこえて　新装版』(田中英史訳、法政大学出版局、二〇一一)

3 アーネスト・ベッカー『死の拒絶』(今防人訳、平凡社、一九八九)

4 Stephanie Scheck, *The Stages of Psychosocial Development According to Erik H. Erikson*, GRIN Verlag GmbH, 2005.

5 ヴィクトール・E・フランクル『夜と霧 新版』(池田香代子訳、みすず書房、二〇〇二)

6 James K. Feibleman, *Understanding Civilizations: The Shape of History*, Horizon Press, 1975.

7 ゲオルク・ヴィルヘルム・フリードリヒ・ヘーゲル『大論理学』(全四巻、武市健人訳、岩波書店、二〇一六)

8 As Claudia Koonz notes in *The Nazi Conscience* (Belknap Press, 2003), death camp commandants suffered sleepless, guilt-ridden nights when their crematoriums weren't running on schedule.

9 *Thinking, Fast and Slow*, Daniel Kahneman, Farrar, Straus and Giroux, 2013; *Subliminal: How Your Unconscious Mind Rules Your Behavior*, Leonard Mlodinow, Vintage, 2013; *Strangers to Ourselves: Discovering the Adaptive Unconscious*, Timothy D. Wilson, Belknap Press, 2004.

10 スティーブン・ピンカー『心の仕組み』（上下巻、椋田直子・山下篤子訳、筑摩書房、二〇一三）

11 Jenann Ismael on the nature of choice: "We are shaped by our native dispositions and endowments, but we do make choices, and our choices . . . are expressions of our hopes and dreams, values and priorities. These are things actively distilled out of a history of personal experience, and they make us who we are. Freedom is not a grandiose metaphysical ability to subvene the laws of physics. It is the day-to-day business of making choices: choosing the country over the city, children over career, jazz over opera, choosing an occasional lie over a hurtful truth, hard work over leisure. It is choosing that friend, this hairstyle, maybe tiramisu over a tight physique, and pleasure over achievement. It is all of the little formative decisions that when all is said and done, make our lives our own creations." ("Fate's Scales, Quivering," Jenann Ismael, TLS, August 9, 2019.)

12 Alfred R. Mele, *Free Will and Luck*, Oxford University Press, 2008; Alfred R. Mele, *Effective Intentions: The Power of Conscious Will*, Oxford University Press, 2009.

9 多元的なキャラクター

1 Michelle Orange, "Not Easy Being Greene: Graham Greene's Letters," *Nation*, May 4, 2009.

2 BBC Culture Series, April 2018.

3 ホメーロス『オデュッセイア』（上下巻、松平千秋訳、岩波書店、一九九四）

10 複雑なキャラクター

1 チャールズ・ライト・ミルズ『パワー・エリート』（鵜飼信成・綿貫譲治訳、筑摩書房、二〇二〇）

2 Sherree DeCovny, "The Financial Psychopath Next Door," *CFA Institute Magazine* 23, no. 2, March–April 2012.
3 Christopher Hayes, *Twilight of the Elites*, Random House, 2012.
4 Bruce Hood, *The Self Illusion: How the Social Brain Creates Identity*, Oxford University Press, 2012.
5 エリック・バーン『人生ゲーム入門：人間関係の心理学』（南博訳、河出書房新社、二〇〇〇）
6 Thomas A. Widiger, *The Oxford Handbook of the Five Factor Model*, Oxford University Press, 2016.
7 *Personality, Cognition and Social Interaction*, edited by John F. Kihlstrom and Nancy Cantor, Routledge, 2017; レナード・ムロディナウ『しらずしらず：あなたの9割を支配する「無意識」を科学する』（水谷淳訳、ダイヤモンド社、二〇一三）
8 Josh Cohen, *The Private Life*, Granta, 2013.
9 パウル・ティリッヒ『生きる勇気』（大木英夫訳、平凡社、一九九五）
10 ロバート・マッキー『ダイアローグ』（越前敏弥訳、フィルムアート社、二〇一七）

11 完成されたキャラクター

1 Hans Meyerhoff, *Time in Literature*, University of California Press, 1955.
2 Martha C. Nussbaum, *Upheavals of Thought: The Intelligence of Emotion*, Cambridge University Press, 2003.

12 象徴的なキャラクター

1 カール・グスタフ・ユング『人間と象徴』（上下巻、河合隼雄訳、河出書房新社、一九七五）：Jean Knox, *Archetype, Attachment, Analysis: Jungian Psychology and the Emergent Mind*, Brunner-Routledge, 2003.
2 J. Ruth Gendler, *The Book of Qualities*, Harper Perennial, 1984.
3 エリック・ホッファー『大衆運動　新訳版』（中山元訳、紀伊國屋書店、二〇二二）
4 Joel Dinerstein, *The Origins of Cool in Postwar America*, University of Chicago Press, 2018.

5 Robert Ellwood, *The Politics of Myth: A Study of C. G. Jung, Mircea Eliade, and Joseph Campbell*, State University of New York Press, 1999.

13 過激なキャラクター——現実主義／非現実主義／過激主義が形作る三角形

1 Martin Heidegger, *The Principle of Reason*, translated by Reginald Lilly, Indiana University Press, 1991.
2 Marta Figlerowicz, *Flat Protagonists: A Theory of Novel Character*, Oxford University Press, 2017.
3 Alain Badiou, *On Beckett*, Clinamen Press, 2003.
4 Nicholas Zurbrugg, "Beckett, Proust, and 'Dream of Fair to Middling Women,'" *Journal of Beckett Studies* no. 9, 1984.
5 ジークムント・フロイト『文化への不満』（『幻想の未来／文化への不満』所収、中山元訳、光文社、二〇〇七）

15 キャラクターのアクション

1 エリク・H・エリクソン『幼児期と社会』（全二巻、仁科弥生訳、みすず書房、一九七七・一九八〇）
2 ロバート・スタンバーク『愛とは物語である：愛を理解するための26の物語』（三宅真季子・原田悦子訳、新曜社、一九九九）

16 キャラクターのパフォーマンス

1 Jonathan Lear, *Aristotle: The Desire to Understand*, Cambridge University Press, 1988.
2 Kenneth Burke, *Language as Symbolic Action*, University of California Press, 1968.
3 Stephen T. Asma, "The Myth of Universal Love," *New York Times*, January 6, 2013.
4 ジェローム・ブルーナー『可能世界の心理』（田中一彦訳、みすず書房、一九九八）

5　スティーブン・ピンカー『暴力の人類史』（上下巻、幾島幸子・塩原通緒訳、青土社、二〇一五）

6　ジェシー・プリンツ『はらわたが煮えくりかえる：情動の身体知覚説』（源河亨訳、勁草書房、二〇一六）

第4部　キャラクターの関係

1　Georg Simmel, *The Sociology of Secrecy and of Secret Societies*, CreateSpace Independent Publishing Platform, 2015.

17　登場人物の設計

1　Ernest Becker, *The Birth and Death of Meaning: An Interdisciplinary Perspective on the Problem of Man*, Free Press, 1971.; Ernest Becker, *The Denial of Death*, Simon and Schuster, 1997.

2　オクテイヴィア・E・バトラー『血を分けた子ども』（藤井光訳、河出書房新社、二〇二二）

3　フィリップ・K・ディック『フィリップ・K・ディックのすべて：ノンフィクション集成』（ローレンス・スーチン編、飯田隆昭訳、ジャストシステム、一九九六）

訳者あとがき

ロバート・マッキーは、シド・フィールドやブレイク・スナイダーらと並ぶ、世界でも有数のすぐれたシナリオ講師で、約四十年にわたって、名だたる脚本家、小説家、劇作家、詩人、ドキュメンタリー作家、プロデューサー、監督、俳優などを数かぎりなく養成してきた。その名を世界に特に知らしめたのは、二十年以上前に書かれた名著『ストーリー』（二〇一八年にフィルムアート社から翻訳刊行）で、豊富な具体例に基づいて作劇術の基本から応用までを徹底的に論じ、創作に携わる人々にとっての「バイブル」とされてきた。

本書『キャラクター』は、その『ストーリー』から派生したもので、マッキーの作劇術に関する本としては三作目にあたる。二作目の『ダイアローグ』（二〇一七年にフィルムアート社から翻訳刊行）では、ストーリーにおける対話や台詞を扱ったが、本書では人物造形やキャラクターをくわしく扱っている。三作とも、底流にある理論は共通しているので、どの本から読んでも大きな問題はない。マッキーの壮大かつ細やかな創作論を堪能するためにも、ぜひ三作すべてを熟読していただきたい。

キャラクターに関する書籍はこれまでにも多く出版されてきたが、有名な作品の有名なキャラクターを無造作に紹介するだけといったものも散見される。本書はそうした著作とは一線を画し、キャラクターを「創造」するという視点から、着想の源にまでさかのぼって徹底的に分析していく。キャラクターをさまざまな軸や要素で分解していく際に、これまでの多種多様な創作物に関する著者の広範かつ精細な知識が活用されている。

たとえば、前提となるジャンルの話になると、十六種類の基本ジャンルと十種類の形式ジャンルに分けての細やかな分析がなされる。キャラクターの内面を考えていくときにも、「中核の自己」、「行動する自己」、「隠れた自己」といった十種類以上の「自己」を用い、キャラクターのさまざまな意識を明確に定義する。本書を読めば、キャラクターをより複雑かつ多元的に創造する大きなヒントが得られるにちがいない。

著者の網羅的、包括的な取り組みがさらに威力を発揮するのが、第4部のケーススタディだ。そこでは、端役を含めたすべての登場人物が作品のなかでどう配置され、どうかかわり合っているかが、人物相関図つきでくわしく解説されている。採りあげられている作品は、マッキーの著作ではおなじみの映画『ワンダと ダイヤと優しい奴ら』のほか、二〇二一年度トニー賞のストレートプレイ（ミュージカル以外の演劇）部門で史上最多の十二部門でノミネートされた『Slave Play』(日本未上演)、最近日本で新訳が出たオクテイヴィア・E・バトラーの傑作短編小説「血を分けた子ども」、スティーヴン・キングが「二十一世紀最高のテレビドラマ」と評した『ブレイキング・バッド』など、バラエティに富んでいる。その緻密な分析は、キャラクターを中心に据えたマッキー自身による作品評として読んでもおもしろい。

キャラクターは、ありとあらゆるストーリーの魅力を倍増も三倍増もさせうる要素である。本書は、映画やドラマはもちろん、演劇、小説（文芸作品からライトノベルまで）、漫画などを含めたどんなジャンルの創作にも役立つ。著者は古典だけでなく、最新の先鋭的な作品にもつねに目を向けて、斬新な分析をしているので、みずから創作の道をめざしていない人にとっても、鑑賞力に磨きをかける充実した読み物となっている。

二〇二二年一月に八十一歳となったマッキーだが、コロナ禍においても、インターネット上でのセミナー形式で精力的に講座を開催してきた。その内容はジャンル別に多岐にわたり、むしろ以前よりも充実しているのではと感じるほどだ。字幕などはついていないが、本人の肉声を聞けるダイジェスト版がYouTubeで公開されている（https://www.youtube.com/c/RobertMcKeeSTORY/videos）。

執筆活動のほうも衰えることがなく、二〇二二年秋には作劇術に関する新作が刊行されるようだ。『ストーリー』、『ダイアローグ』、『キャラクター』につづく第四弾は「アクション」を扱ったものだという。またしてもマッキーならではのダイナミックかつ緻密な分析がなされるにちがいなく、そちらの刊行も待ち遠しい。

ロバート・マッキー
Robert Mckee

1941年生まれ。世界で最も名高く、信頼されているシナリオ講師。全米のみならず、世界各地でセミナーを開催している。これまで40年近くにわたって、数々の脚本家、小説家、劇作家、詩人、ドキュメンタリー作家、プロデューサー、演出家などを育成してきた。マッキーの指導を受けたなかからは、アカデミー賞受賞者が70人以上、アカデミー賞候補が200人以上、エミー賞受賞者が250人以上、エミー賞候補が1,000人以上、全米脚本家組合賞受賞者が100人以上、全米監督組合賞受賞者が50人以上生まれている。本書の姉妹編として、物語の普遍的な「型」を解説する『ストーリー』、会話の創作を深く掘り下げた『ダイアローグ』(ともにフィルムアート社)がある。

越前敏弥
(えちぜん・としや)

1961年生まれ。文芸翻訳者。東京大学文学部国文科卒。学生時代には映像論やシナリオ技法なども学び、卒論テーマは「昭和50年代の市川崑」。おもな訳書に『ダイアローグ』『ストーリー』(以上、フィルムアート社)、『オリジン』『ダ・ヴィンチ・コード』『Xの悲劇』『クリスマス・キャロル』(以上、KADOKAWA)、『大統領失踪』『解錠師』『災厄の町』(以上、早川書房)、『夜の真義を』(文藝春秋)、『ロンドン・アイの謎』『真っ白な嘘』(以上、東京創元社)など。著書に『翻訳百景』(KADOKAWA)、『文芸翻訳教室』(研究社)、『越前敏弥の日本人なら必ず誤訳する英文』(ディスカヴァー)など。

キャラクター

登場人物の本質と創作の技法

2022年9月30日　初版発行

著者　ロバート・マッキー
訳者　越前敏弥

日本語版編集　伊東弘剛（フィルムアート社）
ブックデザイン　水戸部功

発行者　上原哲郎
発行所　株式会社フィルムアート社
〒150-0022
東京都渋谷区恵比寿南1-20-6 第21荒井ビル
tel 03-5725-2001　fax 03-5725-2626
http://www.filmart.co.jp/

印刷・製本　シナノ印刷株式会社

Printed in Japan
ISBN 978-4-8459-2128-7 C0074